붉은 바람 2권

붉은 바람 2권

초판1쇄 인쇄 | 2022년 11월 10일
초판1쇄 발행 | 2022년 11월 15일

지은이 | 이원호
펴낸이 | 박연
펴낸곳 | 한결미디어

등록 | 2006년 7월 24일(제313-2006-000152호)
주소 | 서울시 마포구 모래내로 83 한올빌딩 6층
전화 | 02-704-3331
팩스 | 02-704-3360
이메일 | okpk@hanmail.net

ISBN 979-11-5916-168-1(04810) 979-11-5916-166-7 (세트)

ⓒ한결미디어

붉은 바람 2권
생존자

이원호 장편소설

차례

1장 마르코 가문

오후 4시.

안가로 돌아와 있는 지노가 존슨의 전화를 받는다.

"지노, 어떻게 할 거냐?"

존슨은 이제 지노라고 부른다. 응접실에 앉은 지노가 힐끗 앞쪽에 앉은 사만타를 보았다. '서든 클럽' 습격에 대한 보복을 묻는 것이다. 언론은 떠들썩하게 보도했지만 연거푸 일어나는 사건에 시민들 반응은 시큰둥하다. '또' 하는 분위기다. 그때 지노가 대답했다.

"기회를 보고 있어."

"보스가 너한테 맡긴다고 했어."

"알았어."

"그런데, 참."

존슨이 생각났다는 듯이 물었다.

"미국 대사관에서 널 찾았다면서?"

"그래."

지노의 시선이 다시 사만타를 스치고 지나갔다. 어느새 존슨한테 보고가 된 것이다. 존슨이 물었다.

"무슨 일이야?"

"나한테 경고를 하더군."

지노가 말을 이었다.

"내가 지노인 걸 알고 있었어."

"CIA를 만났구만."

"그래. 하지만 이라크에서 일어난 일은 언급하지 않기로 했어."

"지저스, 그건 다행인데."

"하지만 전쟁을 일으키지 말라는 거야."

"협박이야?"

"난 상관하지 말라고 했어."

지노가 말을 이었다.

"그리고 당하지만은 않겠다고."

이곳은 미국이 아니다. CIA나 지노나 마찬가지 입장인 것이다. 제멋대로 행동할 수 없는 것은 마찬가지다.

"알았다. 보스한테 그렇게 보고하지."

전화기를 내려놓은 지노가 사만타를 보았다.

"내가 미국 대사관 직원 만난 것을 누가 존슨한테 보고했지?"

"전 아닌데요."

눈 밑이 금세 붉어진 사만타가 지노를 보았다. 고개를 끄덕인 지노가 말했다.

"마구로와 호타크를 불러."

마이클을 만난 것을 아는 조직원은 셋뿐인 것이다.

잠시 후에 앞쪽 자리에 앉은 마구로와 호타크는 굳은 얼굴이다. 옆쪽에는 사만타까지 앉았기 때문에 넷이 모였다. 이 셋이 지노의 최측근이다. 그때 지노가 물었다.

"누가 존슨한테 내가 미국 측과 만난다는 이야기를 했나?"

8

그때 마구로가 지노를 보았다.

"제가 했습니다. 존슨 씨한테서 전화가 왔었거든요."

"……"

"어디 가셨느냐고 물어서 이야기를 했습니다."

"자주 너한테 연락이 오나?"

"예, 가끔……"

"말해라, 마구로. 내가 뭘 묻는지 알 테니까 말야."

"예, 존슨 씨가 무슨 일 있으면 즉각 보고하라고 했습니다."

지노의 시선을 받은 마구로가 말을 이었다.

"그래서 제가 지금까지 3번 보고를 했습니다. 미국 대사관 사람 만난다는 이야기는 존슨 씨 전화가 왔을 때 한 겁니다."

지노의 시선이 사만타와 호타크에게로 옮겨졌다.

"너희들은?"

둘은 동시에 고개를 저었다. 그러나 얼굴은 굳어 있다. 분위기를 눈치챈 것이다.

지노의 시선이 사만타에게 옮겨졌다.

"사만타."

"예, 보좌관님."

사만타가 고개를 들고 지노를 보았다. 검은 눈동자가 고양이처럼 맑고 또렷하다. 윤기가 흐르는 입술이 굳게 닫혀 있다. 그때 지노가 입을 열었다.

"내 이름은 지노야. 미국 국적이지."

세 쌍의 시선이 모였고 지노의 목소리가 응접실을 울렸다.

"이라크에서 후세인 대통령의 용병이었지. 대통령 딸의 용병이기도 했던 사람이다."

지노의 시선이 셋을 차례로 훑고 나서 다시 사만타에게 옮겨졌다.

"너도 존슨의 정보원인가?"

"아닙니다."

고개를 저은 사만타가 말을 이었다.

"저는 보스의 측근이어서 존슨 씨가 매수할 수 없는 위치였습니다."

"네가 보스의 측근이라구?"

"예, 보좌관님."

"무슨 의미냐?"

"보스가 생산한 자식들 중 하나란 말씀이죠."

지노의 시선을 받은 사만타가 쓴웃음을 지었다.

"보스와 메스티소 사이에서 난 자식이 10여 명 됩니다. 지금도 생산하는 중이구요. 제가 그중 하나지요."

"……"

"보스의 메스티소 와이프는 현재까지 7명인데 물론 자식을 생산한 와이프를 말합니다. 저는 2번째 메스티소 와이프가 생산한 둘째 자식이죠."

"……"

"보스는 장성한 혼혈 자식들을 농장 관리, 운반 책임자, 경호실, 자금 관리, 그리고 저처럼 측근 보좌관으로 운용하고 있지요. 요직에서 일하는 혼혈 자식들이 10여 명 됩니다."

"그만. 너는 됐어, 사만타."

말을 자른 지노가 마구로와 호타크를 보았다.

"내가 너희들을 믿어야 할 이유를 한 가지씩만 대라."

둘의 시선을 받은 지노가 빙그레 웃었다.

"난 보스로부터 독자적인 권한을 위임받고 여기 온 사람이야. 다른 놈의 정보원을 달고 다닐 이유가 없다."

"보좌관님."

먼저 마구로가 입을 열었다.

"저는 조금 전에 말씀드린 것이 전부입니다. 이런 상황이 되어서 괴롭습니다."

마구로는 36세. 경찰 출신으로 마르코 가문에서 일한 지는 5년. 착실해서 존슨의 경호대 중간 간부로 성장했다. 처와 6살, 3살짜리 두 딸이 있다.

그때 호타크가 고개를 들고 지노를 보았다. 호타크는 35세. 원주민인 플라토의 피가 더 섞인 메스티소로 군 출신이다. 특공대 중사로 예편하고 농장 경비원으로 근무하다가 기동대로 편입되었다.

"보좌관님, 저는 존슨 씨한테서 밀명을 받았습니다."

호타크가 크고 번들거리는 눈으로 지노를 보았다.

"보좌관님하고 석 달만 근무하면 불러들여 농장 경비대장으로 승급시켜준다고 했습니다."

지노는 고개만 끄덕였고 호타크가 말을 이었다.

"대신 보좌관님의 동향은 이틀에 한 번씩, 특별한 일이 있으면 수시로 보고하라고 했습니다."

지노가 고개를 끄덕였다.

"이해한다."

셋을 둘러본 지노가 말을 이었다.

"존슨한테 보고는 계속해라."

지노의 얼굴에 웃음기가 떠올랐다.

"보고하기 전에 나한테 먼저 이야기만 하면 된다. 무슨 말인지 알겠나?"

"알겠습니다."

마구로가 상기된 얼굴로 고개를 숙였다.

"저희들 입장을 살려주셨습니다."

그때 호타크가 번들거리는 눈으로 지노를 보았다.

"보좌관님께서 믿어주신다면 충성을 바치겠습니다."

지노가 고개를 끄덕였다.

"난 부하들을 이용한 적이 없어. 그리고 날 믿고 의지한 부하를 배신한 적이 없다는 걸 알아둬라."

방 안이 조용해졌고 지노의 시선이 사만타에서 호타크까지 훑고 지나갔다.

"내가 이곳에 혼자 날아온 바람에 수족이 필요해."

그때 사만타가 입을 열었다.

"저도 믿어주셔도 돼요, 저는 보스한테서도 연락이 안 오니까요."

보스란 마르코를 말한다.

"개자식들."

한국말로 그렇게 욕했다. 방금 지노의 입에서 터진 욕이다. 셋을 내보내고 응접실에 혼자 남았을 때 그렇게 욕이 나온 것이다.

소파에 등을 붙였을 때 가슴에 서늘한 느낌이 오면서 머릿속에 로간, 브라운의 얼굴이 떠올랐다. 혼자라는 것이 실감나면서 이제는 카밀라의 얼굴까지 떠올랐다.

카밀라를 잊으려고 세상 반대편인 이곳까지 온 것이다. 이유는 그것뿐이다. 이라크나 아프간은 말할 것도 없고 아랍권은 떠나고 싶었다.

"개새끼."

이제는 대상이 존슨에게로 좁혀졌다.

존슨에 비교하면 아프간, 이라크 산속에서 싸웠던 탈레반의 이름 없는 전사가 영웅이다. 뒤에서 음모나 꾸미는 더러운 놈.

지노는 눈을 감았다. 용병은 돈으로 고용된 병사다. 그런데 돈? 지노의 얼굴에 쓴웃음이 번졌다. 자신의 수중에 후세인의 비자금이 다 들어있는 것이다. 후세인한테서 받은 용병 대금에다 카밀라가 죽기 전에 맡긴 쪽지의 비자금. 확인도 해보지 않았지만 엄청난 거금일 것이다.

그때 문이 열리는 기척이 났기 때문에 지노가 눈을 떴다. 나갔던 사만타가 들어서고 있다. 시선이 마주치자 얼굴이 금세 굳어진다.

사만타가 마르코의 딸이라니. 지금까지 본인은 물론 마르코도, 페르난도까지 내색을 하지 않아서 놀랍다. 마르코는 메스티소와의 사이에서 낳은 자식들을 경호병이나 시중꾼으로 부리고 있었단 말인가? 그때 다가선 사만타가 말했다.

"보좌관님, 이번에 사망한 서든 클럽의 종업원 시신은 오늘 저녁에 가족들에게 인계할 예정입니다."

사만타가 말을 이었다.

"지방에 있는 가족까지 다 모였습니다."

가족들이 시신을 인수해서 제각기 장례식을 치르는 것이다. 그때 지노가 물었다.

"장례비나 보상금은?"

보험은 들지 않았으니 보상금을 묻는 것이다. 사만타가 지노를 보았다.

"1인당 1천 불씩 지급하기로 되어있습니다."

종업원들의 월급이 미화로 3백 불 정도니까 석 달 월급이 지급되는 셈이다.

"그건 누가 정했나?"

"보스가 정했습니다. 오래전부터 내려온 관행이에요."

"이번 사고는 내가 피커슨을 폭사시킨 때문인데 서든 클럽 종업원들은 나 때문에 죽은 것이나 같아."

지노가 사만타를 보았다.

"내가 보상금을 직접 줄 수는 없고 보스 이름으로 내 임금에서 피해자들한테 나눠줄 수는 없나? 물론 내 돈으로 말야."

"……."

"1인당 1천 불씩이라도 더 말야. 그럼 1만 1천 불이군."

"제가 보스한테 전화하겠습니다."

"보스가 주는 것으로 해."

힐끗 시선을 준 사만타가 몸을 돌렸다.

체르넨코가 굳어진 얼굴로 세실리아를 보았다. 갈색 눈동자가 번들거렸다.

"치고받은 셈이죠. 일단 위신은 세운 겁니다, 세실리아."

보고타의 안가 안. 오후 6시 반. 둘은 응접실에 앉아있다.

"다음 단계는 외부 세력이 중재를 하는 겁니다. 아마 마르코 측에 연락이 닿았겠지요."

"지노한테 말이죠?"

"그럴 겁니다."

"그자가 가만있을까요?"

세실리아가 되묻자 체르넨코의 얼굴에 쓴웃음이 번졌다.

"CIA 지부장 마이클이 지노를 만났습니다. 이번 사건 때문에 말입니다."

세실리아는 외면했다.

서든 클럽 피습 작전으로 마르코의 종업원 11명을 사살한 것이다. 피커슨과 부하 7명이 몰사한 보복이다. 체르넨코의 말대로 치고받았지만 지금까지 한 번에 끝난 적이 없는 전쟁이다.

이번 작전은 체르넨코의 독단이다. 세실리아하고 상의도 하지 않고 결행했다. 그때 체르넨코가 말을 이었다.

14

"세실리아 씨, 내가 곧 그놈을 제거할 겁니다."

그놈이란 바로 지노다.

그 시간에 메데인 교외의 마르코 본가에서 마르코와 페르난도, 존슨 셋이 둘러앉아 있다. 마르코가 부른 것이다. 마르코가 둘을 번갈아 보면서 입을 열었다.

"지노가 이번 클럽의 피살자들한테 보상금을 1천 불씩 더 내라는 연락을 해 왔어."

둘은 시선만 주었고 마르코의 얼굴에 쓴웃음이 번졌다.

"그리고 그 추가 보상금은 지노가 부담하겠다는 거야."

입맛을 다신 마르코가 소파에 등을 붙였다.

"그래서 그러라고 했어. 돈은 내가 더 내는 것으로 하고 말야. 지노한테 내라고 할 수는 없지."

"지노가 부하들에게 신임을 얻으려는 겁니다."

존슨이 말했다.

"할 수 없죠. 그렇게라도 해서 부하들의 신임을 받고 싶은 것 같습니다."

"잘하셨습니다."

페르난도가 고개를 끄덕였다.

"보스가 더 내신 것으로 알 겁니다. 지노가 생색내지는 못할 겁니다."

마르코는 조금 전에 사만타의 연락을 받은 것이다. 그때 존슨이 고개를 들고 마르코를 보았다.

"보고타는 계속 지노에게 맡기실 겁니까?"

"그래야지."

마르코의 얼굴에 웃음이 떠올랐다.

"지금쯤 과타르치나 CIA도 지노의 정체를 알았을 거다, 거물이 보고타에 딱 자리 잡게 되었으니까."

마르코가 말을 이었다.

"보고타에 오자마자 과타르치한테 한 방 먹인 거지. 물론 보복은 받았지만 말야."

"보스, 놔두시지요."

페르난도가 수습을 했다.

"지노가 알아서 할 것 같습니다."

고든이 바에 들어섰을 때는 오후 10시가 되어갈 무렵이다. 이곳은 시장 근처의 번화가다. 거리는 행인이 많고 바에도 손님이 가득 차 있다. 부하 셋과 함께 안쪽 테이블을 차지한 고든이 주위를 둘러보았다.

"여기 오랜만이구나."

고든은 35세. 영국계 남아공 사람으로 남아공 특수부대 출신이다. 용병 생활 7년. 베테랑이다. 붉은 기가 도는 금발에 햇볕에 탄 붉은 얼굴, 얼굴에 지저분한 붉은 털이 무성한 거구다. 별명이 오랑우탄. 술과 여자를 좋아하지만 실수한 적은 없다. 성격이 냉혹했고 실전 경험이 많아서 전투에 선봉대로 투입되는 경우가 많다.

그때 지배인이 여자 둘을 데리고 다가왔다. 뒤를 술병과 잔을 든 종업원이 따라왔다. 여자들을 본 고든의 얼굴에 웃음이 떠올랐다. 메스티소 여자 둘은 숨이 멎을 것 같은 미인이다.

"여기가 과연 물이 좋아."

감동한 고든이 여자 둘을 좌우에 앉히면서 말했다.

"다행입니다, 대장님."

지배인이 다가서서 물었다.

"더 필요하신 것이 있으십니까?"

"아니, 됐어, 피에트로."

"방 준비를 해놓을까요?"

"그래."

지배인이 허리를 꺾어 절을 했다.

"오랜만에 뵙게 되어서 반갑습니다."

"나도 오고 싶었어, 피에트로."

고든이 한쪽 눈을 감았다가 떴다.

"고든이 여자 데리고 간다. 위층 방 하나를 잡아놔."

피에트로가 말하자 세르반이 물었다.

"특실을 잡을까요?"

"그래야겠지. 저놈은 항상 둘을 데리고 가니까."

바 위층은 여관이다. 3층 건물로 2, 3층이 작은 여관인 것이다. 고든이 이곳을 좋아하는 이유가 바에서 바로 여관으로 직행할 수 있기 때문이다. 안쪽에서 고든의 웃음소리가 울렸다.

'루트 바'는 과타르치 영역에 속한 영업장으로 종업원 10여 명도 모두 과타르치 가족이다.

세르반이 이층 계단으로 올라갔을 때 바텐더 무탐이 소리쳐 물었다.

"이번에 서든 클럽은 저기 고든이 지휘했다지?"

무탐은 원주민인 플라토다.

"그래. 산뜻하게 보복을 한 거지."

손님들의 소음이 컸기 때문에 피에트로가 소리쳐 대답했다.

"오늘 그 축하 파티를 하는 것 같다."

"서든 클럽의 피살자한테는 두당 미화 2천 불씩 장례비가 지급되었다고 하던데, 들었어?"

"2천 불이나?"

놀란 피에트로가 상반신을 바짝 기울였다. 뒤쪽에서 다시 고든의 웃음소리가 울렸다. 여자들이 마음에 드는 것 같다.

"아니, 보통 1천 불 정도 아니었어?"

이번에 죽은 피커슨 휘하의 경호병들은 1천 불 정도의 보상금을 받은 것이다. 경쟁 조직이지만 보수나 상여금 등은 거의 비슷한 수준이다. 절대로 같이 올리지 않는다. 임금도 10년째 같은 수준이다. 그때 무탐이 고개를 저었다.

"확실해. 보상금을 받은 가족의 아는 사람한테 들었어. 무슨 귀신이 씌었는지 마르코가 2배를 주라고 했다는 거야."

무탐이 말을 이었다.

"마르코 가족 놈들은 그걸로 사기가 올랐다고 해."

당연한 일이지. 이젠 죽기를 겁내지 않을 것 같다.

2층 방문을 열어젖힌 고든이 여자 둘을 양팔로 감싸 안고 안으로 들어섰다. 술에 취한 고든의 목소리가 높았고 여자들이 깔깔거리는 바람에 떠들썩한 분위기.

한 무더기가 되어서 안으로 들어선 셋 중에서 여자 하나가 몸을 돌려 문을 닫으려고 손을 뻗었을 때다.

"악!"

짧은 비명이 울리면서 여자가 비틀거렸다. 턱을 얻어맞은 여자가 옆으로 쓰러지자 고든이 몸을 돌렸다. 사내 하나가 서 있다. 그 순간 고든이 숨을 들이켰다. 사내가 쥔 권총을 보았기 때문이다.

"아악!"

술에 취한 여자 하나가 놀란 외침을 뱉었을 때다.

"퍽!"

둔탁한 발사음이 울리면서 고든이 뒤로 벌떡 넘어졌다. 총탄이 배를 찢은 것이다. 그 순간 사내가 방 안으로 밀고 들어갔고 뒤를 두 사내가 따른다. 문이 닫히면서 문 밖에도 두 사내가 지켜 섰다.

방으로 들어선 지노가 소음기를 낀 베레타로 고든을 겨눴다. 고든이 배를 움켜쥔 채 지노를 올려다보았다.

그때 함께 들어온 마구로가 여자들을 구석으로 몰아넣고 쪼그려 앉혔다. 거칠게 내던졌지만 여자들은 이제 입도 뻥긋하지 못한다. 지노가 총구로 고든의 얼굴을 겨눴다.

"네가 무사하리라고 생각했나?"

지노가 묻자 배를 움켜쥐고 신음하던 고든이 잇새로 말했다.

"젠장, 방심했군."

"미친놈."

그 순간 베레타가 들썩이더니 총성이 울렸다.

"퍽!"

총성과 함께 얼굴 복판이 부서진 고든이 통나무처럼 쓰러졌다.

20분쯤 후에 피에트로가 계단을 내려오는 두 여자를 보았다.

"어, 너희들, 벌써 끝났어?"

피에트로가 묻자 여자 중 하나가 고개를 저었다. 눈이 흐려져 있다.

"아니."

"그럼, 왜?"

다른 여자는 아예 입을 꾹 닫고 있었기 때문에 피에트로가 다그쳤다.

"쫓겨났어?"

"아니."

"그럼 왜?"

"방에 들어가 봐."

"왜?"

"일이 일어났어."

"무슨 일?"

"죽었어."

"누가?"

"오랑우탄."

고든의 별명이 오랑우탄이다. 놀란 피에트로가 세르반과 종업원 둘을 더 데리고 계단을 뛰어 올라갔다.

밤 11시 40분.

체르넨코가 미구엘의 보고를 받는다. 미구엘은 지금 사고 현장인 '루트 바'에서 전화를 한다.

"고든이 방 안에서 사살되었습니다."

미구엘이 말을 이었다.

"여자들하고 방에 들어갔다가 당했습니다. 그런데……."

숨을 들이켠 미구엘이 말을 이었다.

"여자들이 입을 열지 않습니다. 그저 못 보았다고만 합니다."

협박을 받은 것이다. 대부분의 목격자는 사건의 증인이 되려고 하지 않는다. 증언을 하기 전에 피살당하거나 보복을 받기 때문이다. 그때 체르넨코가 물었다.

20

"경찰은 왔나?"

"예, 지금 수습 중입니다."

"일단 소문이 번지는 건 막아. 그냥 살인사건으로만 알려지도록."

"예, 감독님."

"어차피 소문은 나겠지만 우선 그렇게 막으라고."

"알겠습니다."

어깨를 부풀린 체르넨코가 전화기를 귀에서 떼었다. '서든 클럽'의 복수다. 이번에도 지노가 나섰을 것이다.

미구엘은 체르넨코에 이어서 세실리아한테도 보고를 했다. 세실리아한테는 체르넨코의 지시사항까지 다 보고를 한 것이다.

"또 당했어."

세실리아가 쓴웃음을 짓고 말했다.

오전 1시 반.

이곳은 안가의 응접실 안, 미구엘이 찾아온 것이다.

"이번에도 용병이 당했어. 도대체 오만해서 그런지 부주의해서 그런지 왜 이 모양이야?"

미구엘은 눈만 껌뻑였고 세실리아가 말을 이었다.

"부끄러운지는 아는 모양이네. 비밀로 하라고 했다니."

"이미 소문은 다 났습니다, 감찰관님."

"사건을 시작한 것은 피커슨이었다구. 그러다 죽었지만."

세실리아도 내막을 안다.

먼저 시작한 것이 피커슨이다. 헬레나를 시켜 지노를 납치하려다가 사건이 시작된 것이다. 그때 고개를 든 미구엘이 세실리아를 보았다.

"감찰관님, 소문이 났습니다."

"벌써 고든이 당했다는 소문이 난 거야?"

"아닙니다."

미구엘이 충혈된 눈으로 세실리아를 보았다.

"마르코 가문에서 곧 창고 하나를 탈취할 것이라는 소문입니다."

숨을 들이켠 세실리아가 입술 끝을 비틀고 웃었다.

"말도 안 돼."

"지난번 우스탈에서 사고로 잃어버린 450킬로가 우리 소행이라고 지금도 주장하고 있으니까요."

세실리아가 숨을 죽였고 미구엘의 말이 이어졌다.

"이번에 일어나는 사건도 그 분위기를 조성하려는 것이라고 합니다."

우스탈은 북쪽 마르코 지역에서 일어난 차량 전복 사고다. 산길을 가던 마르코의 수송차가 골짜기로 떨어진 것이다. 밤이었고 호송차가 1대 있었지만 공교롭게도 호송차도 같이 떨어져 4명이 죽었다. 그리고 수송차는 불에 타는 바람에 헤로인 450킬로가 전소된 것이다.

마르코 측에서는 이것이 과타르치의 소행이라고 믿었지만 증거가 없었기 때문에 유야무야된 사건이다. 그것이 넉 달 전이다. 고개를 든 세실리아가 미구엘을 보았다.

"체르넨코 씨한테 보고했나?"

"예, 보고는 했습니다."

미구엘이 시선을 내렸다.

"하지만 대수롭지 않게 생각하는 것 같습니다."

"경찰에 신고는 아직 안 했습니다."

사만타가 지노에게 말했다.

오전 8시 반.

지노와 사만타는 보고타 북방의 농장을 향해 달려가고 있다. 차 안에는 운전사와 지노, 사만타까지 셋이 탔다. 뒤를 따르는 SUV에는 마구로와 경호원 넷이 타고 있다.

어젯밤. 2시경에 북부의 마르코 농장 근처에서 총격 사건이 일어난 것이다. 농장 경비원 셋이 근처 식당에서 술을 마시다가 피살되었는데 가해자는 오리무중이다.

지금 지노는 그 현장으로 달려가는 중이다. 차는 인적이 드문 교외의 2차선 도로로 접어들더니 속력을 내었다. 사만타가 말을 이었다.

"근처를 수색하고는 있지만 가해자는 도망쳤을 것 같습니다."

사고 농장은 보고타 북방 45킬로 지점의 고원지대다. '루트 바'의 사고가 난 후에 이어서 일어난 피습이다.

관계가 있는 사건인가?

존슨의 전화가 왔을 때는 지노가 농장에 도착한 직후다.

오전 10시 반.

지노가 농장 사무실에서 전화를 받는다. 존슨이 말했다.

"지노, 당분간 거기서 사건 조사를 하라는 보스의 지시야."

존슨이 말을 이었다.

"보고타에서 떨어져 있는 것이 낫겠어."

"알았어."

고든을 사살한 것을 존슨과 마르코도 아는 것이다. 그때 존슨이 물었다.

"지노, 슬슬 전쟁이 일어날 분위기가 풍기고 있어."

"그런가?"

"네가 만든 거야."

"그렇게 된 것 같구먼."

"네가 의도한 것 아닌가?"

"치고받다 보니까 그렇게 된 거지."

지노가 앞에 선 사만타를 보았다. 사만타도 통화 내용을 듣고 있는 것이다.

존슨이 과타르치와 내통하고 있다는 사실은 아직 마르코에게 알리지 않았다. CIA 지부장 마이클 우드워드의 진술만으로 존슨을 추궁할 수는 없기 때문이다.

당분간 지노 혼자만 알고 있을 작정이다.

농장 사무실에는 직원 7, 8명이 근무하고 있었는데 행정직원이다. 경비원은 60여 명. 모두 AK-47과 M-16 등으로 무장하고 있다.

경비대장 세르반테스는 40대의 비대한 체격. 지노 앞에 앉은 세르반테스가 보고했다.

"로코, 마리오, 쥬르시는 식당에서 나와 앞쪽 길에서 총격을 받았습니다. 범인은 앞에서 기다리고 있었던 것 같습니다."

세르반테스가 말을 이었다.

"셋 다 가족이 있습니다. 더구나 마리오는 결혼한 지 반년밖에 안 되었는데 와이프가 임신 중입니다."

지노는 지금 마르코 보좌관 자격으로 보고를 받는다. 소장실에는 넷이 둘러앉아 있다. 지노와 사만타, 그리고 앞쪽에 세르반테스와 농장의 관리소장 보타까지 넷이다. 그때 지노가 물었다.

"이런 일이 자주 일어났나?"

"농장 근처에서 피살사건이 일어난 건 처음입니다."

"그렇다면 과타르치가 이곳까지 침투한 건가?"

"이런 일을 저지를 놈은 과타르치뿐입니다."

세르반테스의 목소리가 격해졌다.

"이곳까지 숨어 들어와서 쏴죽이고 돌아가다니요? 뭘 뺏어가지도 않았습니다."

"……."

"그냥 죽이려고 온 것이죠."

"……."

"우리를 자극하려고 온 겁니다. 보복 전쟁을 일으키려는 것이지요."

지노가 고개를 돌려 사만타를 보았다. 맞는 말이다.

이곳 고원지대에는 광대한 양귀비 농장이 펼쳐져 있었는데 군데군데 초소가 있을 뿐이다. 면적이 가로 세로 3킬로 정도가 되었기 때문에 끝 쪽에 선 지노가 감탄했다.

"엄청나군."

"이보다 큰 농장도 많아요."

옆에 선 사만타가 말했다.

"여긴 중간 규모예요."

"나한테 당분간 이곳에 머물라고 했다는데, 보스가 말야."

사만타의 시선을 받은 지노가 쓴웃음을 지었다. 보스는 마르코다.

"네가 보스한테 연락할 수 있지?"

"제가요?"

사만타의 눈동자가 흔들렸다.

"지금까지 직접 연락한 적이 거의 없어서요. 무슨 일 있으세요?"

"내가 페르난도한테 연락했더니 그런 말은 듣지 못했다고 해서 말야."

"직접 보스한테 연락해보시지요."

"네가 다른 방법으로 보스한테 확인해 봐. 할 수 있나?"

지노가 정색하고 사만타를 보았다.

"해보겠어요."

사만타가 고개를 끄덕였다.

"제 여동생이 재무담당으로 보스 측근에 있으니까요."

바람결에 풀 냄새가 맡아졌다. 사만타의 머리칼도 흩날리고 있다. 점퍼에 바지 차림의 사만타는 등에 비스듬히 MP-5 기관총을 메어서 여전사(女戰士) 같다.

방으로 들어선 존슨이 털썩 앞쪽 자리에 앉더니 심호흡을 했다.

오후 5시 반.

이곳은 메데인 시내의 시장 안. 잡화가게의 안쪽 사무실이다. 잡화 더미 사이에 앉아있던 파블로가 고개를 들었다.

"그놈이 지금 17농장에 가 있지?"

"그래."

존슨이 정색하고 파블로를 보았다. 파블로는 과타르치의 경호대장으로 2인자다. 메스티소지만 과타르치와 20년 가깝게 동고동락한 사이다. 56세. 53세인 과타르치를 어렸을 때부터 보호해왔다. 그때 파블로가 말했다.

"당신 계좌에 5백만 불 넣었어."

존슨이 고개를 끄덕였다.

"17농장에서 끝내. 이렇게 질질 끌다가 내 꼬리가 잡히겠어."

"알았어. 체르넨코한테 연락할 테니까."

파블로가 말을 이었다.

"보스도 신경을 곤두세우고 있어."

17농장의 경비원 셋을 사살한 것도 계획적이다. 지노를 끌어들이려는 작전이다. 보고타 근처의 농장이었기 때문에 지노가 당연히 가야만 한다.

존슨이 파블로가 건네준 쪽지를 집어 들고는 자리에서 일어섰다. 5백만 불이 입금된 차명계좌의 번호, 비밀번호가 적힌 쪽지다.

"무슨 일이냐?"

마르코가 묻자 요나가 한 걸음 다가섰다.

"아버지, 언니가 아버지한테 물어보라고 했어요."

요나는 사만타의 동생으로 23세. 마르코 직속 경리를 맡고 있었기 때문에 거의 매일 만나는 사이다. 그래서 부자연스럽지가 않고 성격도 외향적이다. 요나가 똑바로 마르코를 보았다.

"언니가 지금 17농장에 가 있는데요, 지노 씨하고 같이요."

"그래?"

"아버지가 지노 씨를 17농장에 있으라고 하셨어요?"

"내가 조사해보라고 했다. 거기서 셋이 죽었잖아."

"거기서 머물고 있으라고 하시진 않았지요?"

"글쎄, 조사하라고 했다니까 그러네."

마르코가 이맛살을 찌푸리더니 물었다.

"무슨 일로 그러는데?"

"아뇨, 그냥."

"어제 얼마 입금되었지?"

금방 마르코가 화제를 돌렸기 때문에 요나가 어깨를 늘어뜨렸다.

"6천5백만 불이 조금 넘어요."

17농장은 평평한 고원 위에 위치하고 있다. 사방이 탁 트였고 창고, 사무실, 숙사가 일자형으로 배치되었다.

농장의 일꾼들이 거주하는 마을도 개울가 평지다. 담장도 없는 마을은 3백 호쯤 되었고 주민은 2천5백 명, 그중 450명이 농장 일꾼이다. 경비병은 250명, 경비병 중에서 150여 명 정도가 주민 중에서 선발되었다.

이런 식으로 농장이 형성되어 있는 것이다.

농장 작물이 아편 재배라는 것만 다를 뿐으로 열심히 일하고 판매해서 가족을 먹여 살리는 것은 같다.

이렇게 마약 조직은 수십 개씩 농장 마을을 운영하는데 생활수준이 높다. 각 가정마다 식품을 무료 공급하고 자녀를 대학에 보낼 수 있을 정도로 월급을 지불하기 때문이다.

"여긴 습격을 받으면 피할 곳이 없어."

고개를 든 지노가 사만타를 보았다.

오후 9시 반.

이곳은 마을 위쪽의 숙소 안. 귀빈용 숙소여서 앞쪽에 소장과 경비대장의 관사, 그리고 그 아래쪽에 경비원 숙소가 펼쳐져 있다. 지노가 말을 이었다.

"여긴 함정이야."

"그럼 피해요."

응접실에는 둘뿐이다. 방금 사만타는 요나의 전화를 받은 것이다. 존슨이 마르코의 지시를 변경한 것이 드러났다. 그때 지노가 말했다.

"마구로를 불러."

이곳에는 마구로와 경호원 넷을 데려온 것이다. 사만타가 일어서면서 지노에게 말했다.

"요나한테서 들은 이야기는 하지 않는 것이 낫겠어요."

지노의 시선을 받은 사만타의 얼굴이 조금 붉어졌다.

"마구로는 믿어야겠지만 데려온 부하 넷 중에 존슨의 정보원이 있을지도 모릅니다."

"네 말이 맞다."

"그리고."

잠시 주춤했던 사만타가 지노를 보았다.

"보좌관님한테 새 부하가 필요합니다. 믿을 만한 부하들 말입니다."

그것이 절실했기 때문에 지노가 쓴웃음만 지었다.

전장에서 장수 혼자서 싸울 수는 없는 노릇이다. 믿을 만한 부하가 필요하다. 이곳에는 단신으로 온 지 며칠 안 되어서 적의 정보원들을 달고 다녔다. CIA의 마이클 우드워드가 귀띔해주지 않았다면 이곳 고원에서 당할 뻔했지 않은가?

잠시 후에 불려온 마구로는 부하들과 술을 마시다 온 것 같았다. 입에서 술 냄새가 났다. 피살된 경비원 셋의 장례식은 내일 치러질 계획이다.

마구로를 본 순간 지노의 생각이 바뀌었다. 지노가 앞쪽에 앉은 마구로에게 말했다.

"마구로, 부하들을 모아라. 보고타로 떠날 테니까 경비대장을 불러."

놀란 마구로가 지노를 보았다.

"장례식에 참석 안 하십니까?"

"안 한다."

"무슨 급한 일이 있습니까?"

그때 마구로 옆에 선 사만타가 긴장했다. 금세 얼굴이 굳어지고 있다. 지노가 고개를 끄덕였다.

"내가 없는 사이에 보고타에서 테러가 일어날 거라는 정보가 있다."

"알겠습니다."

마구로가 서둘러 몸을 돌렸다. 다시 방에 사만타와 둘이 되었을 때 지노가 말했다.

"공개적으로 떠나는 게 낫지. 내가 이곳에 없는 줄 알면 쳐들어오지도 않을 테니까."

경비대장한테 뒷일을 맡긴 지노가 밤길을 달려 보고타로 돌아왔을 때는 오전 2시 반이다. 안가로 들어섰을 때 사만타가 지노에게 말했다.

"오늘 중으로 말씀드린 사람을 부르겠습니다."

지노가 고개만 끄덕이자 사만타는 몸을 돌렸다.

"지노가 17농장을 빠져나갔습니다."

체르넨코가 쓴웃음을 짓고 말했다.

"눈치를 챈 것 같습니다."

보고타의 안가에는 체르넨코와 세실리아, 미구엘까지 셋이 둘러앉았다.

오전 8시 반.

체르넨코가 말을 이었다.

"농장으로 투입했던 대원은 철수시켰습니다."

체르넨코가 직접 지휘한 습격대 35명이 농장 근처까지 접근했다가 철수한 것이다. 지노 일행이 밤늦게 보고타로 돌아갔다는 것을 알았기 때문이다. 17농장의 주민 중에도 과타르치의 정보원이 있는 것이다. 고개를 든 세실리아의 얼굴에도 쓴웃음이 번졌다.

"지노도 정보원이 있군요."

"정보 전쟁이니까요."

"우리가 이번에도 한 발 늦었나요?"

"항상 늦었던 것이 아닙니다, 감찰관님."

"지금 지노가 보고타로 돌아와 있겠죠?"

"안가에 있을 겁니다."

고개를 든 세실리아가 체르넨코를 보았다.

"지노를 17농장에서 처리한다는 작전은 무산된 셈이네요. 그렇죠?"

"아직 끝난 건 아닙니다."

체르넨코가 웃음 띤 얼굴로 세실리아를 보았다.

"그리고 우리가 주도권을 쥐고 있습니다."

오후 3시 반.

응접실로 들어선 사내가 지노에게 고개를 숙여 인사를 했다. 검은 얼굴. 그러나 이목구비가 뚜렷한 미남. 30대쯤의 거구. 검은 머리칼, 검은 눈동자의 사내다. 백인과 흑인의 혼혈인 물라토다.

"캄바스라고 합니다. 제21농장 경비대장으로 있습니다."

굵은 목소리로 인사를 한 사내가 앞쪽에 앉았다. 그때 사내와 함께 들어온 사만타가 말했다.

"캄바스는 배다른 제 오빠죠. 보좌관님이 믿으실 만해요."

지노가 사내에게 물었다.

"조직에서 얼마 동안 일했지?"

"7년입니다. 제가 24살 때부터죠."

사내가 말을 이었다.

"19살부터 24살 때까지는 육군에서 복무했습니다. 중사로 제대했지요."

사내의 얼굴에 웃음이 떠올랐다.

"보스는 저 같은 아들이 여럿 있기 때문에 만난 지 1년도 넘거든요."

"설마."

그때 사만타가 외면한 채 말했다.

"맞아요. 저 같은 경우는 드물죠. 보스를 만나지 못하는 자식들도 여럿 있거든요."

"그런가? 어쨌든 만나서 반갑군."

지노가 캄바스를 보았다.

"나하고 같이 일할 수 있나?"

"사만타한테서 이야기 들었습니다. 농장 경비대장 일보단 훨씬 낫지 않겠습니까?"

"좋아. 그럼 캄바스를 데려오는 데 보스의 허락이 필요하겠지?"

"제가 페르난도의 승인을 받았습니다."

사만타가 바로 대답했다.

"그건 제 권한이거든요. 제가 페르난도한테 말하면 됩니다."

지노가 고개를 끄덕였다. 사만타의 숨겨진 권한이 드러난 셈이다. 권한뿐만 아니라 역량까지 드러났다.

마르코의 서자 관리도 사만타가 맡고 있는 것이다.

마르코의 후계자 블라드는 25세.

사만타보다 한 살 어리지만 백인 어머니한테서 태어난 정실 소생이다. 미끈한 용모에 푸른 눈동자를 지닌 백인으로 어려서부터 착실하게 후계자 교육을 받아왔다.

블라드의 사부는 페르난도다. 보고타 대학 법학부를 졸업하고 작년에 변호사 자격증을 받았는데 물론 엄청난 뒷돈이 들어갔다. 하지만 엄연한 변호사다.

메데인 시내에 대형 변호사 로펌을 세우고 50여 명의 변호사를 고용한 대표 변호사가 되어 있다. 그러나 '블라드 로펌'에는 일주일에 한 번 정도 얼굴을 내밀 뿐이다.

대부분의 시간은 아버지 마르코와 함께 교외의 저택에서 '업무'를 본다. '마약 업무'다. 이제는 블라드도 익숙해져서 마르코가 없을 때는 업무 지시를 내릴 때도 있다.

오후 6시.

블라드가 저택 1층의 바로 내려왔을 때 마침 바에 앉아있는 존슨을 보았다. 존슨은 심복인 키르토와 앉아 있다가 블라드를 보더니 술잔을 들어 보였다.

"블라드, 보스는 이층에 계셔?"

"응, 조금 후에 내려오신다고 했어."

블라드가 다가가자 키르토가 목례를 하고는 바를 나갔다. 블라드가 바텐더에게 위스키를 시키고는 존슨 옆에 앉았다.

"존슨, 방금 보스한테서 들었는데 물라토 자식도 지노가 데려갔다면서?"

"응, 사만타가 추천한 것 같아."

물라토는 캄바스를 말한다. 블라드가 투덜거렸다.

"지노 그 자식은 얼굴도 보지 못했어. 건방진 놈. 나한테 인사도 않고."

"바빴기 때문이지. 보스가 바로 보고타로 보냈으니까."

"그래도 인사를 할 시간은 있었겠지, 안 그래?"

"옆에서 챙겨줘야지. 지노가 뭘 안다구?"

존슨이 웃음 띤 얼굴로 블라드를 보았다.

"블라드, 지노 같은 놈을 심복으로 만들어야 한다구."

위스키 잔을 든 존슨이 웃음 띤 얼굴로 블라드를 보았다.

"서둘지 마, 블라드. 요즘 과타르치가 자극하고 있으니까 그것에나 신경을 써."

존슨의 시선을 받은 블라드가 고개를 끄덕였다.

"알았어, 존슨."

"그런데 블라드, 지난번 '유스나 클럽'에서 만난 여자, 탤런트 안젤리나 아냐?"

"맞아."

쓴웃음을 지은 블라드가 목소리를 낮췄다.

"그거, 보스한테는 말하지 마."

"알고 있어. 조심해, 블라드."

블라드가 고개를 끄덕였다.

안젤리나는 콜롬비아 제1의 TV 탤런트다. 25세. 빼어난 미모로 정관계 고위층과 수많은 스캔들을 뿌리고 다니던 여자다. 블라드가 안젤리나의 애인이 된 것이다. 존슨이 말을 이었다.

"경호팀을 증강시켜 주겠지만 안젤리나 만날 때는 조심해."

블라드의 경호대도 존슨이 관리하는 것이다.

오후 7시 반.

안가의 식당에서 지노와 사만타가 저녁을 먹는다. 둘만의 식사다. 스테이크를 썰면서 지노가 사만타에게 묻는다.

"사만타, 보스의 주변에 포진한 자식은 몇 명이야?"

"저까지 포함해서 11명."

바로 대답한 사만타가 말을 이었다.

"딸이 4명, 아들이 7명인데 요직에 배치되어 있죠."

그중 캄바스도 하나인 것이다. 사만타가 말을 이었다.

"캄바스가 가장 연장자고 21살 난 에레나가 어린데 내년이면 또 2명이 늘어날 거예요."

"또 있어?"

"보스는 메스티소나 물라토에서 나온 자식들로 주위를 둘러싸게 할 작정이니까요."

"그래도 자식들은 믿는 것 아닌가?"

"하지만 후계자는 블라드죠. 백인 와이프 하니스 사이에서 난 블라드와 딸 미레느가 왕자이고 공주지요."

포크를 내려놓은 사만타가 눈웃음을 쳤다.

"우리는 왕과 왕비, 왕자와 공주 주위에 벌려 선 병사와 시녀들이고."

사만타가 눈을 가늘게 뜨더니 생각하는 시늉을 했다.

"보스의 후궁은 모두 14명, 그중 성인이 된 아들을 생산한 후궁이 6명이에요. 나머지는 지금 열심히 병사와 시녀들을 생산하고 있죠."

"그래도 넌 보스가 아끼는 딸 같다."

지노가 위로하듯 말했을 때 사만타가 정색했다.

"난 언젠가 이곳을 빠져나갈 겁니다."

"……."

"어머니하고 동생까지 셋이 미국으로 가서 살 겁니다."

그때 지노가 고개를 끄덕였다.

"꿈이 있는 건 좋은 일이야."

"보좌관님은 꿈이 있으세요?"

"있어."

"뭔데요?"

"총에 맞아 죽는 거."

"농담하지 마시구요."

"농담 아니야."

"왜 그런데요?"

"순서가 오기를 기다리는 거야."

"왜요?"

"넌 궁금한 것이 많구나."

"보좌관님에 대해서 조사해봤어요."

물 잔을 든 사만타가 지노를 보았다.

"엄청나더군요. 후세인, 카밀라, 그리고 후세인 녹음테이프, 카밀라와의 탈출……."

"……."

"왜 이곳까지 오셨어요?"

"널 만나려고."

"제가 카밀라하고 비교가 되나요?"

"왜 비교를 하지?"

"카밀라 사진 봤어요. 미인이던데요."

"……."

"공주로 불린 후세인의 딸, 지금 어디 있어요?"

"모르겠어."

카밀라의 시선을 받은 지노가 천천히 고개를 저었다.

"어디를 헤매고 있을 것 같다."

"왜?"

"누구를 기다리고 있을지도 모르지."

"누구를요?"

"오늘은 말이 많구나, 사만타."

"저, 할 말은 하는 성격이죠."

"나가서 캄바스를 불러와, 사만타."

지노가 정색하고 말했기 때문에 사만타는 자리에서 일어섰다. 그러나 만족한 표정이다. 뭘 내려놓은 표정 같다.

안가를 숙소로 정하고 있는 캄바스가 10분도 안 되어서 바로 응접실에 들어섰다. 콧수염을 기른 캄바스는 마르코와 눈매가 비슷하다. 앞쪽에 앉은 캄바스에게 지노가 말했다.

"캄바스, 네가 경비하던 농장에서 믿을 만한 부하 10명만 골라 와서 팀을 만들어라."

"예, 그러지요, 보좌관님."

캄바스가 대번에 승낙했다.

"저를 따르는 놈들이 많습니다. 내일까지 부르지요."

이것이 콜롬비아에서 지노의 첫 팀이 되었다.

"지노, 지금 어디야?"

지노의 목소리를 들은 존슨이 바로 물었다.

오후 9시.

존슨이 전화를 한 것이다.

"보고타."

지노가 짧게 대답했다. 보고타에는 안가가 7, 8개나 된다. 그때 존슨이 다시 물었다.

"17농장 사건은 어떻게 처리할 거야?"

"갚아줘야지."

"어떻게?"

"저쪽 농장에 가서."

그때 잠깐 머뭇거렸던 존슨이 물었다.

"어디?"

"그건 아직 정하지 않았어."

"그런데 캄바스를 데려갔던데, 지노."

"그래, 병사가 필요해."

"마구로, 호타크로는 부족한가?"

"그래."

"좋아. 보스한테 보고하지. 몸 조심해."

"고마워, 존슨."

전화기를 내려놓은 지노가 앞에 앉은 사만타를 보았다.

"존슨이 내가 공격할 농장을 알고 싶다는군."

사만타가 고개를 끄덕였다.

"끝나고 나서 알려주는 것이 낫겠죠."

이제 사만타하고는 비밀을 공유하는 사이이다. 요나를 통해 존슨의 '수상한' 행동이 확인된 것이다.

과타르치가 앞에 선 파블로를 보았다.

"지노 그놈이 빠져나갔다구?"

"예, 보스."

긴장한 파블로가 과타르치를 보았다. 과타르치는 비대한 체격에 붉은 얼굴이다. 흰자위가 많은 눈으로 응시하면 긴장하게 된다. 그러나 파블로와 과타르치는 어렸을 때부터 같이 자랐다.

메스티소인 파블로는 과타르치 가문의 하인 집안이다. 파블로의 부모가 과타르치의 집안에 고용되었기 때문이다. 그때 과타르치가 눈을 가늘게 떴다.

"이렇게 당하고만 있는 거냐?"

"아닙니다, 보스. 존슨이 정보를 주고 있는 이상 곧 제거될 것입니다."

"존슨 그놈한테 나간 돈이 얼마야 도대체."

투덜거린 과타르치가 앞에 놓인 술잔을 들었다.

밤 10시.

이곳은 페레이라의 대저택 안. 1백 평도 넘는 응접실에서 과타르치가 여자들을 좌우에 앉혀놓고 술을 마시는 중이다.

"체르넨코한테 전해. 그 용병 놈을 빨리 끝내라고."

"예, 보스."

그때 과타르치가 한 모금 술을 삼켰다.

"지금까지 마르코 놈과 우리는 그럭저럭 균형을 잡아왔는데 그 용병 놈이 오고 나서부터 분위기가 변했어."

과타르치가 눈을 치켜떴다.

"그놈을 없애, 파블로."

"예, 보스."

"마르코의 17농장에서 밤늦게 도망쳐 나온 것도 정보가 샜기 때문이야. 다음 날 장례식도 치르지 않고 나왔다면서?"

"그렇습니다."

파블로가 말을 이었다.

"체르넨코가 부하들을 이끌고 농장 근처까지 갔다가 되돌아 왔지요."

"그러고 나서 지노 그놈이 우리 농장을 습격한다고 했다면서?"

"예, 보스."

존슨이 다시 파블로에게 연락한 것이다. 과타르치가 천천히 고개를 끄덕이면서 파블로에게 말했다.

"파블로, 다시 선수를 쳐."

"어떻게 말입니까?"

"그놈이 정신 못 차리게 하란 말이다."

과타르치가 번들거리는 눈으로 파블로를 보았다.

"체르넨코에게 전해. 지노 그놈이 수비에 급급하게 만들라고."

과타르치의 눈에 흰자위가 더 커졌다. 섬뜩한 얼굴이 되어있다.

드라구노프의 스코프에서 눈을 뗀 지노가 옆에 엎드린 캄바스에게 말했다.

오전 1시 반.

이곳은 페레이라 남쪽 25킬로 지점의 산간지대. 과타르치 가문의 제5농장
이다.

"캄바스, 막사 왼쪽 전망대를 주시해."

"예, 보스."

캄바스가 눈에 망원경을 붙인 채 대답했다.

"전망대에 두 명이 있습니다. 앉아있는데 잠을 자는 것 같지 않습니다."

드라구노프 스코프에 표시된 거리는 527미터. 옆쪽 막사는 495미터. 그리고
위쪽 간부 막사까지 거리는 578미터다.

지노가 다시 스코프에 눈을 붙였다. 목표는 위쪽 간부 막사다. 깊은 밤이었기
때문에 막사는 불이 꺼졌고 뒤쪽 간부 막사의 보안등만 켜져 있을 뿐이다. 지노
가 엎드린 곳은 앞쪽의 고지대다.

"간부 막사의 베란다를 봐."

지노가 말을 이었다.

"베란다에서 막사와 농장을 감시하도록 되어있어."

"그렇군요."

캄바스가 베란다를 보았다. 간부 막사 2층 베란다에서 경호원, 직원 숙소와 그 아래쪽 농장을 내려다볼 수 있는 것이다. 베란다와의 거리는 583미터. 이곳에서 가장 멀다.

"캄바스, 가라."

지노가 말하자 캄바스는 상반신을 일으켰다.

"다녀오겠습니다."

캄바스가 어둠 속으로 사라졌을 때 지노는 숨을 골랐다. 이곳에는 캄바스와 둘이 왔다. 둘만의 작전이다. 사만타한테만 말하고 이곳까지 온 것이다.

다시 스코프에 눈을 붙인 지노가 천천히 주위를 둘러보았다.

막사에는 약 3백 명 가까운 병사, 농장 직원이 들어가 있다. 막사 오른쪽에는 골짜기까지 아편 농장이 펼쳐져 있는 것이다. 막사 아래쪽으로 농장 입구에 화물차 1대가 세워져 있는데 검은 바위처럼 보였다. 화물차와의 거리는 320미터.

지금 캄바스는 화물차를 향해 다가가고 있다. 담장 밖이어서 경비원도 서 있지 않기 때문에 조심은 하지만 거침없이 달려가고 있을 것이다.

막사는 철조망으로 둘러싸였고 50미터 간격으로 감시병이 서 있는 것이다. 감시병과 화물차와의 거리는 1백여 미터다.

캄바스가 돌아왔을 때는 10분쯤 후다. 가쁜 숨을 고르면서 옆에 엎드린 캄바스가 손목시계를 보았다.

"보스, 5분 20초 남았습니다."

고개를 끄덕인 지노가 드라구노프의 총구를 간부 숙소 베란다에 겨눴다.

깊은 밤. 별만 몇 개 흔들리는 밤이다. 주위는 먹물 속처럼 어두웠고 조용하다. 그래서 이명까지 들린다.

"4분입니다."

정적이 부담스러운 듯 캄바스가 혼잣말처럼 말했다. 그때 지노가 물었다.

"캄바스, 아이가 몇 살이냐?"

캄바스는 결혼을 했기 때문이다.

"예, 딸인데 4살입니다."

"이름은?"

"셀라."

"예쁜 이름이다."

"예, 정말 예쁩니다."

"엄마를 닮은 모양이군."

"저도 잘생긴 얼굴 아닙니까?"

"그런가?"

"3분 남았습니다."

트럭 밑에 시한폭탄을 넣어놓고 온 것이다. 지노가 스코프에서 잠깐 눈을 떼었다가 다시 붙였다. 스코프에 간부 숙소 베란다가 가득 펼쳐졌다.

"꽝!"

폭음과 함께 침대가 흔들렸기 때문에 산토스는 상반신을 일으켰다.

"뭐야?"

아직 술이 덜 깬 산토스가 고개를 흔들었다. 그때 베란다 쪽이 환해졌다. 불이다.

침대에서 나온 산토스가 팬티 차림으로 베란다로 나왔다. 그러고는 난간을 잡고 서서 앞쪽을 보았다.

농장 입구에 세워둔 트럭이 반 토막이 난 채 불길이 솟아오르고 있다. 폭발한 것이다. 트럭과의 거리는 1백 미터도 더 되었지만 주위가 환하다. 아래쪽 막사에서도 병사들이 뛰어나와 그쪽을 보며 웅성거리고 있다.

"이런 젠장."

산토스는 그것이 발화인지 방화인지 아직 구분이 되지 않았다. 외딴 곳에 세워진 트럭이 폭발했기 때문이다. 아래쪽이 소란스러워졌고 이쪽저쪽에서 지시하는 소리가 울렸다.

그 순간이다. 산토스는 머리에 격렬한 충격을 받고는 그 자리에 쓰러졌다. 머리통이 부서진 것이다.

"맞혔다!"

망원경을 눈에 붙인 캄바스가 소리쳤다. 베란다로 나왔던 팬티 차림의 사내가 쓰러진 것이다. 거리는 583미터. 머리통이 부서진 수박처럼 베란다에 뒹굴었다. 그러나 아래쪽에서 웅성거리는 사내들은 그것을 아직 모르고 있다.

그때 캄바스는 간부 막사 오른쪽 마당에 서 있던 사내가 벽에 등을 부딪치면서 주저앉는 것을 보았다. 두 번째다.

"퍽!"

다시 세 번째 발사음. 소염기를 끼운 드라구노프의 총구에서 다시 낮은 발사음이 울렸다.

캄바스는 숨을 들이켰다. 망원경에 잡힌 또 한 명의 사내가 가슴을 움켜쥐고 쓰러졌다. 손으로 앞쪽을 가리키면서 뭔가를 지시하던 사내다. 그제야 사내들이 놀라 소리치더니 사방으로 흩어졌다.

30분 후.

SUV 한 대가 한적한 도로를 달려가고 있다. 운전을 하는 사내는 캄바스. 옆에 지노가 앉아있다. 스치고 지나는 이정표에 보고타가 155킬로라고 적혀 있다.

"2시간이면 도착합니다."

깊은 밤. 길이 잘 뚫렸기 때문에 캄바스가 앞쪽을 응시한 채 말했다.

현재 시간은 오전 3시.

날이 밝기 전에 보고타에 도착할 것이다.

오전 3시 10분.

벨소리에 파블로가 잠에서 깨었다.

페레이라의 저택 안. 방이 60개나 되는 대저택이다. 3층 저택의 1층 침실에서 파블로가 전화기를 귀에 붙였다. 예감이 수상했기 때문에 파블로는 긴장하고 있다. 이 시간의 전화는 십중팔구 사고다. 파블로가 응답했다.

"여보세요."

"여기 5농장 경비대 조장 모리오입니다, 파블로 님."

"모리오, 무슨 일이냐?"

안면이 있는 부하였기 때문에 파블로가 쨍쨍한 목소리로 물었다.

"예, 조금 전에……."

"뭐냐?"

"사고가 났습니다, 파블로 님."

"글쎄, 말해!"

파블로가 버럭 소리치자 모리오가 소리치듯 말했다.

"관리소장 산토스가 총을 맞고 살해되었습니다."

"산토스가?"

"경비대장 이그나시오도 지휘를 하다가 피살되었습니다."

이제 파블로는 숨을 죽였고 모리오가 말을 이었다.

"경비조장 우르바스도 총에 맞았습니다."

"도대체 어떻게 된 거야?"

다시 파블로가 소리쳤다.

"누가 쏜 거야?"

"저격당했습니다."

"누가?"

"모릅니다. 멀리서 쏜 것 같습니다."

"……."

"차를 폭발시켜서 모두 밖에 나왔을 때 멀리서 저격했습니다."

"……."

"셋이 죽었습니다."

그때 파블로는 마르코의 제17농장에서 경비원 셋이 피살되었다는 것을 떠올렸다.

오전 10시가 되었을 때 지노에게 마구로와 호타크가 다가왔다. 사만타가 먼저 와 있었기 때문에 응접실에 넷이 둘러앉았다. 먼저 마구로가 입을 열었다.

"보좌관님, 드릴 말씀이 있습니다."

지노의 시선을 받은 마구로가 말을 이었다.

"존슨 씨한테서 연락이 왔습니다. 어젯밤 우리가 작전을 했느냐고 묻는데요."

"……."

"그래서 그런 거 없다고 했더니 보좌관님의 어젯밤 행적을 물었습니다."

그때 호타크가 고개를 들었다.

"저한테도 연락이 왔습니다."

지노의 얼굴에 쓴웃음이 번졌다.

"너희들 고생이 많다."

"아닙니다."

마구로가 정색하고 지노를 보았다.

"그쯤은 견딜 수 있습니다."

"내가 어젯밤 캄바스하고 둘이 작전을 했어."

지노가 말하자 둘이 숨을 죽였다.

"페레이라 아래쪽 과타르치 제5농장에서 셋을 죽이고 왔다. 우리 17농장 보복을 한 것이지."

"그것 때문에 존슨 씨가 확인한 것이군요."

마구로가 고개를 끄덕였다.

"우리는 전혀 모르고 있었는데요, 소문도 나지 않았구요."

"페레이라 쪽에서 존슨 씨한테 사건을 물어본 것입니다."

호타크가 번들거리는 눈으로 지노를 보았다.

"그래서 존슨 씨가 우리한테 확인한 것이지요."

그때 사만타가 입을 열었다.

"존슨이 내통자야."

순간 둘은 숨을 삼켰고 응접실에 정적이 덮였다. 이제는 사만타가 말을 이었다.

"당신들한테 보좌관님 동향 보고를 비밀로 지시한 것은 그것 때문이지. 다른 이유가 없어."

"그렇군요."

마구로가 고개를 들고 지노를 보았다.

"이제 의문이 풀렸습니다, 보좌관님."

"저희들은 믿어주셔도 됩니다."

상기된 얼굴로 호타크가 말을 잇는다.

"앞으로 존슨은 철저하게 관리하겠습니다, 보좌관님."

그때 지노가 입을 열었다.

"존슨의 세력이 어디까지 침투했지부터 알아야겠다."

지노의 시선이 사만타에게 옮겨졌다.

"당장 존슨을 제거하는 건 쉽지만 존슨을 이용해서 과타르치를 쳐야 돼."

이곳은 정반대의 전쟁이다.

차가 밀렸기 때문에 말루마는 짜증을 냈다.

이곳은 보고타 북방의 국도상이다.

오전 11시 반. 메데인으로 향하는 일반 국도다.

"왜 밀리는 거야?"

운전석에 앉은 푸타에게 소리쳐 물은 말루마가 다시 손목시계를 보았다.

제11농장에서 출발한 지 2시간이 되어 간다.

반트럭 엔진이 고장 났기 때문에 1시간 반쯤 출발이 늦었는데 길까지 막히는 것이다.

"앞에서 고장이 난 것 같아."

뒷자리에 앉은 산체가 말했다.

2차선 도로 중에서 상행선은 이제 막혀 있다. 아예 차가 멈춰 서 주차장이 되었다. 길어서 구비가 많은 곳이라 시야가 50미터밖에 보이지 않는다.

"이런, 늦겠다."

혀를 찬 말루마가 산체에게 지시했다.

"야, 본부에 연락해."

"그러지."

산체가 휴대폰을 집어 들었다.

지금 말루마는 수송 인원 7명을 인솔하고 메데인 아래쪽의 본부 창고로 가는 중이다.

뒤쪽 반트럭에는 농장에서 만든 마약 500킬로가 실려 있는 것이다.

차량 대열은 3대. 선두의 승용차에는 인솔자 말루마를 포함한 3명, 반트럭에 3명, 뒤쪽 승용차에 2명이다.

일주일에 한 번씩 농장에서 마약을 본부 창고로 운반하는 것이다.

"아, 지금 보고타 북방 35킬로 지점이고, 2킬로 앞이 스코타 마을입니다."

"지금 막혀서 서 있어요. 길 뚫리면 다시 연락하겠습니다."

휴대폰을 귀에서 뗀 산체가 말루마에게 말했다.

"이왕 늦은 거, 서둘 거 없어. 스코타 마을 가게에서 먹을 것이나 사서 가지."

그 순간이다.

"타타타타타타."

요란한 총성이 울리면서 말루마가 두 팔을 흔들며 쓰러졌다.

"타타타타타타타타타."

운전사 푸타와 산체가 이어서 빗발 같은 총탄을 맞고 피떡이 되었다.

"타타타타타."

뒤쪽의 반트럭, 그 바로 뒤쪽의 승용차도 동시에 습격을 받았다.

멈춰 선 차량 양쪽으로 다가온 습격자들이다.

"콰쾅!"

맨 마지막으로 트럭이 엄청난 폭음과 함께 허공으로 1미터나 솟아오르더니 반토막이 되어서 떨어졌다. 트럭의 잔해가 수십 미터 사방으로 흩어졌고 흰 분말이 눈처럼 도로 위를 덮었다.

마약이다.

그때 습격자들이 여유 있게 반대편 차선으로 가더니 대기시킨 차량들에 올랐다.

모두 복면을 했지만 당당한 태도다.

서두르지도 않는다.

"11농장의 수송대가 습격을 받았습니다."

안가에서 지노가 보고를 받았다.

"마약 500킬로가 도로 위에 뿌려졌고 수송대원 8명 전원이 피살되었습니다."

보고자는 마구로. 방금 메데인의 본부에서 연락을 받은 것이다.

응접실 안에는 사만타까지 셋이 모여 있다.

마구로가 굳은 얼굴로 지노를 보았다.

"보좌관님, 계획적입니다. 수송대 앞쪽에 차 사고를 내고 도로를 차단시켜 놓고 멈춰 선 수송대를 습격한 것입니다."

지노가 고개만 끄덕였을 때 사만타가 마구로에게 물었다.

"어느 쪽으로 도망쳤다고 했지?"

"보고타 쪽으로요."

마구로가 바로 대답했다.

"수송대는 메데인의 창고로 가는 중이었으니까."

사만타가 고개를 돌려 지노를 보았다.

사만타의 시선을 받은 지노가 입을 열었다.

"곧 연락이 올 거다."

그러나 누구한테서 올 것이라고는 말하지 않았고 사만타도 묻지 않았다.

페르난도한테서 연락이 왔을 때는 한 시간 뒤다.

"지노, 이번 습격은 체르넨코가 용병 둘에게 병사 18명을 붙여서 저지른 것이야."

페르난도가 바로 말했다.

"보고타에서 나갔어. 체르넨코가 지금 보고타에 있다고 한다."

"전쟁이 확대되고 있어요, 페르난도."

"마르코의 지시야, 진정해."

"전장(戰場)이 확대되어도 됩니까?"

"너에게 맡긴다고 하셨어, 지노."

"대상은?"

"그것도."

"좋습니다."

지노가 고개를 들고 앞에 앉은 사만타를 보았다.

사만타도 들었을 것이다.

밤, 10시 반.

응접실에 앉아있던 지노는 안으로 들어서는 캄바스를 보았다.

"보좌관님, 놈들의 경비가 2배, 3배 강화되어서 손님보다 경비원들이 많습니다."

캄바스가 손수건으로 이마의 땀을 닦았다.

방금 시내의 과타르치 영업장들을 확인하고 돌아온 것이다.

"당연하지. 우리가 공격할 걸 알고 있을 테니까."

지노가 쓴웃음을 짓고 캄바스를 보았다.

"마구로와 호타크가 돌아올 때가 되었다."

둘도 시내에 나가있는 것이다.

그때 캄바스가 물었다.

"보좌관님, 존슨은 그대로 놔두실 겁니까?"

"이제 마구로, 호타크가 존슨의 정보원 노릇을 안 하게 되었으니 서둘지 않아도 된다."

지노가 말을 이었다.

"둘이 데려온 부하 중에 있을 수도 있지."

"암살을 해야 합니다."

"누구를 말이냐?"

"존슨 말입니다."

고개를 든 지노가 풀썩 웃었다.

"배다른 형제간에 의견이 같군."

사만타도 그런 말을 했던 것이다.

그러자 캄바스는 정색하고 말했다.

"사만타하고는 이야기를 했습니다."

"그건 최후의 방법이야."

마침내 지노가 그렇게 말했다.

"부하들한테 내색하지 마라."

"알고 있습니다."

캄바스가 길게 숨을 뱉었다.

"보스는 이런 상황인 줄도 모르고 있다니 한심합니다."

마르코가 아버지지만, 캄바스는 아버지라고 부르지 않는다.

"아, 지노."

지노의 목소리를 들은 마이클 우드워드가 밝은 분위기로 전화를 받았다.

오후 11시 반. 응접실에는 지노 혼자뿐이다.

"마침 전화 잘 해줬어, 지노."

"상의할 일이 있어."

"그렇지 않아도 이야기를 하려던 참이야. 지금이라도 만날까?"

마이클이 묻자 지노가 벽시계를 보면서 말했다.

"좋아. 만나지."

오전 1시. 카라카스 거리 왼쪽의 작은 카페 안.

텅 빈 카페의 구석 쪽 테이블에 지노와 마이클이 마주 앉아 있다.

마이클이 입을 열었다.

"전쟁, 할 거야?"

"도로상에서 8명이 피살되었어. 물건은 폭발되었고. 가만둘 수가 없지."

지노가 지그시 마이클을 보았다.

"과타르치도 전쟁을 할 작정이야."

"마르코 측이 불리할 텐데."

"존슨 때문에 그렇게 된 거야."

그렇게 말을 받은 지노가 쓴웃음을 지었다.

"전쟁이 격화되면 내부 정보가 존슨을 통해서 빠져나갈 테니까, 내가 불리해지겠지."

"본부에서 균형이 깨질까 염려하고 있어."

"마이클, 당신은 과타르치의 누구하고 접촉하나?"

"존슨."

"뭐야?"

쓴웃음을 지은 지노가 마이클을 보았다.

52

존슨이 과타르치 측에서 CIA의 연락원 노릇을 하고 있었던 것이다.

그때 마이클이 입을 열었다.

"존슨이 썩었어."

"그걸 이제 알았나?"

"너무 썩었단 말야. 과타르치 측에서 뜯어낸 자금도 엄청나."

"그 자식은 무덤에 계좌번호를 갖고 가려는 건가?"

"조정 역할을 못 하고 있어."

고개를 든 마이클이 지노를 보았다.

눈이 번들거리고 있다.

"너 때문이지."

"내가 돈 먹는 걸, 방해했나?"

쓴웃음을 지은 지노가 마이클의 시선을 맞받았다.

"이제 존슨의 효용가치가 없어진 모양이군, 마이클."

"역시 용병 출신이라 민감해, 너는."

마이클의 얼굴에도 쓴웃음이 번졌다.

"후세인의 측근에 있으면서 안목이 넓어졌어, 너는."

"네가 날 만나자고 했을 때부터 이런 상황을 예상하고 있었어, 마이클."

"본부에서는 너한테 기대를 하고 있어."

정색한 마이클이 지노를 보았다.

"네가 콜롬비아에서 밤의 대통령 역할을 해줘, 지노."

"밤의 대통령?"

"이건 본부에서 지어낸 이름이야."

"어쨌거나."

상반신을 세운 지노가 마이클을 보았다.

"일단 네 말은 절반만 받아들이기로 하지."

오전 8시 반.

보고타의 안가, 응접실에는 다섯이 둘러앉아 있다.

지노, 사만타, 캄바스, 마구로, 호타크다.

캄바스는 후발 주자지만, 마르코의 아들이다. 백인의 마르코와 흑인계 어머니 사이에서 태어난 물라토. 콜롬비아에는 물라토가 인구의 14퍼센트를 차지한다.

백인과 원주민인 인디오와의 혼혈 메스티소는 58퍼센트. 사만타가 바로 메스티소로 마르코의 딸이다.

그리고 백인이 20퍼센트. 인디오와 흑인의 혼혈 삼보는 인구의 7퍼센트다.

지노가 입을 열었다.

"내가 보스를 만나고 와야겠어."

넷을 둘러본 지노가 말을 이었다.

"전쟁이 커지기 전에 보스하고 상의해야 할 일이 있어."

"언제 가십니까?"

"오늘"

마구로가 물었을 때 지노는 그렇게만 대답했다.

응접실에 사만타와 둘이 남았을 때 지노가 전화를 했다.

버튼을 누르고 나서 전화기를 귀에 붙였다.

그때 지노가 스피커 버튼을 누르고는 전화기를 내려놓았다.

"존슨, 놈들의 경비가 강화되었어. 전쟁을 각오하고 쳐야 될 것 같다."

지노가 말했을 때 곧 존슨의 목소리가 응접실을 울렸다.

"치기 전에 꼭 나한테 알려줘, 지노."

"당연하지."

"내가 정보를 줄 테니까. 병력은 충분하지?"

"이만하면 됐어."

"과타르치에서 보고타에 2백 명 가까운 병사를 파견했어. 지금도 계속해서 증원시키는 중이야."

"놈들의 사업장 경비가 2배, 3배까지 증가되었다니까?"

"지노, 네 위치는 어디냐?"

"4호 안가야."

"그렇다면 독립공원 끝 쪽이군."

존슨이 말을 이었다.

"노출시키지 마, 놈들의 제1번 타깃은 너니까."

"알았다, 존슨."

전화기를 내려놓은 지노가 앞에 앉은 사만타를 보았다.

시선을 받은 사만타의 눈동자가 흔들리다가 멈췄다. 검은 눈동자가 수정 같다.

세실리아가 들어서자 체르넨코가 고개를 들었다. 웃음 띤 얼굴이다.

"아, 공주 오셨습니까?"

농담을 한다.

체르넨코는 11농장 수송대를 전멸시킨 후에 컨디션이 좋아졌다.

이곳은 보고타 시내 산타페 호텔 로비의 안가다.

세실리아는 웃음을 무시한 채 앞쪽 자리에 앉았다.

"체르넨코 씨, 정보를 얻었는데."

세실리아가 정색하고 체르넨코를 보았다.

"지노가 사만타에 이어서 마르코의 물라토 아들 캄바스를 데려왔어요."

"캄바스."

체르넨코가 고개를 끄덕였다.

"그놈, 군 출신이라 제법 한가락 하는 놈이지요."

"캄바스가 농장에서 경비원 10명까지 추려서 온 거죠."

"뭐, 그쯤이야."

"체르넨코 씨, 긴장해야 될 것 같아요."

"작전은 내 소관이오, 세실리아 씨."

이제는 체르넨코가 정색했다.

"이미 증강된 병력으로 방어, 반격 작전 계획까지 수립해 놓았습니다."

"조언하는 겁니다, 체르넨코 씨."

"받아들이지요."

고개를 끄덕인 체르넨코가 말을 이었다.

"공주님은 감찰관 역할이니까."

체르넨코의 시선을 받은 세실리아가 외면하더니 자리에서 일어섰다.

세실리아가 응접실을 나갔을 때 체르넨코는 소파에 등을 붙였다. 얼굴에 쓴 웃음이 떠올라 있다.

"감찰관이 실적을 올리려고 조급해졌어."

앞에 앉은 용병 바운트가 고개를 끄덕였다.

"우리가 수송대를 친 것을 감찰관한테 상의 안 했다고 화가 난 것 같기도 합니다."

"그건 월권이지."

월권이라고는 했지만 체르넨코도 그렇게 짐작하고 있다.

그때 바운트가 말했다.

"대장, 세실리아의 정보망도 꽤 단단합니다. 정보원을 직접 운영하고 있지 않습니까?"

"세실리아나 되니까 할 수 있는 일이지."

"캄바스가 이쪽으로 빠져 나왔다는 것도 우리는 모르고 있었습니다."

"지노 휘하에 마르코 자식들이 보이는데."

"블라드가 불안하겠는데요."

"존슨이 보호자로 있는 한 끄떡없어."

체르넨코의 눈이 흐려졌다.

"지노와 존슨은 경쟁이 안 돼. 그리고 서자와 후계자의 싸움도 일어날 수 없어."

이미 양쪽 가문의 내막은 서로 간에 훤하게 꿰고 있는 상황이다.

"정보를 줘, 존슨."

파블로가 말하자 존슨이 씩 웃었다. 이곳은 메데인 시내의 중식당 '베이징' 안이다. 밀실에는 둘이 앉아있다.

오후 2시 반.

메데인은 마르코 가문의 도시나 같다. 도시의 주민은 물론이고 경찰, 심지어 외곽에 주둔한 군(軍)까지 마르코 가문에 장악되어 있다. 파블로의 시선을 받은 존슨이 정색했다.

"보고타 4호 안가야."

"4호 안가."

긴장한 파블로의 얼굴이 굳어졌다. 주위를 둘러본 파블로가 둘뿐인데도 목소리를 낮췄다.

"자세히 알려줘, 존슨."

"독립공원 끝 쪽, 마리아 성당 뒤쪽의 붉은 지붕의 2층집. 골목 안쪽에 있어."

숨을 죽인 파블로에게 존슨이 말을 이었다.

"안에 최소한 2개 팀은 있을 거다. 지노는 3개 팀을 운용하고 있어."

"그것까지는 알아. 캄바스, 마구로, 호타크 팀이지?"

"서둘러야 돼, 파블로."

"고맙군."

"자, 그럼."

어깨를 부풀린 존슨의 시선을 받은 파블로가 주머니에서 쪽지를 꺼내 내밀었다.

"5백만 불이야, 존슨."

"땡큐."

"갑부 되겠다, 존슨."

"너는 돈 줄 때마다 비아냥거리는군."

쪽지를 주머니에 넣은 존슨이 쓴웃음을 지었다.

"배가 아프면 그만 만나도 돼, 파블로, 내가 아쉬운 건 없으니까."

"글쎄, 4호 안가부터 처리하지."

파블로가 자리에서 일어서며 말했다.

"어쨌든 고마워, 존슨."

돌아가는 차 안에서 파블로가 카로스에게 말했다.

"체르넨코한테 연락해, 지노의 안가를 찾았다고."

"예, 대장님."

고개를 든 카로스가 파블로를 보았다.

58

"그렇게만 전할까요?"

"오늘 밤에 끝장을 내라고 해."

"알겠습니다."

"지노의 안가 위치는 감찰관한테 알려주겠다고 해, 내가 말야."

"예, 대장님."

"체르넨코와 감찰관 사이에 알력이 있는 것 같다. 이번 기회에 지휘 체계를 확립시킬 필요가 있어."

"무슨 말씀인지 알겠습니다."

카로스도 과타르치 가문에서 잔뼈가 굵은 고참이다. 핸드폰을 쥔 카로스가 버튼을 누르면서 말했다.

"이번 수송대 습격도 체르넨코가 감찰관한테 상의도 하지 않고 실행한 것 같습니다."

"위세를 부리다가 진짜 용병을 만나 혼이 나고 있는 상황이라 정신이 없었던 거야."

파블로가 창밖을 둘러보면서 말을 이었다.

"같은 용병이지만 지노하고 체르넨코는 급이 다르지. 지노는 대통령 급 용병이야."

차는 이제 메데인 시내를 빠져나가고 있다. 그때 카로스가 귀에 붙인 핸드폰에서 체르넨코의 목소리가 울렸다.

전화기를 귀에 붙인 존슨이 창가로 다가가 섰다. 응접실 안. 존슨은 부하들과 회의를 하다가 전화를 받은 것이다.

"아, 기다리고 있었어."

존슨이 응답하자 수화기에서 마이클의 목소리가 울렸다.

"전쟁을 할 거야?"

"저쪽에서 걸어온 전쟁이야. 가만둘 수는 없어."

존슨이 목소리를 낮췄다.

"이번에 수송대 피습으로 마르코가 펄펄 뛰고 있어."

"당연히 그러겠지."

"저쪽에 그만큼 갚아줘야 돼."

"이봐, 존슨, 오후에 좀 만나자."

"좋아."

"조정을 해보자구, 지난번처럼."

"어디로 갈까?"

"지난번에 만난 식당에서 오후 8시."

"그러지."

전화기를 귀에서 뗀 존슨이 소파로 다가갔다. 지금 수송대 습격에 대한 반격 작전을 회의 중이다.

2장 에콰도르 정복

회의를 마친 존슨이 이층의 응접실로 들어섰을 때는 오후 5시가 되어갈 무렵이다.

응접실에는 페르난도와 블라드가 먼저 와 앉아 있었는데 참모 급 부하들도 대여섯 명이 모여 있었다. 존슨도 참모 셋을 데리고 왔기 때문에 응접실에는 10명 정도의 간부들이 모였다.

페르난도가 선임으로 가문의 총리 겸 비서실장 역할을 하고 존슨은 국방장관 격이었다. 지노는 마르코 직속의 친위군 사령관쯤 될 것이다.

그때 마르코가 경호대장 바비오와 함께 응접실로 들어섰다. 모두 자리에서 일어나 마르코를 맞는다. 원탁의 상석에 마르코가 앉자 모두 자리에 둘러앉는다. 마르코는 아무한테도 시선을 주지 않았고 입도 열지 않았기 때문에 분위기가 무겁다.

이윽고 고개를 든 마르코가 먼저 페르난도를 보았다.

"서로 주고받다가 이번에는 우리가 크게 당했어. 대책을 세웠겠지?"

"보좌관한테 일임한 상태인데 곧 작전이 시작될 것입니다."

페르난도가 말을 이었다.

"비밀 유지를 위해서 작전 내용은 보스한테만 말씀드리겠습니다."

마르코의 시선이 존슨에게 옮겨졌다.

"농장 경비, 수송대 경비를 강화시켜."

"예, 보스."

"콜롬비아 전국에 소문이 다 났다, 마르코 수송대가 전멸했다고."

마르코의 두 눈이 번들거렸고 존슨이 고개를 숙였다. 응접실에는 숨소리도 들리지 않는다. 그때 마르코가 자리에서 일어섰다.

"창피해서 얼굴을 들고 다닐 수가 없어. 대낮에 그것도 국도상에서 사람들이 다 보는 데서 당하다니."

우르르 따라 일어선 사내들을 외면한 채 마르코가 몸을 돌렸다. 마르코가 응접실을 나갔을 때 페르난도가 낮게 말했다.

"자, 힘들 내자고."

대답하는 사람은 없다. 존슨도 입맛을 다신 채 다시 자리에 앉아있을 뿐이다. 모두 마르코의 성격을 아는 것이다.

오늘은 이렇게 끝났지만 마르코는 집요하게 책임을 추궁하고 복수를 할 것이었다.

응접실을 나온 존슨이 1층 왼쪽 끝에 위치한 방으로 들어섰다. 뒤를 따라온 쥬피터가 존슨에게 물었다.

"바르바 씨하고 저녁식사는 어디서 하실 겁니까?"

"유니온 식당."

존슨이 손목시계를 보고 나서 말을 이었다.

"7시로 해."

"알겠습니다."

바르바는 메데인 경찰청장이다. 오늘 저녁식사를 하기로 했는데 시간과 장소를 아직 정하지 않았던 것이다. 존슨이 쥬피터에게 말했다.

"페르난도한테 현금 10만 불 받아와. 내가 말해놓았으니까 준비해놓았을 거다."

"예, 보스."

바르바한테 주는 뇌물이다. 마르코는 바르바에게 정기적으로 매월 10만 불씩을 지급하는 것이다. 그 전달자가 존슨이다.

쥬피터가 방을 나갔을 때 존슨이 핸드폰을 들었다. 버튼을 누르자 신호음 세 번 만에 응답 소리가 들렸다.

"예, 존슨 님."

호타크다. 존슨이 목소리를 낮추고 물었다.

"지금 어디냐?"

"예, 안가에 있습니다."

"지노하고 같이 있나?"

"예, 존슨 님."

"알았다. 내일쯤 다시 연락하지."

통화를 끝낸 존슨이 의자에 등을 붙였다. 지노가 지금 4호 안가에 있는 것이다.

보고타의 안가.

오후 6시 반.

응접실에 간부 다섯이 모여 있다. 상석에 앉은 세실리아의 주위에 체르넨코와 용병 3명이 둘러앉아 있는 것이다. 먼저 체르넨코가 입을 열었다.

"4호 안가에는 현재 10명에서 13명 사이의 병력이 있어. 2층 벽돌 양옥의 2층 오른쪽이 지노의 방이야."

체르넨코가 지휘봉으로 평면도의 2층 방을 가리켰다.

"지노가 현재 이곳에 있다는 것이 조금 전에 확인되었다."

고개를 든 체르넨코가 세실리아를 보았다. 조금 전에 세실리아한테서 통보를 받은 것이다. 물론 세실리아는 파블로의 연락을 받는다. 그리고 파블로는 존슨한테서 정보를 받은 것이다.

체르넨코가 말을 이었다.

"작전은 11시 정각에 시작이야. 이곳에서는 9시 반에 출발하도록."

이미 여러 번 도상 연습을 한 것이다. 출동 병력은 4개 팀 45명. 로켓포와 기관총, 수류탄으로 완전무장한 병력이다. 안가의 병력보다 3배 이상.

오늘 마르코의 친위대장 지노와 그 일당을 전멸시킴으로써 1차전을 끝내려는 의도다. 그때 세실리아가 마무리를 했다.

"보스한테는 작전 보고를 한 상황이니까 결과를 기다리고 계실 거예요."

이것으로 세실리아의 권위가 확실해졌다. 과타르치에게 세실리아가 직접 보고를 하려는 것이다.

"바르바, 다음 달에는 별장에서 만나기로 하지."

존슨이 말하고는 탁자 옆에 놓인 가방을 바르바의 의자 옆에다 밀어 놓았다. 돈 가방이다.

"만나서 여자들 모아놓고 놀자구. 식사만 하고 끝나니까 영 삭막해."

그러자 바르바가 빙그레 웃었다. 메스티소인 바르바는 메데인 경찰청장만 5년째다. 메데인에는 4개의 경찰서가 있는데 바르바가 총괄하고 있는 것이다. 4개 경찰서장도 모두 마르코 가문의 일원이라고 봐도 될 것이다.

"존슨, 마르코 씨한테 고맙다는 인사를 전해줘. 내 딸 집을 얻어준 것 말야."

"아, 그거야 당연한 일이지."

존슨이 양고기를 썰면서 말을 이었다.

"다른 일 있으면 언제든지 말해, 바르바."

바르바의 딸은 LA에서 대학을 다니고 있다. 지금까지 방 2개짜리 아파트에서 살았는데 지난달 마르코가 정원까지 갖춘 방 4개짜리 단독주택을 사준 것이다. 1백만 불 가까운 자금이 들었지만 마르코는 그런 비용은 아끼지 않는다. 그것이 마르코의 장점이기도 하다.

"요즘 과타르치하고는 어때? 아래쪽 국도에서 당한 건 어떻게 할 거야?"

바르바가 눈썹을 모으고 존슨을 보았다.

"내가 도와줄 일은 없어?"

"필요하면 말할게, 바르바."

"페레이라 경찰청장 하네드가 과타르치 측과 갈등 있는 거 알아?"

"무슨 일인데?"

"세실리아가 하네드한테 비협조적이라는 소문이야."

바르바가 말을 이었다.

"과타르치가 세실리아에게 자금 관리를 맡긴 후에 갈등이 시작되었다는군."

처음 듣는 말이어서 존슨은 머릿속에 새겨 넣었지만 겉으로는 알고 있다는 듯이 고개를 끄덕였다. 그렇다면 후계자인 오빠 호세와도 갈등이 일어날 가능성이 있다.

빅뉴스다. 돈이 되는 뉴스다. 마르코에게 적절할 때 팔아먹을 수가 있다.

"좋아."

손목시계를 본 존슨이 바르바를 보았다.

"오늘은 회의가 있어서 말야. 우리 다음 달 10일에는 내 별장에서 보지."

"오케이."

비대한 체격의 바르바가 배를 들썩이며 웃었다.

"난 하나로는 만족 못 해, 존슨. 알지?"

"알아. 셋 준비해놓을게."

7시 55분이다.

이곳은 1층 밀실이니 계단을 올라 2층 끝 방까지 가는 데 5분도 걸리지 않는
다. 자리에서 먼저 일어선 존슨이 바르바에게 말했다.

"바르바, 나 먼저 갈게."

메데인은 마르코 가문의 영지나 같다. 이곳 유니온 식당도 마르코 가문 소유
로 종업원 모두가 가문 소속인 것이다.

거침없이 계단을 오른 존슨이 복도를 걸어 끝 쪽의 4번 밀실로 다가갔다. 식
사를 하면서 포도주를 마셨기 때문에 적당히 취기가 오른 상태.

문에 노크를 한 존슨이 방으로 들어서자 자리에 앉아있던 마이클 우드워드
가 눈인사를 했다. 얼굴에 희미하게 웃음기가 떠올라 있다.

"존슨, 요즘 바쁘구만."

"전쟁이야."

"그것 때문에 보자고 한 거야, 존슨."

"무슨 일인데?"

정색한 존슨이 마이클을 보았다.

"존슨, 네가 너무 발이 넓어."

"내 발이 넓다니?"

"네가 잘 알면서."

존슨이 눈을 가늘게 떴다.

"내가 뭘 안단 말야?"

그때 문이 열렸기 때문에 존슨이 고개를 돌렸다가 숨을 들이켰다. 지노가 들
어선 것이다. 존슨이 엉겁결에 일어섰다.

"아니, 지노."

66

"존슨."

다가온 지노의 얼굴에 웃음이 떠올랐다. 그때 방 안으로 두 사내가 들어섰다. 캄바스와 또 한 명은 삼보. 억세게 생긴 사내다. 그때 존슨의 옆쪽 자리에 앉은 지노가 말했다.

"존슨, 앉아."

"여기 웬일이야?"

다시 자리에 앉으면서 존슨이 뒤쪽에 선 캄바스와 삼보를 보았다. 삼보는 흑인과 인디오와의 혼혈이다. 존슨의 시선이 이제는 마이클에게 옮겨졌다.

"마이클, 무슨 일이야?"

"네 문제지."

마이클이 존슨의 시선을 받은 채 고개를 천천히 저었다.

"존슨, 이제는 널 용도 폐기시켜야 되겠어."

존슨의 시선이 흐려졌고 마이클의 목소리가 방을 울렸다.

"넌 선을 넘었어, 존슨."

"마이클."

존슨이 어깨를 올리면서 고개를 들었을 때다. 뒤에 서 있던 캄바스와 삼보 경호원이 와락 달려들었다. 존슨의 어깨를 캄바스가 양손으로 눌렀고 삼보는 재빠르게 상의 안에서 권총을 빼앗았다. 존슨은 가슴 안쪽에 권총집을 차고 있었던 것이다.

"아니, 이 자식!"

존슨이 버럭 소리쳤을 때다. 그 순간 옆에 앉아있던 지노가 팔꿈치를 휘둘러 존슨의 턱을 쳤다.

"턱컥!"

뼈가 부러지는 소리와 함께 존슨의 머리가 벌떡 뒤로 젖혀졌다. 그때 삼보가 주머니에서 보자기를 꺼내 존슨의 머리에 뒤집어 씌웠다. 존슨이 늘어져 있었기 때문에 캄바스는 겨드랑이에 팔을 넣어 일으켰다. 삼보가 존슨의 팔을 뒤로 돌려 나일론 끈으로 묶는다. 익숙한 손놀림이다.

지노의 눈짓을 받은 캄바스와 삼보가 존슨을 떠메고 밖으로 나갔다. 그때 그들의 뒤를 따라 나가면서 지노가 마이클에게 말했다.

"다음에 만납시다."

마이클은 지노를 향해 손만 들어 보였다.

1시간 후.

이곳은 메데인 시내의 안가. 지하실의 의자에 앉아있는 존슨의 팔다리는 묶여 있다. 방 안의 불이 환하게 밝혀져 있는데 입 끝에서는 지금도 피가 흐르는 중이었고 입이 조금 벌어져 있다. 턱뼈가 부서졌기 때문이다.

존슨의 앞에는 지노가 앉아있다. 주위에는 캄바스와 삼보를 포함한 부하 4명이 둘러서 있다. 지노가 캄바스 팀을 데리고 온 것이다. 그때 존슨의 시선을 잡은 지노가 입을 열었다.

"이제는 너도 상황 판단이 되었을 거다. 넌, 너를 고용한 마르코 가문을 배신한 놈이야."

존슨의 눈이 번들거리다가 스르르 흐려졌다. 그때 지노가 자리에서 일어섰다.

"곧 네 운명이 결정돼."

존슨의 심복 쥬피터는 유니온 식당에서 나와 개인 용무를 보았다. 존슨이 식당에서 누구를 만난다고 했기 때문이다. 경찰청장 바르바를 만난다는 것까지는 알았지만 다음 약속이 누군지는 말해주지 않았던 것이다.

오후 10시가 되었을 때 카페에서 부하들과 술을 마시던 쥬피터가 전화를 받는다. 존슨의 경호원 타란이다. 타란이 조심스럽게 말했다.

"쥬피터 님, 존슨 님이 보이지 않습니다."

"무슨 말이냐?"

"제가 아래층에서 기다리고 있는데 아직 연락이 없어서요."

"2층에서 누구 만난다고 하셨는데, 종업원한테 물어봤어?"

"2층 끝 방으로 들어가셨다고만 하는데 그쪽 손님이 누군지도 모릅니다."

"다른 일 때문에 너한테 연락 못 하신 건가? 식당에서는 나가신 거야?"

"2층 끝 방에서 바로 비상계단으로 내려갈 수가 있지요. 그래서 존슨 님도 그 계단으로 나가신 것 같은데요."

"곧 연락이 오겠지."

가끔 존슨이 애인인 사리나의 집으로 말도 없이 사라지는 경우가 있기 때문에 쥬피터는 농담을 했다.

"야, 존슨 님한테 사생활 할 여유 좀 줘라."

10시 55분.

체르넨코가 성당 앞의 골목에 서서 무전기를 입에 붙였다.

"준비, 5분 전이다."

통신 채널을 맞췄기 때문에 안가 앞 뒤쪽, 좌측에서 3개 팀 팀장이 듣고 있다.

체르넨코는 골목 안 담장에 등을 붙이고 서 있다. 주위에는 지휘부 요원 7, 8명이 둘러서 있는 것이다.

1팀장은 용병 바운트가 이끄는 12명. 안가 정문을 맡고 있다.

"이봐, 2층 오른쪽 창이야."

바운트가 옆에 선 후루타의 어깨를 툭 쳤다. 후루타는 어깨에 RPG-7V를 걸치고 있었는데 이미 탄두가 박혀 있다. 2층 창까지의 거리는 150미터. RPG-7V의 유효 사정거리는 500미터. 장갑 관통력은 320밀리미터이다.

2층 오른쪽 창쯤은 눈 감고도 맞춘다. 대인용탄 1발이면 방 안은 바퀴벌레까지도 몰사할 것이다. 이제 4분 남았다.

후루타의 RPG-7V 발사를 신호로 1팀은 정문을 수류탄으로 박살내고 진입한다.

2팀장 코네킨도 용병이다. 휘하에 12명을 이끌고 후문을 맡는다.

후문은 3명이 수류탄으로 폭파하고 진입, 나머지 9명은 담장을 넘어 뛰어 들어갈 계획이다. 모두 AK-47로 무장했고 둘은 단병접전용으로 우지 기관총을 들었다.

코네킨은 헤클러 앤 코흐 제품인 MP-5를 쥐었는데 기습 전문가다. 저택에 진입하면 3개 팀의 지휘를 맡게 된다.

3팀장 자르센도 용병. 이번에 코네킨과 함께 페레이라에서 차출되었다. 체르넨코가 지휘하는 용병단 6명 중에서 벌써 2명이 보고타에서 사망하고 현재 3명이 작전에 투입되었다.

자르센은 좌측 담장을 넘어서 진입한다. 좌측에서 2층 왼쪽 창이 바로 보였기 때문에 이쪽에서도 RPG-7V로 2층을 박살낸다. 이곳에서 왼쪽 창까지 거리는 120미터. 더 가깝다.

자르센이 이끄는 병력은 11명. 저택의 우측은 성당 건물과 벽을 맞대고 있었기 때문에 진입할 수가 없다.

"2분 전."

체르넨코의 목소리가 자르센의 귀에 꽂은 리시버에서 울렸다. 자르센이 길 건너편의 저택을 노려보았다.

불을 환하게 밝힌 저택은 3면이 포위된 상태다. 오른쪽은 성당과 붙어서 막혀있기 때문에 빠져나갈 곳이 없다.

"꽈꽝! 꽝꽝!"

먼저 2층이 두 발의 RPG-7V 포탄을 맞아 동시에 폭발했다.

"꽝! 꽝! 꽝!"

앞문에 2발, 후문에 1발의 수류탄 폭발음. 이어서 진입한 대원들의 사격.

"타타타타타타."

30여 명이 앞뒤 쪽, 좌측으로 난입해 들어가면서 어지럽게 쏘아대는 총성이 보고타 북부지역을 울렸다.

"좋아."

총성에 익숙한 체르넨코는 소총 발사음으로 그것이 AK-47인지 MP-5인지를 구분해낸다. 만족한 표정이 된 체르넨코가 발을 떼었다. 습격팀의 뒤를 따라 안가에 진입하려는 것이다.

이제는 총성이 격렬해지고 있다. 그래서 상대방의 반격이 어느 정도인지는 구별이 안 된다. 골목에서 나온 체르넨코가 길을 건너 성당의 옆을 돌아 안가로 다가갔다.

밤이 깊었기 때문에 오가는 행인도 없다. 그러나 총성이 더 격렬해지고 있다.

정문을 지나 정원으로 다가간 바운트가 AK-47로 아래층 창을 향해 다시 난사했다. 사방에서 총성이 울리고 있다.

"타타타타타타."

그때 좌측 담장을 넘어온 3팀장 자르센이 어둠 속에서 다가왔다.

"아직 놈들이 대항하지 않아."

상체를 숙인 자르센이 소리쳤다.

본관과 30미터 정도. 저택은 3면이 정원과 잔디밭으로 조성되어 있다. 정문에

서 본채까지는 50미터 정도. 이미 저택 2층은 반쯤 무너져서 불길이 솟아오르는 중이다. 그때 2팀장 코네킨이 소리쳤다.

"진입!"

본채 안으로 진입하자는 말이다. 그때는 이미 3면에서 특공팀이 모두 저택 안으로 진입한 상태. 바운트가 AK-47을 쥔 채 앞으로 내달렸다.

"2팀! 왼쪽으로!"

코네킨이 앞장서 달리면서 소리쳤다.

"타타탓, 타타탓!"

아직 불이 켜진 유리창을 향해 3발씩 갈기면서 내달리던 코네킨은 문득 정원의 경비를 아직 발견하지 못했다는 것을 깨달았다.

그러고 보니 아직 저쪽의 반격도 받지 않았다. 하지만 침입한 지 아직 1분도 안 되었다. 가슴이 무거워진 코네킨의 속도가 느려졌다.

그러나 저택과의 거리는 이제 15미터, 13미터, 10미터.

그때다.

"푹숑!"

코네킨은 그런 폭음을 들으면서 자신의 몸이 뒤로 날아가는 것을 느꼈다.

아앗, 클레모어다.

다음 순간 코네킨의 의식이 끊어졌다.

"푹숑!"

그 옆쪽에서도 엄청난 폭음과 함께 클레모어가 폭발했다.

"푹숑! 푹숑! 푹숑! 푹숑!"

이어서 사방을 겨눈 클레모어가 연거푸 폭발했는데 저택을 중심으로 10여 개를 설치해놓은 것이다.

체르넨코가 저택 안으로 들어섰을 때는 클레모어가 폭발한 직후다. 그때는 총성까지 딱 그쳤기 때문에 저택 2층이 불타면서 가구 무너지는 소리만 들렸다.

"클레모어."

옆에 선 부하 하나가 억양 없는 목소리로 말했을 뿐 모두 몸을 굳히고 있다. 저택 마당에 서 있는 사람이 없었기 때문에 체르넨코가 숨을 들이켰다.

"뒤로!"

저도 모르게 소리친 체르넨코가 몸을 돌렸다가 뒤에 선 부하와 얼굴까지 부딪쳤다. 그만큼 둘 다 당황한 것이다.

비틀거렸던 체르넨코는 부서진 정문 밖으로 뛰쳐나왔는데 두 눈이 치켜떠졌고 입은 절반쯤 벌어져 있다.

밤 11시 35분.

침실에 있던 과타르치가 전화를 받는다. 보고타에 가 있는 세실리아가 전화를 한 것이다. 기다리고 있었기 때문에 과타르치는 긴장하고 있다.

"응, 어떻게 된 거냐?"

과타르치가 대뜸 묻자 세실리아는 잠깐 뜸을 들였다가 대답했다.

"체르넨코만 살아서 나왔어요."

"뭐라고?"

"다 죽고 체르넨코만 살았어요."

"그게 무슨 말이냐?"

"안가를 기습했다가 몰살당했습니다."

"어떻게?"

목소리가 갈라져 나왔기 때문에 과타르치는 헛기침을 했다. 눈을 치켜뜬 과타르치가 침실을 나와 응접실로 들어가 서성대기 시작했다.

"말해! 세실리아!"

"저택으로 모두 기습해 들어갔다가 클레모어를 터뜨리는 바람에 모두……"

"……"

"함정을 파고 기다렸던 것 같습니다."

"……"

"용병 바운트, 코네킨, 자르센 셋이 죽었고 병사 28명이 죽었어요. 6명이 중경상으로 나왔습니다."

"……"

"후방에 있던 체르넨코와 본부요원 7명이 살아남았어요."

"이런 병신 같은."

잇새로 말한 과타르치가 어깨를 부풀렸다.

"존슨, 이 개 같은 놈이."

이 정보를 준 것이 존슨인 것이다. 존슨에게 정보비까지 주었기 때문에 과타르치의 온몸이 떨렸다.

"존슨, 네가 배신자라는 증거가 드러났어."

방으로 들어선 지노가 앞쪽에 앉으면서 말했다.

밤 12시 10분.

고개를 든 존슨에게 지노가 말을 이었다.

"네가 안가 정보를 체르넨코한테 말해준 것이지."

지노의 얼굴에 쓴웃음이 떠올랐다.

"그리고 조금 전에 제4안가가 대폭발을 했다."

"……"

"체르넨코의 용병대가 지휘하는 40여 명이 안가를 기습, RPG-7V로 이층을 박살내고 몰려들어갔는데……."

"……"

"그런데 클레모어가 터진 거다."

"……"

"40명 가깝게 몰살당했어. 체르넨코는 다행히 살아 도망갔지만 말야."

"……"

"넌 과타르치 가문에도 견디기 힘들게 되었어, 정보비를 받았을 테니까
말야."

그러고는 지노가 자리에서 일어섰다.

"내일 아침에 결정해라, 존슨."

"뭘 말이냐?"

존슨이 물었을 때 지노가 발을 떼면서 말했다.

"살아서 나갈 방법을 생각해봐. 내일 아침에 널 죽이든 살리든 결정할 테
니까."

그러고는 덧붙였다.

"나한테 장난칠 생각 마. 흥정할 생각도 말고, 이 자리에서 바로 쏴 죽이고 묻
어버릴 테니까."

그때 존슨이 소리쳤다.

"지금 결정해!"

걸음을 멈춘 지노가 몸을 돌렸다. 방 안의 시선이 모두 존슨에게 모였다. 그
때 존슨이 다시 소리쳤다.

"내가 모은 돈이 있어. 절반을 내놓지. 3천만 불쯤 돼. 그것을 내놓겠다."

"더러운 자식. 그 정도냐?"

"마르코한테만 넘기지 말고 여기서 끝내자."

존슨은 이제 얼굴이 상기되었고 땀을 흘리고 있다.

"좋아. 5천만 불을 내지. 내가 살아간다면 먹고는 살아야 할 것 아니냐?"

"과타르치한테서 받은 돈까지 그것밖에 안 된단 말이냐?"

"거긴 얼마 안 돼. 구두쇠라구."

"안 돼. 넌 죽어야겠다."

"다 내놓지. 6천5백만 불."

존슨이 울부짖는 것처럼 소리쳤다.

오전 9시 반.

메데인의 마르코 본가 안. 2층 응접실에 넷이 둘러앉았다. 탁자 위에는 소형 녹음기가 놓였는데 방금 존슨과 지노의 대화가 끝난 참이다.

녹음기의 버튼을 누른 지노가 고개를 들었다. 좌우에 사만타와 페르난도가 앉아서 앞쪽 마르코를 쳐다보는 구도다.

"보스, 존슨한테서 6천5백만 불을 찾았습니다. 여기 입금시킨 계좌번호입니다."

지노가 주머니에서 쪽지를 꺼내 탁자 위에 놓았다. 마르코는 흐려진 눈으로 앞쪽을 향한 채 쪽지는 쳐다보지도 않는다. 지노가 마르코를 보았다.

"존슨은 어떻게 할까요?"

"그 개자식을."

눈의 초점을 잡은 마르코가 얼굴을 일그러뜨리며 웃었다.

"죽여. 그리고."

마르코의 시선이 쪽지로 옮겨졌다.

"이건 네가 포상금으로 가져."

오후 5시에 마르코의 저택 본관 회의실에서 간부회의가 열렸다.

마르코가 전국의 고위 간부를 총소집시킨 것이다. 헬기와 대형 보잉 737기까지 동원된 긴급 간부회의다.

회의실에 모인 간부는 67명. 전국의 27개 농장 소장까지 모두 모였다.

회의실의 원탁에 둘러앉은 면면들을 둘러보면서 의아하게 생각하는 간부도 있었다. 그것은 존슨이 보이지 않았기 때문이다. 그때 마르코가 입을 열었다.

"어젯밤 보고타의 안가를 기습했던 적이 몰살당했다."

모두 알고 있었지만 회의실은 숨소리도 나지 않았다. 하지만 간부 몇 명은 눈동자만 굴려 지노를 훔쳐보았다. 그 승리의 주역이다.

지노는 페르난도 옆에 앉아 있었는데 존슨의 자리였다. 오늘은 존슨이 보이지 않는 것이다. 그때 마르코가 말을 이었다.

"앞으로 지노가 우리 가문의 병력 관리, 경호대, 친위대까지 총괄 관리한다."

그러고는 마르코가 자리에서 일어섰다.

회의 끝이다. 이것이 마르코 스타일이다. 세부 사항은 이제 지노와 페르난도에게 맡긴다는 의미다. 물론 후계자 블라드가 세부 회의에 참석하겠지만 아직 명령권은 없다.

마르코가 회의장을 나갔을 때 회의 주재는 페르난도가 맡는다. 지금까지 그렇게 해왔다.

페르난도가 고개를 돌려 지노를 보았다. 둘러앉은 간부들의 시선도 지노에게 모였다. 이번 회의에 농장소장 자격으로 참가한 캄바스, 지노의 보좌역인 사만타도 참석하고 있다.

"지노, 간부들에게 한마디 하지."

지노가 고개를 끄덕이며 말했다.

"내가 존슨 역할을 맡을 뿐이지 달라지는 건 없어."

모두의 시선을 받은 지노가 말을 이었다.

"모두 긴장하도록. 어젯밤 사건으로 적이 보복할 테니까."

그러고는 입을 딱 다물었기 때문에 페르난도가 한숨을 쉬었다.

"보스 닮아서 말이 짧군. 자, 그럼 식당에서 술 한잔하지."

파티다. 회의가 끝나면 식당에서 질펀한 파티가 열리는 것이다.

파티가 조금 일찍 시작되었지만 분위기는 금방 달아올랐다. 존슨이 갑자기 자취를 감춘 것에 대한 의구심, 불안감도 금세 가셨다. 다만 존슨의 측근으로 분류되었던 10여 명은 불안한 표정이 역력했다.

그중 하나가 제4농장 소장 가리발디다. 가리발디가 페르난도에게 주춤거리며 다가와 섰다.

"고문님, 존슨은 어떻게 된 겁니까?"

술잔을 든 간부들이 오갔고 떠들썩한 분위기였는데 페르난도가 고개를 돌려 가리발디를 보았다. 웃음 띤 얼굴이다.

"지노한테 물어봐라."

"지노한테요?"

"그래. 네가 먼저 가서 묻는 것이 좋을 것 같은데."

여운이 남는 말을 던진 페르난도가 몸을 돌렸다.

그런데 가리발디는 지노에게 묻지 못했다. 망설였기 때문이다.

시간이 지나면서 분위기가 점점 달아오른 파티장 분위기의 중심은 지노다. 지노는 후계자 블라드와 같이 서 있었는데 주변에 10여 명이나 몰려있는 것이다. 옆으로 다가서기가 어렵기도 했다.

"가리발디."

뒤에서 부르는 소리에 가리발디는 몸을 돌렸다. 마구로가 서 있다. 마구로는 간부회의 참석자는 아니다. 그런데 파티장에 들어온 것이다.

"응, 마구로, 무슨 일이냐?"

가리발디는 마구로가 지노 직속으로 파견되었다는 것을 안다.

"가리발디, 잠깐 나하고 나가지."

마구로가 다가서서 말했다.

"이야기할 것이 있어."

가리발디가 어깨를 늘어뜨렸다.

"블라드, 당분간 존슨의 측근 중에서 배신에 동조했던 놈들을 추려야겠어."

지노가 블라드의 귀에 대고 말했다. 블라드가 고개만 끄덕였고 지노가 말을 이었다.

"얼마 안 걸릴 거야. 존슨이 혼자 처먹으려고 심복한테도 알려주지 않았을 것 같아."

"개자식."

블라드가 눈을 치켜떴다.

"그놈 어떻게 했어?"

존슨의 처리는 지노가 맡았기 때문이다.

"고원에 묻었어."

지노가 블라드의 귀에 대고 말했다.

"양귀비 밭이야. 이제 헤로인으로 환생할 거야."

블라드가 이를 드러내고 웃었기 때문에 내막을 모르는 주위 분위기가 더 밝아졌다.

"존슨의 정체가 발각된 것이죠."

세실리아가 과타르치에게 말했다.

오후 7시.

이곳은 페레이라의 과타르치 대저택 안. 응접실에서 과타르치와 세실리아 둘이 앉아있다. 항상 불렀던 경호실장 파블로와 후계자 호세도 동석시키지 않은 것이다. 세실리아가 말을 이었다.

"존슨이 우리하고 내통하고 있는 것을 안 지노가 함정을 판 것입니다. 그래서 기습한 체르넨코 부하들을 몰살하고 존슨을 제거한 것입니다."

"이런 개 같은."

과타르치가 잇새로 욕을 뱉고 물었다.

"존슨이 제거된 건 확실하냐?"

"오후에 마르코 가문의 간부회의가 열렸어요. 존슨 역할은 지노가 맡는다고 마르코가 직접 말했다는 겁니다."

"그렇다면 확실하군."

"지금 지노가 존슨 일파를 소탕하고 있다는데요."

"어쨌거나 놈들은 축제 분위기겠군."

과타르치가 말하자 세실리아는 입을 다물었다.

"우린 망했고."

"……."

"31명이 죽다니. 아니, 33명이냐?"

그사이에 중상자 중에서 둘이 또 죽은 것이다. 그때 고개를 든 세실리아가 입을 열었다.

"이제 쓸데없는 정보비가 덜 나가게 된 것이 다행이네요."

세실리아가 자금을 맡고 있는 것이다.

"그리고 돈값을 못하는 용병들도 문제가 있어요, 아버지."

체르넨코 일당을 말하는 것이다. 과타르치가 세실리아를 보았다.

"그럼 용병단은 이제 둘 남았나?"

이번 함정에 빠져서 용병 셋이 죽었기 때문이다.

바운트, 코네킨, 자르센, 그리고 지난번에 고든과 피커슨까지 다섯이 죽었다. 남아공의 유제비노 용병단에서 보낸 용병대는 7명. 이제 대장 체르넨코와 모튼 둘이 남았다. 용병 1명의 값을 병사 1백 명으로 쳐주고 있었기 때문에 대단한 손실이다. 그때 과타르치가 말했다.

"용병의 등급 차이가 있어. 마르코가 고용한 용병 지노는 대통령급이야."

세실리아의 시선을 받은 과타르치가 쓴웃음을 지었다.

"우린 한참 급수가 떨어진 놈들을 받았어. 이번 전쟁은 용병의 급수로 결정된 것 같다."

"지노가 오기 전에 누구하고 비교할 수가 있었어야죠."

"네가 미국 쪽 용병 회사에다 알아봐."

과타르치가 말을 이었다.

"유제비노 용병단에서 용병을 추가하지는 않겠다."

"네, 알아볼게요. 그런데 파블로는 어떻게 할까요?"

세실리아가 정색했다.

"우리한테 지노의 4호 안가 위치를 알려준 건 파블로인데요. 파블로가 존슨한테서 들었다면서 알려줬기 때문에 이렇게 된 것 아닙니까?"

"……."

"파블로의 책임도 물어야 할 것 같아요."

"……."

"마르코 측이 존슨의 배신을 알고 처리한 이상 우리도 조처를 해야 합니다."

"대책은 있어?"

불쑥 과타르치가 묻자 세실리아는 고개를 끄덕였다.

"아우렐로를 경호대장으로 임명하세요."

"아우렐로를?"

과타르치가 숨을 들이켰다.

아우렐로는 과타르치의 아들, 서자다. 메스티소 부인한테서 낳은 아들로 31세. 과타르치의 후계자이며 세실리아의 친오빠인 호세보다 1살 연상이다. 과타르치의 아들 중 가장 연장자이기도 하다. 그때 세실리아가 말했다.

"아버지, 아우렐로는 성실하고 첫째로 후계자에 대한 욕심이 없어요. 겪어보셨지 않아요?"

"······."

"더구나 아버지 아들이에요. 아우렐로만큼 믿을 만한 부하가 있겠어요?"

"······."

"호세하고도 사이가 좋아요."

"······."

"마르코 가문을 보세요. 거긴 서자들을 측근에 중용하고 있어요. 우리만 아까운 인재를 호세의 경쟁 상대가 될지 모른다는 경계심으로 멀리 내보내고 있어요. 모두 호세와 파블로의 작업이었죠."

"하긴. 지노 옆에 사만타와 캄바스를 붙여 놓았더구만. 그래서 서자들이 측근으로 부상했지."

혼잣소리로 말한 과타르치의 얼굴에 쓴웃음이 번졌다.

"세실리아, 네 기반이 굳어지겠구나."

오후 8시 반.

메데인의 유니온 식당. 사흘 전, 존슨과 함께 앉았던 2층 밀실에서 마이클 우드워드와 지노가 앉아있다. 식탁 위에는 양고기 볶음과 스카치 한 병이 놓여 있었지만 아직 첫 잔을 마시지도 않았다. 마이클이 먼저 머리를 조금 기울이고 지노를 보았다.

"존슨은?"

"양귀비 밭에 묻었어."

바로 대답한 지노가 마이클의 시선을 맞받았다.

"헤로인으로 다시 태어난다더군."

"더 그럴듯한 사연을 만들어봐, 지노."

"그 빌어먹을 자식은 콜롬비아에서 다시 태어나긴 할 거야. 이곳에서 엄청 벌었으니까."

"농담 작작하고 존슨은 어딨어?"

"엘도라도였지, 이곳이."

"눈동자가 흔들리는데."

"죽을 때까지 쓰지도 못할 돈을 모아서 뭘 하겠다고, 병신이."

"자, 말해, 지노."

"8천5백만 불을 모았더군. 지독한 놈."

"여기는 돈이 양배추처럼 보이는 곳이니까."

"내가 2천만 불은 돌려주었어."

"옳지."

"대신 그놈이 심복으로 부렸던 놈들 명단을 받았지."

"과연."

"마르코 가문에 3명, 과타르치 가문이 4명, 그리고 너한테도 650만 불 상납했더군. 2년 동안 말야."

"그러면 그렇지."

마이클이 이를 드러내고 웃었다.

"네가 그냥 보내지는 않으리라고 믿었어."

"아직 안 보냈어."

"확인하고 보낼 거냐?"

"맞으면."

"나한테 650 준 건 맞아."

"그럼 대충 맞겠다. 다른 건 거짓말할 이유가 없으니까."

"존슨한테서 되찾은 돈은 그럼 6천5백만 불인가?"

"그렇게 되지."

"그건 어떻게 했는데?"

"마르코한테 내밀었더니 나 가지라고 하는군. 쪽지를 쳐다보지도 않았어."

"마르코가 통이 크지."

"나도 그런 모양이야. 그 쪽지를 어디에 두었는지 잊어먹었다니까."

"저런."

"앞으로 너한테도 내가 상납해야 하나?"

"우리 운영비야. 작전 자금이 필요할 때도 있고."

"시애틀 바닷가의 별장과 보트는 필립스 이름으로 돼 있던데, 마이클."

"선오브비치."

"180만 불쯤 썼더구만. 그게 작전 자금이지?"

술잔을 든 지노가 마이클을 보았다. 여전히 정색한 얼굴이다.

"나한테 그것 확인해보려고 만나자고 한 거지?"

"그것도 있고."

그때 지노가 주머니에서 쪽지를 꺼내 마이클 앞으로 던졌다.

"5백만 불이야. 노후자금으로 써."

"지저스."

마이클이 쪽지를 집어 펴보았다. 은행 코드번호, 계좌번호, 비밀번호, 그리고 개인번호까지 적혀 있다. 금액은 5백만 불이다. 쪽지에서 시선을 뗀 마이클이 지노를 보았다.

"마이 갓, 지노."

"존슨의 몫에서 내가 떼어준 거야."

지노가 어깨를 부풀렸다가 내렸다.

"마르코가 내놓는 것이 아니야, 마이클."

"무슨 말인지 알겠어, 지노."

쪽지를 주머니에 넣은 마이클이 길게 숨을 뱉었다.

"자, 날 보자고 한 이유를 대, 지노."

"존슨을 데려가."

"양귀비 밭으로?"

"그건 나중에 할 일이고."

"그렇다면."

마이클이 고개를 끄덕였다.

"내가 벗겨 놓았으니까 마무리까지 하란 말이지?"

"내가 힌트를 주었을 텐데, 마이클."

지노가 정색하고 마이클을 보았다.

"이제는 CIA가 비자금을 챙길 수 있는 기회야, 공식적으로."

마이클이 고개를 끄덕였다. 존슨한테 2천만 불이 남아있는 것이다.

오후 10시 반.

메데인 외곽의 산타마리아 성당 앞. 어둠에 덮인 길가에 흰색 승용차 1대가 주차되어 있다. 그때 거리를 달려온 SUV 1대가 속력을 늦추더니 승용차 옆에 멈춰 섰다.

차량 통행이 뜸한 길인 데다 이곳은 통행인도 없다.

곧 SUV에서 내린 두 사내가 승용차 뒤쪽 문을 열더니 사내 하나를 양쪽에서 부축하고 끌어내었다. 그러고는 SUV에 옮겨 싣더니 어둠 속으로 사라졌다. 그때 흰색 승용차의 불이 켜지면서 곧 SUV와는 반대쪽 어둠 속으로 사라졌다.

"존슨을 인계했습니다."

사만타가 말하자 지노가 고개를 끄덕였다.

이곳은 메데인의 마르코 대저택 안.

지노는 1층 오른쪽 코너를 사용하고 있다. 1층의 절반 면적인데 방이 8개, 응접실이 2개, 회의실, 대기실, 식당까지 갖춰져 있다. 존슨이 사용하던 공간을 지노가 차지한 것이다. 현관 왼쪽의 공간은 이곳과 비슷한 면적과 구조인데 페르난도의 공간인 것이다.

다가선 사만타가 지노를 보았다.

"어디로 데리고 갔을까요?"

지금 존슨의 향방을 묻는 것이다. 지노는 웃기만 했다. 이제 존슨은 CIA 몫이다.

"없어?"

고개를 든 체르넨코의 눈이 충혈되어 있다.

"그럼 그놈이 아직 메데인에 있는 건가?"

"저택에 박혀있는 것 같습니다."

미구엘이 외면한 채 말했다.

"존슨이 배신자로 몰려 처형된 후에 그 후임이 되었으니까요."

이곳은 보고타의 저택 안. 체르넨코와 미구엘은 지노의 이야기를 하는 중이다. 미구엘이 말을 이었다.

"이제는 지노가 마르코 가문의 실력자가 되었지요. 병력을 장악하게 되었으니까요."

"별것도 아닌 놈이 출세했어."

"……."

"운이 좋은 거지, 그놈이."

지노의 안가를 기습했다가 역습을 받아 33명이 몰사한 후에 체르넨코도 이곳으로 돌아와 외출하지 않았다. 사건 후에 세실리아는 페레이라의 본부로 가서 돌아오지 않았는데 사흘이 지났어도 아직 연락도 없다.

보스인 과타르치는 체르넨코에게 직접 전화하는 성격도 아니었기 때문에 아직 목소리도 못 들었다. 체르넨코가 좌불안석을 하고 있는 이유다. 참담한 패전에 대한 책임은 체르넨코에게 있는 것이다.

비록 용병이라고 해도 그렇다. 용병은 셋이 죽었지만 과타르치의 부하도 30명이 죽었기 때문이다. 그때 미구엘이 고개를 들고 체르넨코를 보았다.

"보스가 용병을 고용한다는 소문이 났습니다."

순간 체르넨코가 어깨를 부풀렸다. 체르넨코의 시선을 받은 미구엘이 말을 이었다.

"미국 쪽의 회사하고 접촉한다는 겁니다."

"……."

"페레이라에는 소문이 다 퍼졌답니다."

마침내 체르넨코가 외면했다. 용병 고용은 과타르치의 권한이다. 고용인인 체르넨코는 상관할 일이 아니다. 그러나 미구엘의 분위기를 보면 은근히 체르넨코를 무시하는 것 같다. 그때 미구엘이 다시 염장을 질렀다.

"지노는 대통령급 용병이라는 소문이 났습니다. 실제로 후세인의 심복이었다는군요."

그 시간에 지노가 마르코의 응접실에 들어와 있다.

저택의 3층 응접실이다. 동석자는 페르난도와 사만타. 사만타는 지노가 오기 전에는 마르코와 독대한 경우는 드물었다. 저택에서 마르코의 업무 보좌역으로 측근이었을 뿐이다. 그때 마르코가 입을 열었다.

"과타르치가 이번에 치명상을 입어서 당분간은 반격할 여유가 없을 거야."

마르코의 얼굴에 웃음이 떠올랐다.

"이번에는 미국 쪽에서 용병을 채용할 모양이야. 그때까지는 휴전 상태가 되겠지."

의자에 등을 붙인 마르코가 지노를 보았다.

"우리하고 과타르치는 공존해야 돼. 균형을 맞춰야 된다고. 어느 한쪽이 월등하게 강해지면 견제를 받는 거야."

지노의 시선을 받은 마르코가 말을 이었다.

"지노, 네가 할 일이 있어."

"예, 뭡니까?"

"키토에 가면 파사테란 놈이 있어."

마르코가 고개를 돌려 페르난도를 보았다.

"페르난도, 네가 말해라."

그러자 페르난도가 지노에게로 몸을 돌렸다.

"지노, 파사테는 에콰도르의 보스야. 지금까지 우리 물건을 받아서 판매하거나 타 지역으로 운반해주고 운반비를 먹었는데 문제가 생겼어."

페르난도가 말을 이었다.

"키토에서 다른 곳으로 넘겨줄 물건 350킬로를 파사테가 가로채었어. 그자는 물건을 분실했다는데 거짓말이야."

"……."

"그것이 두 달 전이야. 생산가로 계산하면 7백만 불 용량이지. 판매가는 7천만 불이네."

"……."

"지노, 이곳이 바빠서 그동안 파사테를 놔두었는데 이젠 놔둘 수가 없어. 그놈을 잡아서 없애든지 물건 값을 받아내든지 해야겠어."

"파사테 조직은 어떤 상황입니까?"

"에콰도르 최대 조직이야. 휘하에 조직원이 2천여 명. 그놈은 건설회사, 운송회사, 여행사 등 수십 개의 사업체를 운영하고 있어."

그때 마르코가 말을 받았다.

"지노, 둘만 데리고 가. 전쟁을 하라는 건 아냐. 가서 놈을 저격하든지 목을 따든지 하는 거야."

그러더니 쓴웃음을 지었다.

"우리는 에콰도르에 기지를 건설 중이야. 키토에 안가를 마련해놓았고 안내원이 기다리고 있어. 그놈의 안내를 받아라."

"알았습니다."

"누구를 데려가겠나?"

"마구로와 차도스를 데려가지요."

"연락원으로 사만타를 데려가는 게 어때?"

"위험합니다."

그러자 마르코가 이를 드러내고 웃었다.

"지노, 넌 사만타를 좋아하지 않는 것 같구나."

"그렇지는 않습니다."

"너는 자제심이 강한 모양이다."

그때 듣고만 있던 사만타가 고개를 들었다. 웃음 띤 얼굴이다.

"아버지, 그만하시죠."

"네가 안쓰러워서 그래."

마르코가 끈질기게 말했다.

"짝사랑하는 내 딸이 안쓰럽단 말이다."

그때 지노가 자리에서 일어서며 말했다.

"내일 출발하지요."

1층 응접실로 들어선 지노의 뒤를 사만타가 따라 들어왔다. 응접실의 소파에 앉은 지노가 사만타를 보았다.

"사만타, 아버지는 너하고 내가 좋은 사이가 되기를 바라는 모양이다."

"처음에는 몰랐는데 지금은 의도를 분명하게 알 수 있겠어요."

사만타가 웃음 띤 얼굴로 지노를 보았다.

"저하고 당신을 결합시키려는 의도죠."

"그런가? 네 생각은 어떤데?"

"난 남자가 있어요."

어느덧 사만타의 얼굴에 웃음기가 지워져 있다.

"보고타 병원의 외과의사로 근무하고 있는 남자죠. 대학 때부터 연애했던 사람인데 아버지도 알고 있죠."

"아버지가 반대하는 건가?"

"당신하고 잘되기를 바란 것 같네요."

"네가 결정해야 돼. 남한테 맡길 일이 아냐."

"알았어요."

"내가 도와줄 테니까."

"고맙습니다."

"내가 에콰도르로 데려가지 않는 것이 잘된 일이군."

혼잣소리로 말한 지노가 길게 숨을 뱉었다. 사만타가 정색하고 고개를 끄덕였다. 입을 열지는 않는다.

"예, 가지요."

지노의 말을 들은 마구로가 대번에 승낙했다. 응접실에는 사만타까지 넷이 둘러앉았다. 차도스도 부른 것이다. 그때 지노가 차도스를 보았다.

"너는?"

"예, 보좌관님. 갑니다."

어깨를 편 차도스가 대답했다. 차도스는 30세, 메스티소, 육군 하사 출신, 지금까지 지노의 경호원으로 측근에서 근무했다. 지노한테서 성실성을 인정받은 것이다. 고개를 끄덕인 지노가 말했다.

"내일 출발이다. 준비해."

세실리아가 앞에 앉은 사내를 보았다. 검은 머리에 검은 눈동자. 그러나 피부는 백인이다.

보고타 외곽의 별장 안. 응접실에는 둘이 앉아있다.

사내 이름은 헨리 오스만. 뉴욕에서 날아온 용병이다. 34세. 전(前) 네이비실 대위. 용병 경력 3년. 이라크, 아프간전 참전. 해외 파병 경력 17회. 군 시절 6회 훈장 수상 경력이 있다. 잘생긴 얼굴. 그때 세실리아가 입을 열었다.

"지노 장, 아시죠?"

"압니다."

헨리가 바로 대답했다.

"그런데 왜 그 친구를 묻습니까?"

"그자가 지금 마르코 가문의 용병입니다."

숨을 멈춘 헨리는 시선만 주었고 세실리아가 말을 이었다.

"지노하고는 인연이 있나요?"

"다른 부대에 있었지만 소문은 자주 들었죠. 아마 지노도 내 이름은 들었을 겁니다."

"콜롬비아에서 만나게 되겠군요."

세실리아의 얼굴에 웃음이 떠올랐다.

"지금 유제비노 용병단의 체르넨코와 모튼 두 명이 남아있어요. 그들과 당분 간은 함께 일해야 될 겁니다."

"상관없습니다."

헨리가 고개를 끄덕였다. 모두 과타르치의 지시를 받는 입장이기 때문이다.

헨리는 뉴욕 '선튼 용병단'에서 차출된 용병대 지휘관이다. 과타르치는 헨리 를 포함한 용병 5명을 고용한 것이다.

키토(Quito)는 적도 바로 밑의 도시로 에콰도르의 수도다.

표고 2,850미터의 고원지대에 위치해서 연평균 기온이 13도로 온난한 곳이 다. 잉카제국의 수도였던 곳으로 16세기부터 3백 년간 스페인 식민지였지만 아직 도 잉카 유적이 많다.

키토 북부의 고급 주택가 안. 푸른색 지붕의 2층 저택 응접실에서 지노가 메 스티소 사내와 앉아있다.

"파사테는 매일 시내의 '라이온 클럽'에 나갑니다. '라이온 클럽'은 파사테 소유의 최고급 클럽이죠."

사내가 말했다. 30대 중반쯤의 왜소한 체격으로 열심히 말을 잇는다.

"파티를 좋아하고 옆에는 항상 미녀들을 끼고 있습니다. 그리고 주위에는 경호원 3명이 붙어 있지요."

"파사테 거처는 어디야?"

"안가가 여러 곳이기 때문에 매일 밤 거처를 바꿉니다. 클럽 위층의 호텔에서 잘 때도 있습니다."

고개를 끄덕인 지노가 사내를 보았다.

"로렌스, 네 얼굴을 아는 놈들이 많겠지?"

"예, 파사테 조직원들이 제 얼굴을 압니다. 제가 키토 토박이어서요."

"그럼 나 혼자 가야겠군."

고개를 끄덕인 지노가 로렌스를 보았다.

"내 소문이 퍼지기 전에 파사테 얼굴을 익혀야겠다."

오후 6시 반이다.

키토에 도착한 첫날이다.

오후 8시 반.

'라이온 클럽' 앞에는 10여 명의 남녀가 서 있었는데 입장 대기다. 하나씩 경비원의 확인을 받은 후에 입장을 시키고 있기 때문이다.

지노는 말쑥한 양복 차림으로 수염도 말끔하게 깎아서 전혀 다른 모습이 되어있다. 양복도 명품이어서 금방 표시가 난다.

지노의 차례가 되었을 때 위아래를 훑어본 경호원이 고개를 끄덕였다. 관광객으로 본 것이다. 클럽 안으로 들어선 지노에게 종업원이 다가왔다. 외국인 표시가 나는 터라 영어로 묻는다.

"예약하셨습니까?"

"아니."

지노가 주머니에서 10불 지폐를 꺼내 종업원의 주머니에 찔러 넣었다. 힐끗 지폐 귀퉁이를 본 종업원의 표정이 금세 밝아졌다.

"귀빈석으로 모시겠습니다."

종업원이 앞장서서 안으로 안내했다. 홀은 넓고 화려했다. 라스베이거스의 클럽 못지않았다. 손님들도 절반쯤이 외국인 관광객이어서 지노도 눈에 띄지 않았다.

안쪽 구석 쪽 자리로 안내한 종업원에게 스카치위스키를 시킨 지노가 주위를 둘러보았다.

이곳이 VIP 코너여서 손님들의 분위기도 다르다. 옆쪽 바에 둘러앉은 10여 명의 여자들은 콜걸이다. 그중 서너 명이 벌써 지노를 힐끔거리고 있다.

종업원이 술병과 잔을 내려놓고 돌아갔을 때 여자 하나가 다가왔다. 가발을 뒤집어쓴 메스티소 미인이다. 어깨까지 늘어진 금발이 빗자루처럼 보였다.

"옆에 앉아도 돼요?"

"아니."

그러자 여자는 웃는 얼굴이 싹 바뀌더니 몸을 돌렸다.

술잔을 든 지노의 옆에서 은근한 향내가 맡아졌다. 고개를 든 지노가 흑인 여자를 보았다. 혼혈이다. 삼보였지만 인디오 피가 더 섞였는지 콧날이 반듯한 미인이다. 조명에 반사된 피부가 반질거리고 있다. 시선이 마주쳤을 때 여자가 말했다.

"100불이면 뭐든지 다 해드려요."

"어디까지 말이냐?"

"채찍질만 빼고."

"안 한다. 하지만 앉아."

그때 여자가 옆자리에 앉더니 스카치 병을 집어 들었다.

"한 잔 마셔도 되죠?"

"한 잔에 10불이야."

"좋아요."

잔에 술을 따른 여자가 한 모금에 삼키더니 지노를 보았다.

"여기 처음이군요. 그렇죠?"

"그래서 널 앉게 한 거지."

"조금 전의 창녀, 돌려보낸 건 잘했어요."

"나한테 50불이면 다 해준다고 하던데."

"파사테가 고용한 선수라고요. 그년 따라서 방에 올라갔다가 홀랑 벗겨진다고요."

"파사테가 누구야?"

"저기 안쪽, 여자 둘하고 앉아있는 놈."

여자가 다시 술잔을 채우면서 말했다.

"돌아보지 마요. 오른쪽 기둥 옆 자리."

"그놈이 여기 뚱쟁이인가?"

"주인이지."

그때 지노가 자연스럽게 오른쪽 기둥 옆을 보았다. 사내와 시선이 잠깐 마주쳤다.

40대쯤, 잘생긴 메스티소다. 진주색 수트가 잘 어울리는 몸매. 좌우에 앉은 여자도 숨이 막힐 것 같은 미모다. 그때 여자가 말했다.

"저놈, 얼굴은 미남으로 순진하게 생겼지만 냉혈한이야. 여자 피를 빠는 흡혈

귀라고. 내 몫의 절반을 가져가."

"넌 고용된 여자가 아닌 것 같던데."

"클럽에서 일하려면 절반은 바쳐야 돼."

"그럼 고용된 애들은?"

"다 가져가지."

여자가 어깨를 치켰다가 내렸다.

"내 사촌 오빠가 경찰 아니었다면 나도 고용될 뻔했지."

"내 이름은 이자벨이야."

술잔을 든 여자가 지노를 보았다.

"당신은 미국인이야?"

"그렇게 보이나?"

"여기서 돈 그렇게 쓰는 사람은 미국 관광객뿐이지."

이자벨이 흰 이를 드러내고 웃었다.

"하지만 당신은 좀 다른데."

"뭐가?"

"여자를 원하지 않는 것이."

"이런, 그것도 눈치챘나?"

쓴웃음을 지은 지노가 지그시 이자벨을 보았다.

"내가 돈이 많다는 것도 눈치챘겠지?"

"하하하."

맑은 목소리로 여자가 웃었을 때 지노는 옆얼굴에 닿는 시선을 느꼈다. 파사테다. 파사테의 주의를 끌고 있다.

"맞아."

이자벨이 웃으며 끄덕였다.

"당신이 종업원한테 자릿값으로 10불 넣어주는 것도 보았어."

"눈도 밝지. 멀었을 텐데."

"입구로 들어설 때부터 보았어. 아마 파사테도 보았을걸?"

"자꾸 파사테를 들먹이는데, 신경 쓰이는군."

"저놈은 당신 지갑에 든 돈도 대충 알고 있을 거야."

신이 난 이자벨이 자작한 술을 다시 한 모금에 삼키고는 잔을 내려놓았다.

"저놈이 가장 싫어하는 게 뭔지 알아?"

"뭔데?"

"돈 자랑하는 미국 놈이야."

"큰일 났네."

이맛살을 모은 지노가 이자벨을 보았다.

"벌써 날 찍었을 것 아닌가?"

"부하들 시켜서 패고 지갑을 빼앗지."

"저놈 사무실은 어딘데?"

"왼쪽 붉은색 카펫이 깔린 복도로 들어가면 오른쪽 끝 방이 저놈 사무실이야. 주로 그곳에서 오랄을 하지."

"그렇군."

"나도 한 번 불려가 서비스를 해줬어."

"지저스. 저놈은 언제 사무실에 들어가는 거야?"

"왜?"

"저놈 신경 쓰여서 연애도 못 하겠다."

"내가 괜히 말했네."

정색한 이자벨이 이맛살을 모았다.

"9시 조금 넘으면 사무실에 들어가, 여자 데리고. 그리고 나서 11시쯤 다시 나오지."

"그렇구나."

"지금 나 데리고 나가도 돼. 저놈이 난 터치 안 하니까. 부하들을 보내 해코지
도 안 할 거야."

"날 찍지는 않았겠지?"

"그렇다니까? 자기가 돈 자랑한 건 별로 없었잖아?"

"알았다. 어쨌든 술이나 좀 더 마시고 보자."

"그럼 나 파트너로 하는 거지?"

"1백 불이라고 했지?"

"잘해줄게."

"알았어. 술이나 마시자."

지노가 술잔을 쥐었다. 그동안 이자벨이 마셔서 술병이 절반이나 비워져
있다.

"저놈, 여기 처음이지?"

파사테가 묻자 지배인 아이반이 상반신을 기울이고 말했다.

"예, 보스. 처음 온 놈입니다."

"미국인인가?"

"그런 것 같습니다. 이자벨을 부를까요?"

"네가 불러서 물어봐."

"예, 보스."

"분위기 보니까 이자벨 저 여우같은 년이 후린 것 같은데. 위층으로 데려가라
고 해."

"알겠습니다."

"저 새끼, 돈질하는 게 거슬린다."

파사테가 잇새로 말하고는 다시 양팔을 벌려 좌우의 여자를 껴안았다.

술잔을 든 이자벨이 지노를 보았다.

이제 클럽 안은 손님들이 가득 차서 소음이 심해졌다. 이곳저곳에서 웃음소리, 환성까지 들린다. 안쪽 무대에서 스트립쇼가 시작되었기 때문이다.

"허니, 지배인이 날 좀 보자는데."

이자벨이 말을 이었다.

"자기하고 2차 나가는지 알고 싶은가 봐. 오늘은 손님이 많거든."

"나간다고 해."

"오케."

이자벨이 웃음 띤 얼굴로 자리에서 일어섰다. 이자벨의 뒷모습을 보던 지노의 시선이 자연스럽게 옆쪽으로 흘렀다. 파사테와 두 명의 여자는 보이지 않았다.

복도 입구 안쪽에서 지배인과 이자벨이 마주 보고 섰다. 지배인이 물었다.

"이야기된 거냐?"

"그래."

이자벨이 힐끗 지배인을 보았다.

"그 새끼, 깎으려고 해서 겨우 합의했어. 50불."

"정말이야?"

"그렇다니까."

"보스가 그놈 데리고 위층으로 가란다. 그러니까 그렇게 해."

"밖으로 나가자는데."

"그럼 안 한다고 해. 보스 지시야."

"보스가 껍질 벗기려고 하는군."

"찍은 모양이야. 팁 뿌리는 것 보고."

"안 간다면 어떡하지?"

"보스 지시라니까?"

"알았어."

어깨를 부풀린 이자벨이 고개를 끄덕였다.

자리로 돌아온 이자벨이 지노에게 큰 소리로 말했다.

"자기야, 위층으로 가는 수밖에 없어."

주위의 소음이 컸기 때문에 이자벨이 목소리를 높였다.

"오늘 손님이 많아서 내가 바빠. 밖으로 나가면 찍혀서 여기 일을 못 하게 돼."

"위층에서 토끼처럼 뛰고 넌 내려와야 한단 말이지?"

"할 수 없어."

"나, 잠깐 화장실에."

지노가 엉거주춤 자리에서 일어섰기 때문에 이자벨이 고개를 끄덕였다.

복도 안쪽은 좌우에 룸이고 맨 끝 쪽의 왼쪽이 사무실이다. 룸은 VIP 용으로 좌우에 두 개씩인데 손님이 차 있어서 종업원이 수시로 들락거렸다.

사무실 앞에 양복 차림의 사내 하나가 벽에 등을 붙이고 서 있다. 경호원이다.

지노가 안으로 들어서자 경호원이 힐끗 시선을 주었지만 룸의 손님으로 생각한 것 같다. 곧 외면하더니 팔짱을 끼었다.

룸에서 종업원이 빈 쟁반을 들고 나오면서 지노를 스치고 지나갔다. 종업원도 지노를 옆방 손님으로 생각한 것 같다.

지노가 비틀거리는 걸음으로 방들을 지나 안쪽으로 들어섰을 때 경호원이 벽에 붙였던 등을 떼었다. 다가선 지노가 사무실 문 앞으로 다가가자 경호원이 가로막았다.

"헤이, 어디 가는 거야?"

"내 방으로."

지노가 풀린 눈으로 경호원을 보았다.

"넌 누군데 날 막는 거야?"

"여긴 사무실이야. 네 방으로 가."

"그런가?"

고개를 돌린 지노가 뒤쪽을 보았다. 복도 옆방에서 나온 손님 하나가 홀 쪽으로 나갔다. 사내의 모습이 사라진 순간 지노가 고개를 돌려 경호원을 보았다.

"내가 잘못 왔군."

"돌아가."

"그러지."

그 순간 지노가 주먹으로 경호원의 턱을 올려쳤다.

"퍽석!"

둔탁한 소음이 울리더니 경호원이 머리를 벽에 부딪치면서 몸이 늘어졌다. 그때 지노가 사내의 허리를 감싸 안으면서 사무실 문을 열어젖혔다.

문은 쉽게 열렸다. 열린 문으로 경호원과 함께 들어선 지노는 안쪽 소파에 앉아있는 파사테를 보았다. 파사테는 마침 여자 하나에게 오랄을 시키는 중이었다. 여자 하나는 옆에 붙어 앉아있다.

파사테는 방 안으로 둘이 쏟아지듯 들어서자 고개를 들었다. 다음 순간 파사테의 시선이 사내에게 옮겨졌다.

"엇."

파사테의 입에서 낮은 외침이 터졌다. 사내의 손에 권총이 쥐어져 있었기 때문이다. 총에는 소음기가 끼워져 있다. 그때 파사테에게 붙어있던 여자가 떨어져 나갔다.

"아니."

말을 잇지 못한 파사테가 바지를 추켜올렸을 때다.

"퍽!"

총성과 함께 방바닥에서 꿈틀거리며 상반신을 일으켰던 경호원이 그대로 널브러졌다. 총탄에 부서진 머리에서 흰 뇌수가 쏟아졌다. 사내가 쏜 것이다.

"악!"

여자 하나가 짧은 비명을 질렀다가 총구가 겨눠지자 그대로 굳어졌다.

"이봐."

파사테가 손을 펴 말리는 시늉을 했다.

"무슨 일이야? 오해가 있는 것 같은데."

그때 사내가 빙그레 웃었다.

"어디 갔다 왔어?"

이자벨이 눈을 크게 뜨고 물었다.

"난 찾으러 화장실까지 갔다 왔는데."

"홀에서 친구를 만났어."

지노가 주머니에서 지폐를 꺼내 이자벨의 손에 쥐어주었다. 손에 쥔 지폐를 본 이자벨이 숨을 들이켰다. 100불짜리다.

"나, 친구가 급한 일이 있다고 해서 지금 나가야겠다."

이자벨의 시선을 받은 지노가 빙그레 웃었다.

"내일 너하고 위층에 가기로 하지."

지나가는 종업원에게 계산서를 가져오라고 한 지노가 말을 이었다.

"내일은 마음 놓고 즐기자, 이자벨."

"그런데, 자기 이름은 뭐야?"

"존슨."

지노가 바로 말했다. 지금은 콜롬비아 고원 어느 곳에 묻혀있을 존슨이다.

다음 날 오전 9시 반.

메데인의 저택에서 마르코가 페르난도의 보고를 받는다.

"보스, 어젯밤에 파사테가 제 클럽의 사무실에서 피살되었습니다."

고개를 든 마르코의 눈이 흐려졌다.

"지노가 했나?"

"그런 것 같습니다."

"그런 것 같다니?"

"아직 연락이 없거든요."

"정말 죽은 거야? 파사테 말야."

"예, 키토의 정보원이 확인했습니다. 사무실에 경비원과 여자 둘까지 넷의 시신이 발견되었답니다."

"……."

"모두 머리에 총을 맞았습니다. 클럽 안에 파사테의 경호원이 가득 차 있었을 텐데 그런 짓을 할 놈은 지노뿐입니다."

페르난도의 목소리에 열기가 띠어졌다.

"키토에 입성한 날 밤에 일을 치른 것입니다."

그때 응접실로 사만타가 들어섰다. 손에 전화기를 들고 있다.

"지노 전화예요."

사만타가 마르코에게 전화기를 내밀었다. 전화기를 귀에 붙인 마르코가 헛기침을 했다.

"지노, 마침 네 이야기하고 있었다."

"저도 지금쯤 이쪽 상황이 전해져 있을 것 같아서 전화드린 겁니다."

지노의 목소리가 울렸다.

"바로 끝냈습니다."

"좋아. 거기서 상황을 보면서 쉬어라."

마르코가 웃음 띤 목소리로 말을 이었다.

"만족한다, 지노."

"감사합니다, 보스."

"내가 다시 연락하지."

통화를 끝낸 마르코가 페르난도와 사만타를 번갈아 보면서 웃었다.

"글쎄, 대통령급 용병이라니까."

로렌스가 통화를 끝낸 지노에게 말했다.

"파사테 조직의 실력자가 가리발디입니다. 지금까지 파사테에게 눌려 암바토에서 운송회사를 하고 있었지만 지금 키토에 와 있습니다."

로렌스가 말을 이었다.

"파사테가 2인자를 키우지 않아서 키토에는 고만고만한 간부들이 대여섯이나 됩니다. 그들과 가리발디 사이에 전쟁이 일어날 것이라는 소문입니다."

"파사테는 형제가 없나?"

"동생이 둘 있는데 파사테가 견제를 해서 세력이 미미합니다. 중간 간부급 정도입니다."

"한동안 전쟁이 나겠다."

"파사테 처남도 둘 있지만 그들도 중간 간부급입니다."

파사테의 장례식은 내일이다. 지노가 다시 물었다.

"범인 추적은 어떻게 되고 있지?"

"사무실 쪽 룸의 손님들이 20명 가깝게 있었기 때문에 그들부터 조사한답니다."

지노가 고개를 끄덕였다. 방에서 나오던 종업원과 스쳐 지나갔다. 종업원은 지노를 방 손님으로 생각했을 것이다. 그때 지노가 로렌스에게 말했다.

"로렌스, 이 기회에 관광이나 가자."

에콰도르는 면적이 28만 3,500제곱 킬로로 한반도보다 조금 크다. 15세기 초에 키토 왕국으로 통일되었지만 1460년에 잉카 제국에 점령되었다. 1532년 잉카가 멸망한 후에 스페인의 3백 년 통치를 받았다.

그 후 1830년경에 공화국으로 독립되었는데 1941년 페루와의 전쟁에서 패하는 등 정권이 불안정했다. 원유 수출에 의존하지만 매장량은 적고 바나나, 코코아, 커피를 생산하는 농업국이다.

"여기가 마음에 든다."

베란다에 서서 바다를 내려다본 지노가 만족한 표정으로 말했다.

이곳은 태평양이 눈앞에 펼쳐진 도시 에스메랄다스, 키토에서 서쪽으로 2백 킬로 떨어진 바닷가 도시다. 지노가 로렌스와 함께 어젯밤에 도착한 것이다. 바닷가의 별장에서 아침에야 바다를 바라보고 있다.

"식사하시고 시내 구경을 하시지요."

로렌스가 지노를 올려다보면서 말했다.

"이곳은 아름다운 여자들이 많기로 소문난 곳입니다."

"처음 듣는데."

"혼혈이 많아서 그런 것 같습니다."

"메스티소 말이냐?"

"물라토나 삼보 미인도 많습니다. 삼보와 물라토 간 혼혈도 있구요."

물라토는 백인과 흑인의 혼혈이며 삼보는 흑인과 인디오의 혼혈이다.

그럼 그들의 혼혈은? 우성만 뽑아낸 혼혈인가?

그러나 지노는 별장에 박혀서 나가지 않았다.

별장에서 계단을 내려가면 바로 모래사장이 나왔기 때문에 바닷가를 거닐다가 바위틈의 공간에 기대 앉아 바다를 보면서 시간을 보냈다. 그러나 항상 기타 케이스를 들고 다녔는데 안에 든 물건을 보면 정보원 로렌스도 놀랄 것이었다.

SMG인 MP-5SD가 들어있고 30발 탄창 3개, 베레타 1정과 탄창 2개, 수류탄 3발까지 들어 있다.

헐렁한 반팔 티셔츠에 반바지를 입고 머리에는 챙이 넓은 밀짚모자에 선글라스를 낀 사내가 기타 가방을 들고 해변을 거니는 모습은 자연스럽다. 그렇게 해변을 오가다가, 바위 사이에 앉아 바다를 바라보며 졸면서 나흘을 보냈다.

그동안 로렌스는 시내를 오가면서 정보를 보고했는데 키토에서는 파사테의 장례식도 끝나고 전쟁이 격화되는 중이었다.

예상대로 가리발디가 파사테의 왕국을 평정하고 있었다.

"가리발디가 파사테의 동생 한 명, 처남 한 명을 죽였습니다. 가리발디 부하 다섯 명도 죽었구요."

로렌스가 바위 옆의 모래사장에 주저앉아서 말을 이었다.

오후 5시.

석양이 바다 위에 걸려 있어서 수평선은 황금빛으로 물들었다.

"파사테의 하나 남은 동생 아구로도 콜롬비아로 도망쳤다는 소문이 났습니다."

"저런."

지노가 수평선을 보면서 건성으로 말을 받는다.

"가리발디가 곧 파사테 왕국을 먹을 것 같으냐?"

"며칠 후에는 평정될 것 같습니다."

"파사테 살해범 수사는 어떻게 되고?"

"진전이 없습니다."

로렌스가 말을 이었다.

"경찰도 파사테 조직의 전쟁에만 신경을 곤두세우고 있어서요."

"그렇겠군, 매일 사람이 죽어나가니까."

"벌써 20명 가깝게 죽었습니다."

"가리발디 행동대는 몇 명이나 되지?"

"10여 명입니다."

로렌스의 얼굴에 쓴웃음이 떠올랐다.

"암바토에서 데리고 온 놈들인데 전과자들입니다. 가리발디는 전과자들을 고용해서 수족으로 부리지요."

"파사테 측근 중에서 가리발디를 상대할 놈은 누가 남았나?"

"참모 노릇을 하던 토리노가 남은 파사테 세력을 규합하고 있지요. 파사테가 살아있을 때 2인자를 키우지 않고 서로 견제시키는 바람에 모두 고만고만한 조무래기 간부로만 지내왔기 때문입니다."

어느덧 수평선 밑으로 태양이 숨어들자 하늘은 금세 어두워지고 있다. 로렌스가 말을 이었다.

"가리발디가 키토로 상경해서 이놈저놈을 건드리는 바람에 오히려 남은 세력이 규합해서 토리노가 대표로 부상한 것입니다."

"며칠 더 지나면 저절로 청소가 되겠구나."

"예, 토리노와 가리발디 중에서 결정이 되겠지요."

"그럼 오늘은 시내에 나가서 술을 한잔해야겠다."

바위틈에서 몸을 일으킨 지노가 얼굴을 펴고 웃었다.

에스메랄다스 시내의 '리비스 클럽' 안.

오후 7시 반.

이곳은 관광객이 드물었고 현지인이 많았다. 키토에서처럼 문지기가 검문하지도 않아서 자유로운 분위기. 넓은 홀은 손님으로 가득 찼는데 대부분이 맥주를 마시고 있다. 값도 싸서 1병에 1불 정도다.

안쪽 자리에 앉았을 때 로렌스가 말했다.

"여긴 콜걸이 드뭅니다. 하지만 만났을 때 선물을 주면 좋아하지요."

"그게 그거 아니냐? 돈 대신 선물 받는 거지."

그렇게 말을 받았지만 지노의 눈이 둥그레졌다. 주위가 온통 꽃밭이었기 때문이다. 미인들로 가득 찼다. 벌써부터 지노에게 추파를 보내는 여자도 있다. 맥주병을 쥔 지노가 주위를 둘러보면서 로렌스에게 말했다.

"콜롬비아로 돌아가고 싶지 않구나."

"에콰도르를 접수하시지요."

로렌스가 바로 말을 받았다.

"파사테의 간부 하나만 포섭하시면 가능할 겁니다."

정색한 로렌스가 지노를 보았다.

"그건 제가 알아서 할 수 있습니다."

"그럼 하나 골라봐."

"예, 보스."

로렌스의 두 눈이 반짝였다.

"가리발디 같은 놈한테 조직을 맡기면 안 됩니다."

그때 지노의 시선이 왼쪽 테이블에 앉은 여자에게로 옮겨졌다. 지노의 시선을 받은 여자가 얼른 외면했다. 여자는 친구 둘과 함께 테이블에 앉아있다.

검은 머리, 곧은 콧날, 얼굴은 돌렸지만 검은 눈동자와 단정한 입술이 영상으로 남았다. 앉아있었지만 날씬한 몸매가 드러났다. 혼혈이다. 메스티소, 삼보, 그리고 물라토까지 섞인 것 같다.

지노의 시선을 본 로렌스가 물었다.

"보스, 제가 데려올까요?"

"아니, 내가 가지."

지노가 자리에서 일어서며 말했다.

지노가 다가서자 여자가 고개를 들었다. 동석한 두 여자도 지노를 올려다보았다. 지노는 여자의 눈동자에 빨려드는 느낌을 받는다. 그때 지노가 물었다.

"아가씨, 나하고 합석하실까요?"

"싫어요."

바로 말한 여자가 외면했기 때문에 지노가 다시 물었다.

"내가 친구들에게 술 한 잔 살까요?"

"싫어요."

여자가 맑은 목소리로 다시 거절했지만 옆쪽에 앉은 친구 둘이 일제히 대답했다.

"좋아요."

고개를 끄덕인 지노가 종업원에게 10불 지폐를 건네주고는 맥주 10병을 주문했다. 그러고는 제자리로 돌아왔다.

10분쯤 지났을 때 지노 자리로 여자 친구 하나가 다가와 말했다.
"쟤 이름이 올리비아예요. 아직 애인 없어요."
"고마워."
지노가 고개를 끄덕였다.
"내가 신세진 것 같을게, 잘되면 말야."
"쟤도 당신한테 호감을 갖고 있어요. 다시 한 번 부딪쳐 봐요."
"맥주 더 줄까?"
"배불러요. 됐어요."
여자가 돌아갔을 때 듣고 있던 로렌스가 말했다.
"가리발디 부하 중에서 내통자를 찾아보겠습니다."
"이곳이 점점 마음에 든다."
자리에서 일어선 지노가 말을 이었다.
"이곳은 천국 같다."

지노가 다가갔을 때 올리비아는 여전히 외면했지만 친구들이 반겼다.
"술 잘 마시고 있어요."
맥주병을 들어 보인 친구 하나가 말했다.
"올리비아 대신 인사드릴게요."
"난 지노야."
지노가 여자들을 둘러보았다. 친구 둘도 미인이다. 통통했고 육감적이어서 제각기 매력이 있다. 그때 친구 하나가 말했다.

110

"난 마리온이에요."

"난 헬레나."

친구 둘이 소개했을 때 올리비아가 고개를 돌려 지노를 보았다. 얼굴에 웃음이 떠올라 있다.

"올리비아예요."

그때 친구들이 깔깔 웃었고 지노도 따라 웃었다.

"반가워, 올리비아."

"술 고마워요."

이제는 올리비아가 이를 드러내고 웃었다. 그때 친구들이 일어섰다.

"우린 먼저 갈게요."

친구 하나가 인사를 했을 때 지노가 손을 내밀었다.

"고마워, 마리온, 헬레나."

둘이 남았을 때 지노가 올리비아에게 물었다.

"올리비아, 만나서 반가워."

"어디서 오셨어요?"

올리비아가 반짝이는 눈으로 지노를 보았다. 입술이 조금 벌어져 있다.

"미국."

"관광?"

"그런 셈이지."

"언제 돌아가요?"

"네가 떠나라고 할 때."

"결혼했어요?"

"했다가 헤어졌어."

"이혼?"

"그런 셈이지."

올리비아의 눈이 카밀라하고 비슷했다. 그때 올리비아가 말했다.

"난 초등학교 교사로 근무해요. 조금 전의 내 친구들도 모두 교사예요."

"그렇군."

"여긴 두 번째 와요."

"이렇게 좋은 곳을 두 번밖에 안 오다니."

"입장료까지 최소한 10불은 있어야 하는데 무리죠."

"가족은 몇 명이야?"

"할머니, 할아버지, 부모님, 동생이 다섯, 내가 큰딸이죠."

"그럼 몇 명이야?"

"10명."

"모두 같이 살아?"

"그래요. 할아버지, 할머니는 시장에서 장사를 하고 아버지는 우체부, 엄마는 간호사예요. 동생이 다섯인데 넷이 학교에 다니고 바로 아래 동생만 취업했어요."

올리비아가 반짝이는 눈으로 지노를 보았다.

"지노, 몇 살이죠?"

"서른셋."

"난 스물셋인데."

"아직도 난 아이 만들 수 있어. 걱정 마."

"누가 뭐래요?"

올리비아가 다시 이를 드러내고 웃었다. 새침한 표정에서 웃음을 지으면 갑자기 꽃잎이 펴지는 느낌이 든다. 그때 지노가 지그시 올리비아를 보았다.

"올리비아, 조용한 곳에 가서 다시 한잔할까?"

112

클럽 근처의 카페 안.

밝은 분위기에서 지노와 올리비아가 마주 보고 앉아있다. 커피를 시켜놓은 지노가 올리비아에게 말했다.

"올리비아, 요즘 시간이 있으니까 네가 일하는 학교에 찾아갈게."

"학급이 5개밖에 없어요."

올리비아가 웃음 띤 얼굴로 지노를 보았다.

"그리고 시내에서도 15킬로나 떨어진 산골짜기에 있어서 찾아오기 힘들어요."

"위치만 알려줘."

지노가 말을 이었다.

"네가 아이들하고 같이 있는 모습을 보고 싶어서 그래."

허리를 조금 굽혔더니 등 쪽 밴드에 꽂아놓은 베레타가 뼈에 걸렸다. 오늘도 무기를 휴대하고 있는 것이다.

지노의 얼굴에 열기가 띠어졌다. 이렇게 살아가는 것이다. 어제는 흘러간 시간이다. 어제가 돌아올 수는 없다. 시간에 맡길 수만은 없는 것이다.

3장 용병의 법칙

다음 날 오전.

밖에 나갔던 로렌스가 서둘러 별장으로 돌아왔다.

"보스, 어젯밤 또 전쟁이 일어났습니다. 가리발디와 토리노 병사들이 부딪쳐서 토리노 측이 당했습니다."

로렌스가 말을 이었다.

"6명이 죽고 토리노는 도망쳤다고 합니다. 이제 가리발디가 파사테 조직을 접수할 단계가 되었어요."

"허망하군."

쓴웃음을 지은 지노가 로렌스를 보았다.

"키토 제1의 조직이 이렇게 쉽게 무너지다니."

"보스가 파사테를 제거한 순간에 끝난 것이지요."

"오늘 오후에 돌아가야겠다."

"그럼 제가 먼저 가서 준비를 해놓겠습니다."

로렌스의 얼굴에 생기가 떠올랐다.

"보스가 정리를 하시면 됩니다."

마르코가 고개를 돌려 페르난도와 사만타를 보았다.

"지노가 다시 키토로 돌아간다는군."

마르코는 방금 지노의 연락을 받은 것이다.

"에스메랄다스에서 여자나 꼬시려는 줄 알았더니 키토를 정리하겠다는 거야."

"파사테를 제거한 당사자가 키토를 장악하는 건 당연한 일입니다."

페르난도가 바로 말을 받았다.

"지금 가리발디가 파사테 조직을 접수하기 직전인데 아직 파악도 안 된 놈입니다. 우리 예상과 어긋납니다."

마르코가 고개를 끄덕였다.

지노를 키토로 보낼 때 마르코와 페르난도의 계획은 따로 있었던 것이다. 그것은 파사테의 동생들이나 참모 중 하나가 조직을 접수하는 것이었다. 암바토에 있던 가리발디가 급거 상경해서 조직을 장악하리라고는 예상 못 했다.

"이렇게 될 바에야 지노가 정리하는 것이 낫지."

마르코의 시선이 사만타에게 옮겨졌다.

"사만타, 네가 키토로 가서 지노를 도와줘라."

"저는 도움이 될 것 같지가 않아요."

사만타가 바로 대답했다.

"제가 키토 상황은 잘 모르는 데다 오히려 부담이 됩니다."

"사만타 생각이 맞습니다."

페르난도가 고개를 끄덕이며 말했다.

"그리고 사만타나 지노는 보스의 의도대로 움직이지 않는 것 같습니다."

"무슨 말이냐?"

"사만타는 남자가 있다고 지노한테 말했다고 합니다."

"그건 또 무슨 말이야?"

"사만타의 남자 말입니다."

"그게 누군데?"

"그건 모릅니다만 사만타가 그렇게 지노한테 말했다는군요."

그때서야 말뜻을 이해한 마르코가 사만타를 보았다. 정색한 얼굴이다.

"있어? 그렇게 말했어?"

"네, 아버지."

"어떤 놈인데?"

그렇게 물었던 마르코가 곧 어깨를 늘어뜨렸다. 그러고는 입을 다물고 외면했다.

거기까지 추궁하기는 멋쩍다.

가리발디는 38세.

20살 때 파사테의 경호원으로 발탁된 후에 30살 때까지 10년간 측근에서 일했다. 30살 때 가리발디의 직책은 경호대장, 최측근이었다.

그러나 파사테는 측근으로 위세를 부리는 가리발디를 좌시하지 않았다. 암바토 지부로 보낸 것이다. 암바토의 운송회사 지배인으로 좌천된 가리발디는 그 후부터 슬슬 잊힌 사람이 되었다.

이것이 파사테의 용인술이다. 그러나 영원하게 살 것 같았던 파사테가 하룻밤 사이에 저세상 사람이 되면서 가리발디의 10년 전 기세가 되살아났다.

가리발디는 180센티 신장에 120킬로 몸무게인 거구다. 잔인하고 끈질긴 성격. 얼굴이 짙은 수염으로 덮여 있어서 별명이 '불곰'이다.

"못 찾았어?"

목구멍에서 쇳소리가 울렸기 때문에 가리발디의 목소리를 들으면 긴장이 된다. 가리발디가 묻자 산토스가 대답했다.

"도망친 건데 찾아갈 필요가 있습니까?"

산토스는 이번에 고용한 전과자 부하다.

"놔둡시다. 토리노의 사업장만 접수하면 되는 거지."

어깨를 부풀린 산토스가 누런 이를 드러내고 웃었다.

"어젯밤 전쟁으로 파사테의 잔당은 소탕되었어, 대장. 꼬리가 빠지도록 도망간 토리노를 찾을 필요는 없다고."

마침내 가리발디도 따라 웃었다. 그렇지 않아도 파사테의 부하 대부분이 투항해오는 상황인 것이다.

이곳은 키토 모랄레스 거리 안쪽의 2층 저택 안. 파사테의 안가 중 하나를 가리발디가 차지하고 본부로 이용하고 있다.

오후 4시 반이다.

그때 응접실로 사내 하나가 들어섰다. 어깨에 AK-47을 걸치고 있는 데다 허리에는 콜트를 찼다. 어젯밤 전공(戰功)을 세운 가리발디의 용병이다. 용병이 보고했다.

"토리노의 아울렛을 그대로 영업하도록 해놓았어."

산토스가 웃음 띤 얼굴로 대답했다.

"직원이 20명인데 일하도록 해야지."

토리노는 시내에 대형 아울렛을 운영하고 있는 것이다. 고개를 끄덕인 가리발디가 둘을 번갈아 보았다.

"내일 간부급들을 모두 소집할 계획이야."

가리발디가 말을 이었다.

"파사테의 조직을 내일부터 다시 정상 운용해야지."

이제 변변히 대항해 올 파사테 세력은 사라진 셈이다. 지금까지 가리발디는 대여섯 번 전투를 치렀는데 모두 이쪽의 승리였다. 가리발디의 '전과자 용병단'이 일방적으로 휩쓸어버린 것이다.

"가리발디의 '전과자 용병단'은 모두 10여 명입니다."

로렌스가 말했다.

이곳은 키토 시내의 안가. 엘 에히도 공원 근처의 안가다.

"이제 가리발디는 파사테의 중간 간부 4명을 죽이고 어젯밤 토리노 일당 7명을 사살함으로써 전쟁을 끝냈다고 믿겠지요. 토리노는 페루 쪽으로 도망갔다는 소문입니다."

로렌스의 얼굴에 쓴웃음이 떠올랐다.

"학살이나 같았습니다. 지금까지 40명 가깝게 죽었는데 가리발디의 용병단은 서너 명 정도만 당했다고 합니다."

"키토에 파사테 조직 외에 다른 조직도 있지 않나?"

"로메로 조직이 있지만 파사테 조직이 무너졌다고 해서 넘볼 만큼 강하지 못합니다. 전쟁이 끝날 때까지 눈치만 보겠지요."

고개를 든 로렌스가 지노를 보았다.

"보스, 호르헤가 기다리고 있습니다."

지노가 고개를 끄덕이자 곧 응접실을 나갔던 로렌스가 사내 하나를 데려왔다. 메스티소로 30대 중반쯤의 사내다. 지노를 보더니 고개를 숙여 절을 했는데 눈동자가 흔들렸다. 죽은 파사테의 처남이다.

이름이 호르헤. 사흘 전에 호르헤의 형 마르틴은 가리발디 용병단의 기습을 받아 부하 4명과 함께 피살되었다.

지노가 손을 내밀어 호르헤와 악수를 했다. 형인 마르틴이 피살되자 키토 외곽의 민가에 숨어 있던 중간 보스 급이었던 호르헤를 로렌스가 데려온 것이다.

로렌스까지 셋이 자리 잡고 앉았을 때 지노가 호르헤를 보았다.

"내가 누군지 알지?"

"예, 들었습니다."

고개를 든 호르헤가 말을 이었다.

"보고타에서 오셨다고……"

"결산하러 온 건데."

"예."

"그런데 일이 이렇게 진전될지는 몰랐어."

지노의 얼굴에 쓴웃음이 번졌다.

"내가 파사테를 제거했어. 알고 있나?"

"짐작하고 있었습니다."

호르헤의 이마에 맺힌 땀방울이 번들거리고 있다.

"네 매형을 내가 죽인 거야. 파사테 부인이 네 동생이냐? 아니면 누나야?"

"누나입니다."

"내가 네 매형을 죽인 건데 감상이 어떠냐?"

"별로 없습니다."

호르헤가 이제는 똑바로 지노를 보았다.

"파사테는 백인 본처가 있습니다. 제 누나는 파사테 여자 중 하나였죠."

"그렇군."

"파사테는 정부 5명을 거느렸거든요."

"알겠다."

고개를 끄덕인 지노가 호르헤를 보았다.

"호르헤, 그럼 넌 지금부터 나를 보스로 모실 테냐?"

"예, 보스."

어깨를 부풀렸다가 내린 호르헤가 그제야 손등으로 이마의 땀을 닦았다.

"모시지요."

산토스가 매장 안으로 들어서자 지배인이 서둘러 다가왔다.

산토도밍고 광장 근처의 아울렛은 2층 건물로 매장 규모가 3백 평 정도다. 요지여서 오후 6시가 되어가는 시간인 지금, 손님이 많다.

산토스는 '전과자 용병' 둘을 호위병으로 대동하고 있다. 둘 다 허리에 권총을 찼고 그것이 보이도록 재킷 단추를 풀어놓았다. 지배인이 인사를 했다.

"어서 오십시오."

지배인 앙헬은 토리노가 고용한 전문 경영인이다. 조직원이 아니다. 그러나 요즘 돌아가는 상황을 알고 있는 터라 잔뜩 겁을 먹고 있다.

"음, 장사가 잘되는구만."

매장을 둘러본 산토스가 만족한 표정으로 말했다. 미리 연락을 하고 왔기 때문에 앙헬이 대답했다.

"예, 요즘은 가전제품이 잘 나갑니다."

"토리노한테서 연락이 왔나?"

"안 왔습니다."

그때 산토스가 앙헬의 어깨를 잡고 구석으로 옮겨갔다.

"이봐, 앙헬."

"예, 산토스 씨."

어제 한 번 만났기 때문에 앙헬이 고분고분 대답했다. 산토스가 말을 이었다.

"내가 여기를 접수했어. 무슨 말인지 알지?"

"예, 압니다."

앙헬은 45세. 대머리에 마른 체격의 물라토다. 메스티소인 산토스는 35세. 체격이 앙헬의 두 배는 된다. 산토스가 목소리를 낮췄다.

"토리노한테 판매 대금을 건네주든가 아울렛 재산을 1수크레라도 빼돌린다면 네가 책임져야 돼. 알겠지?"

"예, 산토스 씨."

"내가 그걸 말해주려고 온 거야."

"알겠습니다."

"매일 밤 10시에 정산하는 것으로 하지."

"그러지요."

"주인만 바뀌었을 뿐이지 다른 건 변한 것이 없으니까 직원들에게 그렇게 전해."

"예, 산토스 씨."

그때다.

뒤쪽에서 둔탁한 소음이 울렸기 때문에 둘은 몸을 돌렸다. 그 순간 산토스가 숨을 들이켰다. 뒤쪽에 서 있던 부하 둘이 제각기 사지를 비틀면서 쓰러지는 중이었다.

"엇!"

놀란 외침은 산토스의 입에서 터졌다. 주위의 남녀는 아직 영문을 모르는 것 같다. 서너 명이 쓰러진 둘 주위에 다가갔고 서너 명은 황급히 흩어졌는데 나머지는 매장의 매대 앞에서 얼쩡거리고 있다. 영문을 모르기 때문이다.

산토스가 서둘러 허리춤에서 베레타를 꺼내 쥐다가 혁대에 걸려 총이 떨어졌다. 당황했기 때문이다. 그때다. 앙헬은 매대 앞에서 몸을 돌린 사내를 보았다.

장신의 사내, 메스티소도 아니고 동양인 같기도 하다. 콧수염을 길렀기 때문에 아랍인처럼 보이기도 한다. 사내의 손에는 소음기가 끼워진 권총이 쥐어져 있다.

"앗!"

떨어진 권총을 집으려고 허리를 숙였던 산토스가 그것을 보고는 다시 외쳤을 때다. 그 순간.

"퍽!"

발사음과 함께 산토스의 얼굴이 부서졌다.

두 시간쯤 후인 오후 8시 반.

안가에 있던 가리발디가 전화를 받는다. 토리노의 아울렛에 갔던 산토스한테서 연락이 없었기 때문에 궁금했던 참이었다. 보고자는 용병 중 한 명인 카일.

"가리발디, 산토스가 부하 둘하고 아울렛에서 당했어!"

카일이 소리쳐 말했다.

"아울렛에 들어갔다가 총에 맞은 거야!"

"뭐야?"

놀란 가리발디가 숨을 들이켰다.

"누가? 토리노가?"

"옆에 지배인이 있었는데 모르는 사내였다는 거야!"

카일이 말을 이었다.

"조금 전에 경찰이 세 명 시체를 실어갔어! 매장 안에서 기다리고 있다가 기습한 거야!"

가리발디가 심호흡을 했다.

방심했다. 지금까지 파사테의 잔당과 7, 8번 전투를 치렀지만 한꺼번에 셋이 당한 것은 처음이다. 전과자 용병단 17명을 데려와서 3명을 잃었고 둘이 부상을 당해서 12명이 남아 있었던 것이다. 이제 9명 남았다.

전화기를 내려놓은 가리발디에게 무쵸가 말했다.

"보스, 용병들을 불러 모읍시다."

무쵸는 가리발디의 참모다.

"그놈들이 제멋대로라 그렇습니다. 일단 이곳으로 모아놓고 질서부터 잡읍시다."

"그래야겠다."

가리발디가 고개를 끄덕였다. 전쟁이 일단락되면서부터 용병들이 제각기 흩어져 제 몫을 확인하고 있었던 것이다. 가리발디가 그들에게 약속을 했기 때문이다. 그때 부하 하나가 서둘러 응접실로 들어섰다. 손에 전화기를 쥐고 있다.

"식당에서 연락이 왔습니다!"

걸음을 멈춘 지노가 고개를 돌려 호르헤를 보았다.

오후 8시 40분.

이곳은 산마르틴 공원 위쪽의 거리다. 식당에서 나와 이쪽으로 옮겨온 지 20분쯤이 지났다.

"호르헤, 우리도 식사부터 하자."

"예, 보스."

호르헤가 고분고분 대답했다. 호르헤는 지노가 식당에서 가리발디의 용병 셋을 사살하는 장면을 목격한 것이다.

식탁에 둘러앉아 식사를 하던 셋은 모두 머리통이 박살나서 시체가 되었다. 지노는 5미터 거리로 다가가 쏘았는데 모두 머리만 맞혔다.

뒤쪽에 서 있던 호르헤는 홀린 것처럼 그 장면을 보기만 하다가 지노를 따라 식당을 나온 것이다. 그 순간은 아무것도 들리지 않았고 그냥 영상만 눈앞에 펼쳐졌다.

이곳은 '살인 현장'에서 5백 미터쯤 떨어진 거리다. 곧 양고기 식당을 찾아낸 둘은 안으로 들어가 주문을 했다.

"여기서 식사 끝나고 가리발디의 안가로 가자."

지노가 식당 안을 둘러보며 말했다.

"안가에 몇 명이 있는지 모르지만 다 몰살하겠어."

"보스."

입 안의 침을 삼킨 호르헤가 지노를 보았다.

"혼자 뛰실 것입니까?"

"그래."

"가리발디의 안가가 어디인 줄 아십니까?"

"로렌스가 알아보고 있어."

지노가 말을 이었다.

"호르헤, 너는 그동안 중간 간부로 숨어있는 놈들을 모아라."

"예, 보스."

"네가 내 참모 역할을 해."

"목숨을 바치겠습니다."

"가리발디를 제거하면 전쟁이 끝날 테니까."

양고기가 나왔기 때문에 지노가 말을 멈췄다. 식당은 손님이 많았는데 밝은
분위기다. 조금 전의 현장과는 전혀 다른 분위기다.

가리발디가 둘러앉은 용병들에게 말했다. 어느덧 눈의 흰자위에 핏발이 섰고
얼굴이 굳어 있다.

"우리가 방심했어. 흩어지면 안 돼."

"그런데 도대체 어떤 놈이오?"

산토스가 죽고 이제는 용병단 선임이 된 프란시스가 물었다.

"파사테 부하 중에 그런 놈이 있나?"

"외부인이야."

가리발디가 바로 대답했다.

"고용된 놈 같다."

"누가 고용했는데?"

그 순간 가리발디가 숨을 골랐다. 응접실에는 용병 6명이 모여 있다. 이것이 용병단 전력(全力)이다. 그때 가리발디가 고개를 기울였다.

"그건 아직 모르겠어."

"식당에서 한 놈이 쏘았다던데."

프란시스가 말을 이었다.

"아울렛에서도 한 놈이 쏘았다고 지배인이 증언했어."

그때 용병 하나가 말했다.

"여섯 명 모두 머리통이 박살났어. 전문가야."

"이건 도무지 상대를 알아야 전쟁을 하든지 방어를 할 거 아냐?"

다시 또 하나가 떠들었을 때 가리발디가 손을 들어 막았다.

"잘 들어. 이번 일만 잘 끝나면 나나 너희들한테는 다른 세상이 열리는 거야."

가리발디가 눈을 치켜떴다.

"다 되어가고 있어. 이제 이놈들만 잡으면 돼."

2층 저택의 창문은 4개, 오른쪽에서 두 번째가 응접실이다. 응접실에는 네 사내가 모여 있었는데 그중 안쪽에 앉은 사내가 가리발디다.

지노가 스코프에 드러난 가리발디의 얼굴을 보았다.

거리는 375미터. 이곳은 산토도밍고 광장 위쪽의 교회 종탑이다. 종탑이 4층 높이만 했기 때문에 비스듬히 내려다보이는 위치다. 그때 옆에 엎드린 호르헤가 망원경으로 가리발디를 확인해주었다.

"거구가 가리발디입니다."

과연 멀리 떨어져 있어도 소파에 앉은 가리발디의 체구는 육중했다. 1인용

의자에 거구가 꽉 박혀 있는 것 같다. 둘러앉은 셋은 부하들이다.

망원경을 눈에 붙인 호르헤가 말을 이었다.

"오른쪽에 앉은 푸른색 셔츠가 참모 무쵸입니다. 그리고 나머지 둘은 용병 같습니다."

지노가 스코프의 조절 노브의 편차를 수정했다. 소염기를 낀 총신은 130센티 가깝게 되지만 어깨에 착 맞는 총이다. 스코프를 눈에 붙인 지노가 말했다.

"그렇다면 가리발디, 무쵸 순서로 쏜다."

"예, 보스."

"그다음이 문 옆에 앉은 흰색 셔츠다."

지노가 말을 이었다.

"맨 마지막으로 지금 일어서 있는 놈."

모두 400미터 안이어서 이 거리라면 10발 9중이다. 지노가 숨을 들이켰다가 멈췄다. 이대로 30초를 견디면서 4발을 쏘려는 것이다.

벽시계가 오후 11시 반을 가리키고 있다. 고개를 든 가리발디가 프란시스를 보았다.

"내일 투라가 애들을 데리고 온다니까 전력을 보강시켜서 그놈들을 상대하기로 하지."

암바토의 '전과자 조직'을 말하는 것이다. 가리발디는 암바토에서 운송회사를 운영하면서 산토스를 중심으로 한 '전과자 조직'을 통해 마약거래를 해왔는데 이번에 유용하게 써먹는 중이다. 프란시스가 고개를 끄덕였다.

"애들은 얼마든지 있어. 문제는 그놈들이 어떤 놈들인가를 알아내야 하는 거야."

"솜씨로 보면 파사테를 죽인 놈들 같다."

가리발디가 흐려진 눈으로 프란시스를 보았다.

"마르코가 보낸 놈들일지도 몰라."

"그까짓 놈들."

어깨를 부풀린 프란시스가 쓴웃음을 지었을 때다.

"퍽!"

유리창이 부서지는 소리가 났기 때문에 그쪽으로 고개를 돌렸던 프란시스가 숨을 들이켰다. 유리창에 지름 5센티 정도의 구멍이 뚫려 있다.

"앗!"

그때 방 안에서 놀란 외침이 울렸다. 다시 고개를 돌렸던 프란시스가 입을 딱 벌렸다. 가리발디의 얼굴 반쪽이 부서져 있다.

"아앗!"

그때 방 안의 외침이 더 터졌다. 그 순간 다시 유리창 깨지는 소리가 났다.

"퍽!"

"아앗!"

이제는 프란시스의 입에서 외침이 뱉어졌다. 옆쪽에 앉아있던 가리발디의 참모 무쵸의 뒷머리가 부서진 것이다.

"퍽!"

또 한 번의 소음이 울린 순간 프란시스는 뒤로 벌떡 넘어졌다. 이제는 자신의 머리통이 부서졌기 때문이다.

"한 명 남았습니다!"

저도 모르게 호르헤가 소리쳤다. 망원경을 눈에 붙인 호르헤의 목소리가 더 높아졌다.

"문 쪽으로 도망갑니다!"

그때 지노가 스코프에 눈을 붙인 채 숨을 들이켰다. 지금까지 숨을 참고 있었던 것이다.

스코프에 보이는 이층 응접실에 서 있는 사내는 하나. 이미 셋의 머리통이 부서졌다. 그 순간 남은 사내가 허리를 굽히더니 왼쪽 문 앞에 붙어 섰다. 문은 잡아당기는 구조다. 사내가 손을 올려 문의 손잡이를 쥐었다.

몸을 웅크리고 앉아있었지만 이쪽은 내려다보는 위치다. 다 보인다. 지노가 방아쇠에 걸린 검지에 힘을 주었다.

일 단, 이 단. 다음 순간 총구에서 발사음이 울렸다.

"퍽석!"

똑, 딱, 시간은 1초 정도다. 그때다. 문 앞으로 바짝 다가갔던 사내의 뒷머리가 부서졌다. 총탄이 박히자마자 폭발하는 대인 살상용 탄이다.

"끝났습니다!"

호르헤의 목소리가 떨렸다.

"넷 다 잡았습니다!"

지노는 이층 가리발디와 측근만으로 끝내지 않았다.

총구를 옆으로 돌려 옆방에 있던 넷을 차례로 또 쏘았다. 이층에서 움직이는 물체가 없자 이제는 총구가 아래층으로 옮겨졌다.

다음 날 오전 9시가 되었을 때 메데인에 있던 마르코가 지노의 전화를 받는다.

"오, 지노."

지노의 목소리를 들은 마르코가 반갑게 응답했다.

"어떻게 된 거냐?"

"어젯밤 가리발디가 죽었습니다."

"들었어."

마르코의 목소리에 웃음기가 있다.

"이곳에도 뉴스로 보도되었다. 모두 14명이 몰사했더군."

도청되어서 증거로 채택될 가능성이 있기 때문에 대화가 '남의 일'처럼 오간다.

"이제 파사테 조직이 정리되겠구나."

"그렇게 되겠지요."

"여긴 아직 별일 없다."

"알겠습니다. 다시 연락드리지요."

"알았다."

전화기를 내려놓은 마르코가 앞에 앉아 있던 블라드와 페르난도를 보았다.

"키토는 지노가 장악하게 되었군."

마르코가 웃음 띤 얼굴로 말을 잇는다.

"용병이 보스가 되는 것도 나쁘지 않아."

"지노가 키토에서 뿌리를 내리려고 할까요?"

페르난도가 조심스러운 표정으로 물었을 때 마르코의 눈빛이 흐려졌다. 그때 블라드가 먼저 입을 열었다.

"키토로 사람을 보내는 게 낫지 않을까요? 지노 혼자로는 무리일 것 같습니다."

"네 말이 맞다."

모처럼 마르코의 칭찬을 들은 블라드의 목소리에 열기가 더해졌다.

"마구로와 차도스를 데려갔지만 부족합니다. 보좌역이 필요합니다."

마르코는 눈만 껌뻑였고 블라드의 말이 이어졌다.

"키토는 에콰도르의 중심입니다. 파사테가 엉성하게 관리했기 때문에 허무하게 허물어진 것이지 기반을 굳혀놓으면 남미 지역으로 뻗어나갈 요지입니다."

"그렇지."

"파사테가 우리 마약을 받아서 페루, 브라질로 재수출을 했지만 물량을 10배로 늘릴 수 있다고 생각합니다."

"옳지."

"그래서 중량급 참모를 보내 지노 대신 조직을 강화시켜야 합니다."

"누구를 보내는 것이 좋을까?"

"페르난도가 어떻습니까?"

블라드의 시선이 페르난도에게 옮겨졌다.

"제 생각은 페르난도밖에 없을 것 같습니다."

그때 마르코가 페르난도를 보았다.

"사만타를 보내."

"사만타는 지노한테 가지 않는다고 했습니다."

페르난도가 바로 대답하자 마르코는 이맛살을 찌푸렸다.

"애인 때문인가?"

"그건 모르겠습니다."

그때 마르코가 고개를 돌려 블라드를 보았다.

"너도 사만타 애인을 알고 있어?"

"듣기만 했습니다."

"네가 그놈을 찾아서 죽여."

고개를 든 블라드를 향해 마르코가 말을 이었다.

"사고사로 처리해."

호르헤가 데려온 사내는 셋. 모두 중간 간부급이다. 인사를 마친 셋이 앞쪽 소파에 나란히 앉았을 때 지노가 입을 열었다.

"앞으로 이곳은 내가 관리한다. 내가 파사테 역할을 한다고 보면 될 거다."

셋은 지노의 시선을 제대로 받지 못한 채 굳어 있다. 지노가 말을 이었다.

"이번 가리발디와의 전쟁으로 공석이 된 자리는 곧 채워질 테니까 너희들은 전처럼 일하면 돼."

오후 3시 반.

지노는 지금까지 20여 명의 중간 간부들을 만나고 있는 것이다. 가리발디 일당이 소탕된 터라 숨어있던 간부들이 나타났기 때문이다. 이제는 가리발디를 추종했던 간부들이 사라졌기 때문에 마구로가 로렌스를 데리고 찾아다니는 중이다. 그때 옆에 서 있던 호르헤가 말했다.

"보스, 모두 충성 서약을 할 것입니다, 보스가 가리발디라는 개자식을 제거해준 덕분에 먹고 살게 되었으니까요."

옆에 앉은 간부들을 비꼬는 말이었지만 누구하나 입을 열지 못한다. 어젯밤의 학살 사건을 모두 알고 있는 것이다. 모두 머리통이 터져 죽었는데 그것이 소문이 났기 때문에 지노는 끔찍한 '괴물'이 되어 있다. 그때 지노가 입을 열었다.

"모두 고개를 들어."

셋이 고개를 들고 지노를 보았다. 모두 눈동자가 흔들렸다. 지노가 말을 이었다.

"내가 파사테를 죽인 사람이야."

방 안이 조용해졌고 지노의 목소리가 방을 울렸다.

"결국 가리발디가 날뛴 기회를 만들어 준 셈이지만 이것도 내가 수습했다."

"……"

"파사테를 제거한 이유는 짐작하겠지만 그 자식이 강도짓을 했기 때문이지."

"……"

"앞으로는 내가 이곳을 관리할 테니까 불만이 있으면 떠나라."

그때 간부 하나가 말했다.

"충성하겠습니다."

그러자 나머지 둘도 서둘러 말을 잇는다.

"불만 없습니다. 따르겠습니다."

셋이 방을 나갔을 때 안으로 차도스가 들어섰다. 차도스는 이제 호르헤의 추천을 받아 직속 경호원 15명을 편성해놓았다.

"보스, 마구로가 데려간 경호대까지 30명을 직할대로 편성했습니다."

앞에 선 차도스가 생기 띤 얼굴로 지노를 보았다.

"그리고 본부에서 지원 병력을 보낼 것 같습니다."

차도스가 말을 이었다.

"조금 전에 연락이 왔습니다. 내일 중으로 30명 규모의 지원군이 도착한다고 합니다."

지노가 고개만 끄덕였다. 이것으로 키토의 파사테 조직은 접수될 것이다.

오후 6시 반.

전화기를 귀에 붙인 사만타가 물었다.

"아구엘로 씨 병원에 계세요?"

"누구시죠?"

여자 목소리. 간호사다. 지금 사만타는 아구엘로의 집무실로 전화를 한 것이다. 전화기를 고쳐 쥔 사만타가 대답했다.

"나, 친구인데요. 약속을 했는데 연락이 없어서요."

아구엘로하고 6시에 만나기로 약속한 것이다. 그때 잠깐 머뭇거리던 여자가 말했다.

"지금 박사님은 영안실에 계세요."

"네? 어디라구요?"

"영안실요."

"무슨 말이에요?"

"4시 반에 시내에서 교통사고가 났어요. 그래서 조금 전에 병원 영안실로 옮겨왔습니다."

"누가요?"

"아구엘로 박사님이요."

"외과의사 아구엘로 맞아요?"

사만타는 자신의 목소리가 비명처럼 들렸다. 그때 간호사가 대답했다.

"네, 보고타 병원 외과의 아구엘로 박사 맞습니다."

그러고는 간호사가 서둘렀다. 바쁜 것 같다.

"시내에서 타고 가던 차가 트럭에 깔렸어요. 죄송해요."

오후 8시 반.

지노가 페르난도의 전화를 받는다. 페르난도가 원했기 때문에 지노는 안가에서 나와 커피숍 전화를 이용하고 있다. 페르난도가 말했다.

"지노, 보스의 본래 의도는 파사테의 응징이었는데 상황이 변했어. 파사테 조직의 접수로 발전되었어."

페르난도가 말을 이었다.

"그래서 일단 내일 접수 위원 30여 명이 키토로 갈 거야."

"알겠습니다. 여기도 안정되는 중입니다."

"파사테가 제거되고 나서 그렇게 조직이 무너질 줄은 우리도 예상 못 했어."

"가리발디라는 놈이 전과자 부대를 동원해서 조직을 더럽히려고 한 대가를 받은 겁니다."

"지노, 자네가 키토의 보스를 맡아야겠어."

페르난도가 결론을 말했다.

"내키지 않겠지만 자네 외에는 대안이 없네."

"난 곧 떠납니다."

"글쎄, 그건 장담할 수가 없는 일이지."

서두르듯 페르난도가 말을 잇는다.

"잊지 말게, 지노. 아직 용병 계약은 8개월이나 남았어."

지노가 쓴웃음만 지었다. 용병 신분임을 잠깐 잊고 있었던 것이다.

오전 11시가 되었을 때 운동장으로 차량 2대가 들어섰다.

승용차와 트럭 한 대. 곧 승용차에서 내린 사내가 교사로 다가왔기 때문에 학생들과 교사들의 시선이 모였다. 수업 중인데도 모두 쳐다보고 있다. 그때 다가온 사내가 옆쪽 교실의 카스토라 선생하고 이야기를 하더니 둘이 이쪽으로 고개를 돌렸다.

"올리비아!"

카스토라 선생이 불렀다.

"널 찾아온 손님이야!"

이제는 일자형 교사의 모든 학생, 선생들의 시선이 올리비아에게 모였다. 그때 처음 보는 사내가 올리비아에게 다가왔다.

"올리비아 선생이십니까?"

40대 사내가 정중하게 물었다. 그때 아예 수업도 때려치운 학생들과 선생들까지 둘의 주위를 둘러쌌다.

"네, 전데요."

134

올리비아가 대답하자 사내가 운동장에 세워진 트럭을 가리켰다.

"저기 짐을 내려야겠습니다."

그러자 수백 쌍의 시선이 일제히 트럭으로 옮겨졌다. 올리비아가 물었다.

"뭔데요?"

"선물입니다."

"무슨 선물인데요?"

"여기, 목록이 있습니다."

주머니에서 서류를 꺼낸 사내가 올리비아에게 내밀었다. 목록을 받아든 올리비아가 숨을 들이켰다.

축구공 10개, 배구공 10개, 배구 네트 2개, 운동복이 각 사이즈별로 1백 벌, 셔츠가 200장, 반바지 200장, 운동화가 사이즈별로 200개. 또 있다. 학용품이 5박스……

고개를 든 올리비아가 흐린 눈으로 사내를 보았다. 목록은 읽다가 말았다.

"누가 보낸 건데요?"

그때 사내가 대답했다.

"아, 이름이 쓰여 있지 않았군요. 지노라는 분입니다. 지노, 그 사장님 잘 아시지요?"

아구엘로의 표정은 평안했다. 안색이 창백했을 뿐이다.

사만타가 한 걸음 물러서자 장의사는 잠자코 목관 뚜껑을 닫더니 정중하게 인사를 했다. 옆에 아구엘로의 어머니 마리아가 있었는데도 사만타를 향해 절을 한 것이다.

장의사는 사만타가 누구인지를 알기 때문이다. 콜롬비아 제1의 가문 마르코의 딸이다. 이렇게 특급 장례를 치르게 되면 엄청난 수익이 나는 것이다.

사만타가 장의사 입관식장을 나왔을 때 팔마스가 다가왔다.

팔마스는 사만타의 경호원 겸 비서, 정보원 역할이다. 시종이라고 봐도 된다. 28세. 메스티소. 사만타 어머니 안티네스 가문에서 일했던 집안이다. 믿을 만한 심복이다.

오후 3시 반.

벽에 붙어 선 사만타의 옆에 다가온 팔마스가 말했다.

"트럭 운전사는 아직 찾지 못했습니다."

나란히 벽에 붙어 선 팔마스가 말을 이었다.

"트럭도 광산에서 훔쳐온 것입니다."

"……."

"경찰은 고의로 승용차를 받고 도망친 것이라고 합니다. 승용차가 병원에서 나오기를 기다렸다가 정면충돌을 한 것이지요."

"……."

"트럭이 병원이 보이는 앞길에서 기다리고 있는 것을 보았다는 증인도 찾았다고 합니다."

그때 사만타가 고개를 저었다.

"그만해, 팔마스."

키토에 파견된 인원은 32명. 인솔자는 지노의 부하였던 호타크다. 다른 간부급 부하들도 많았지만 지노를 배려한 것이다. 호타크와 마구로는 지노와 손발을 맞춰온 부하였다.

오후 4시 반.

호타크가 지노에게 보고했다.

"사만타가 장례식을 치르고 며칠 지나면 안정될 테니까 그때 이곳으로 보낸

136

다고 했습니다."

"무슨 말이냐?"

지노가 묻자 호타크가 정색했다.

"사만타 남자친구가 교통사고로 죽었습니다. 뺑소니 트럭에 치여 죽었지요."

"……."

"보고타 대학병원 외과의산데 오늘 장례식을 치를 겁니다."

"……."

"사만타가 정보와 조직 관리를 잘하니까 보스의 신임이 각별합니다."

고개를 끄덕인 지노가 눈의 초점을 잡고 호타크를 보았다.

"호타크, 요즘 과타르치 조직은 어떠냐? 용병들은 도착했어?"

화제를 돌리자 호타크의 목소리에 활기가 띠어졌다.

"소문인데 곧 도착할 것 같습니다. 하지만 현지에 적응하려면 시간이 좀 걸리겠지요. 당장 전쟁을 걸어오지는 못할 것 아닙니까?"

"하지만 가만있지는 않겠지."

"당연하지요. 그래서 페르난도 님이 각 농장과 사업장 경계를 강화시켰습니다."

"과타르치는 지금도 세실리아와 호세 간 알력이 있나?"

"세실리아가 직접 용병단과 교섭해서 채용할 정도니까요. 호세가 밀리는 분위기입니다."

"그런 면에서는 이쪽 가문이 낫군. 블라드가 후계자 자리를 굳혀가고 있지?"

"예, 하지만."

응접실에는 둘뿐이었지만 호타크가 목소리를 낮췄다.

"이번 사건으로 분위기가 이상해졌습니다, 보스."

지노의 시선을 받은 호타크가 쓴웃음부터 지었다. 마구로와 호타크는 죽은 존슨의 심복이었던 인물이다. 존슨의 정보원으로 지노에게 배속되었다가 이제는 측근이 된 것이다. 호타크가 입을 열었다.

"사만타의 애인을 죽인 건 블라드라고 소문이 났습니다. 블라드의 경호원 로토스가 트럭으로 받았다는군요."

"……"

"로토스 그놈이 떠벌이입니다. 제 입으로 떠벌리는 바람에 금방 소문이 퍼졌습니다."

"……"

"그것을 사만타가 안 들었을 리가 없죠."

호타크가 고개를 절레절레 흔들었다.

"블라드가 독단으로 그런 일을 저질렀을 리가 없죠. 보스가 지시했을 겁니다."

"……"

"보스도 심하셨지요. 사만타의 남친이 마음에 안 든다고 그런 일을 시키다니요."

이제는 호타크가 혀를 찼다.

"그리고 일을 시키려면 차라리 페르난도 님한테나 시키지 블라드한테 시킨단 말입니까? 이 꼴을 보십시오."

"……"

"로토스 같은 병신을 시켜서 갈등이 일어나게 생겼습니다. 사만타하고 블라드가 원수가 되겠어요."

"그만하면 됐다."

손을 들어 말을 막은 지노가 호타크를 보았다.

"우리는 여기서 기반을 잡으면 된다."

마르코가 사만타의 남친을 제거시킨 이유가 있을 것이다. 지노는 그 이유가

138

자신에게까지 연결되는 것이 부담이다.

혼자가 되었을 때 지노는 전화기를 들었다. 사만타에게 전화를 하는 것이다. 버튼을 누르고 신호음이 세 번 울렸을 때 사만타의 목소리가 울렸다.

"나야, 사만타."

사만타는 주춤했고 지노가 말을 이었다.

"조금 전에 소식 들었어. 안됐다."

"고마워요."

"장례 잘 치르고 기분 전환할 겸 이곳으로 와, 사만타."

"아니, 여기 있겠어요."

"괜찮겠어?"

"괜찮아요. 그리고 고마워요."

"내가 도와줄 일 있으면 말해."

"그럴게요."

"견디도록 해. 기운을 내라구."

"고맙습니다."

전화기를 귀에서 뗀 지노가 의자에 등을 붙였다. 마르코 가문도 후계자 전쟁이 일어날 것인가?

"지노가 키토에서 기반을 굳혔던데."

체르넨코의 얼굴에 쓴웃음이 번졌다.

"그놈이 방심하고 있는 동안 키토에 가서 등을 쳐야하는데. 아니면 이곳을 치든가."

모튼은 대답하지 않았다. 고용인의 지시를 받아야 하는 것이다.

거기에다 과타르치 가문은 오늘 밤 미국 선튼 용병단의 용병 5명을 맞는 것이다. 체르넨코와 모튼의 계약기간도 아직 3개월 정도가 남아 있었기 때문에 그들과 함께 일해야 된다. 그때 모튼이 물었다.

"우리들 계약은 연장되는 건가?"

체르넨코가 어깨를 들었다가 내렸다. 남아공 유제비노 용병단과 과타르치가 재계약을 해야 한다. 체르넨코가 독자 계약을 할 수는 없는 것이다.

"그건 우리가 하라고 해서 되는 일이 아니니까."

"젠장, 여길 떠나고 싶어."

모튼이 찌푸린 얼굴로 체르넨코를 보았다.

"회사에서 계약 연장에 합의하더라도 난 떠날 거야."

그러면 회사를 그만둬야 한다. 모튼이 말을 이었다.

"자존심도 상해. 다른 회사 용병을 데려오다니. 그놈들하고 손발을 맞춰 일할 기분도 아냐."

"……."

"체르넨코, 넌 어떻게 생각해?"

모튼은 36세. 체르넨코보다 두 살 연하지만 경력이 많다. 체르넨코가 심호흡을 했다.

이곳은 페레이라의 안가 안. 오후 6시가 되어가고 있다.

"지노 그놈이 동료들을 죽였지만 복수를 해야겠다는 한이 맺히지가 않아."

모튼이 고개를 기울이면서 쓴웃음을 짓더니 말을 이었다.

"내가 너무 용병 생활을 오래한 것 같아. 생사(生死)도 게임으로 느껴진단 말야. 살고 죽는 게임."

"……."

"지면 내가 실력이 부족해서 진 것이고 살면 내가 조금 나았기 때문이라

140

는 것."

"······."

"용병은 감정이 개입되지 않으니까. 주인의 지시대로 일할 뿐이니까."

그때 고개를 든 체르넨코가 모튼을 보았다. 눈의 초점이 잡혀 있다.

교무실에서 회의를 마친 올리비아가 가방을 꾸리고 있을 때다. 교감 시세로가 올리비아를 불렀다.

"올리비아, 전화 왔어."

"누군데요?"

"친구라는군."

다가선 올리비아에게 전화기를 건네주면서 시세로가 웃었다.

트럭에 가득 실린 운동기구, 운동복, 신발, 학용품을 받고 나서 올리비아는 학교에서 여신(女神) 대접을 받는 중이다. 키토에서 교육감까지 달려와 올리비아를 만나고 갔다. 운동기구가 남아서 교장은 교육감의 차에 실어 보냈다. 교육감은 신발까지 얻어 신고 간 것이다.

올리비아가 전화기를 귀에 붙였다.

"여보세요."

"올리비아, 운동기구 받았지?"

사내의 목소리가 울린 순간 올리비아는 숨을 들이켰다. 그 사람, 지노다.

"아, 지노."

당장 목이 멘 올리비아가 돌아섰다. 교감 시세로는 멀리 떨어졌고 근처에 아무도 없었지만 올리비아는 벽을 바라보고 섰다. 지노를 독점하고 싶은 무의식적인 반응이다.

"지금 어디예요?"

불쑥 그렇게 묻고 나서 올리비아는 아랫입술을 물었다.

그동안 수백 번 머릿속에서 이 순간을 상상했지 않았던가? 그리고 수백 가지의 인사말, 대화를 나열했지 않은가 말이다. 그런데 이런 삭막한 질문을 하다니. 그때 지노가 대답했다.

"응, 여긴 키토야."

"왜 지금까지 연락 안 했어요?"

이 대사도 각본에 없던 것이지만 할 수 없다. 지노가 웃음 띤 목소리로 말했다.

"바빴어."

"선물 고마워요. 아이들이 얼마나 좋아하는지 몰라요."

실제로는 선생님들, 교육감, 학부형들이 날뛰듯이 좋아했다. 아이들의 표현력은 서툴다.

"좋아한다니 나도 기쁘다. 뭐 필요한 것 있으면 말해, 올리비아."

"만나고 싶어요."

"나도 보고 싶구나."

"그럼 내가 그쪽으로 갈게요. 지금 어디 있어요?"

"지금은 바빠, 올리비아."

그때 올리비아는 지노에 대해서 거의 모르고 있다는 것을 깨달았다. 미국 국적의 관광객. 33살의 이혼남이라는 것만 알고 있을 뿐이다. 올리비아가 소리죽여 숨을 뱉었다.

"지노, 내 전화번호 알려줄게요."

"그래, 올리비아. 나도 내 전화번호 알려주지."

서로 전화번호를 불러준 후에 올리비아가 말했다.

"꼭 전화해주세요. 전 전화 안 하고 기다릴게요."

"착하군, 올리비아."

"고마워요, 지노."

"그래. 내가 연락할게."

전화기를 내려놓은 올리비아가 돌아섰을 때 마침 이곳으로 다가오던 시세로가 눈을 크게 뜨고 놀리는 시늉을 했다.

"아니, 올리비아, 얼굴에서 빛이 나는 것 같아."

다가선 시세로가 숨까지 들이켰다.

"올리비아, 진짜로 여신 같구나. 이렇게 아름다울 수가……"

"가리발디의 심복입니다."

호르헤가 다가와 말했을 때는 오후 7시. 지노가 올리비아하고의 통화를 끝낸 지 30분 후다.

"페드로, 도밍고 이 두 놈은 암바토에서부터 가리발디를 따라와 이번 전쟁에서 가장 많이 간부들을 죽인 놈들입니다."

호르헤의 정보원이 페드로, 도밍고의 은신처를 찾아낸 것이다. 이곳은 키토여서 암바토에서 활동하던 페드로 등에게 익숙하지 못한 때문이기도 할 것이다.

지금 둘의 은신처는 호르헤와 마구로의 부하들에게 포위되어 있다. 그때 옆에 서 있던 로렌스가 말했다.

"이 둘만 처리하면 가리발디의 세력은 다 소탕되는 셈입니다."

그리고 파사테의 세력도 가리발디에게 소탕되었으니 새로운 세력이 남은 셈이다. 지노가 고개를 끄덕였다.

"로메로 측에서 언제 연락이 왔지?"

"10분쯤 전입니다."

호르헤가 대답했다.

"그놈들이 로메로 조직에 투항하려고 했는데 거부당했습니다. 로메로 측에서 전쟁에 개입되는 것을 꺼려했기 때문이지요."

이곳은 로메로 쪽에서 이쪽이 세력을 장악하고 있다는 것을 알기 때문이다. 이쯤 되면 살려줄 수는 없다.

오늘도 메데인 중심가의 '앤탄' 클럽에 자리 잡은 블라드의 분위기는 밝다.

'앤탄' 클럽은 메데인 최고급 클럽으로 안쪽이 홀이어서 5인조 악단이 연주했고 가수 3명이 번갈아 출연한다. 3백 평 규모의 홀에 종업원 80여 명, 그중 절반쯤이 눈부신 미모의 접대부다.

안쪽 기둥 가의 전용석을 차지하고 있는 블라드는 반쯤 취한 상태.

오후 8시 40분.

클럽은 손님이 2백 명쯤 차 있다. 모두 정장 차림의 상류층 남녀로 손님의 절반 정도가 미국이나 유럽의 관광객이다. 워낙 소문이 나서 돈 많은 관광객이 몰리는 것이다.

양쪽에 미녀들을 앉힌 블라드가 클럽 안을 둘러보았다. 이 앤탄 클럽도 마르코 가문의 소유인 것이다. 따라서 마르코의 후계자인 블라드의 소유나 마찬가지다. 지배인인 앙헬도 블라드의 심복 노릇을 했고 비위를 맞추려고 신입 여종업원이 오면 먼저 블라드에게 상납한다.

"이봐, 앙헬."

블라드가 지나가던 지배인을 불렀다.

"예, 블라드 씨."

서둘러 다가온 앙헬이 블라드에게 바짝 붙어 섰다. 그때 블라드가 옆에 앉은 금발 여자를 눈으로 가리켰다.

"얘를 방으로 데려가."

144

"예, 블라드 씨."

앙헬이 금발 여자와 함께 사라지자 블라드가 고개를 돌려 반대쪽에 앉아있는 흑발의 여자에게 말했다.

"넌 내일이야, 알았어?"

"네, 블라드 씨."

블라드가 손을 뻗어 흑발의 팬티 안으로 넣었다. 여자가 블라드에게 몸을 붙이더니 신음을 뱉는다. 이쪽은 안쪽인 데다 기둥에 가려서 옆쪽 테이블에서도 잘 보이지 않는다. 둘이 부둥켜 안은 채 헐떡이고 있을 때 다시 앙헬이 다가왔다.

"블라드 씨, 준비되었습니다."

"알았어."

자리에서 일어선 블라드가 여자에게 고개를 끄덕이며 말했다.

"내일 봐, 소피아."

주방은 안쪽 복도 끝이다. 10미터쯤 복도를 걸어가야 한다. 옆쪽에 방이 하나 있었는데 침대가 놓였고 TV에 책상까지 갖춰졌다.

지배인의 사무실 겸 휴식실로 사용되는 것이 요즘은 블라드 전용이 되었다. 복도 안으로 들어선 블라드가 고개를 돌려 뒤를 따르는 로토스와 산토를 보았다.

"복도 밖에서 기다려."

둘은 잠자코 몸을 돌렸다. 블라드가 방에서 '놀' 때는 그렇게 해왔기 때문이다.

주방으로 통하는 길이어서 오가는 직원들이 많다. 블라드가 문 앞에 다가섰을 때다. 뒤쪽에서 인기척이 났기 때문에 블라드가 고개를 돌렸다. 그 순간이다.

"퍽석!"

발사음과 함께 머리통이 부서진 블라드가 문 앞에서 거꾸러졌다. 미처 사내의 얼굴 윤곽도 머릿속에 형성되지도 않은 채 숨이 끊어졌다.

오후 9시 10분.

마르코가 저택에서 페르난도의 보고를 받는다. 서둘러 응접실로 들어선 페르난도가 물끄러미 쳐다만 보았기 때문에 마르코가 이맛살을 찌푸렸다.

"무슨 일이야?"

"보스, 사고가 났습니다."

"뭐야, 또?"

"저기, 블라드가……."

"그놈이 또 사고를 쳤어?"

"아닙니다."

"그럼, 뭐야?"

"앤탄 클럽에서 당했습니다."

"글쎄, 누가?"

"블라드가 총에 맞아 사망했습니다."

순간 숨을 멈춘 마르코의 눈빛이 흐려졌다. 그때 페르난도가 말을 이었다.

"살해범은 블라드를 쏘고 주방 뒷문으로 빠져 나갔습니다."

"……"

"주방 직원 몇 명이 범인을 목격했지만 처음 보는 놈이었습니다. 지금 찾고 있습니다."

"……"

"블라드는 지금 이곳으로 데려오는 중입니다."

"……."

"제가 독단으로 과타르치 조직의 배후를 조사시켰습니다. 그놈들의 소행일 가능성이 많습니다."

"……."

"이번에 무참하게 당했기 때문에 그 복수를 한 것이죠. 조직원의 사기를 위해서 저질렀을 것입니다."

말을 멈춘 페르난도가 손등으로 이마의 땀을 닦았을 때다. 마르코가 고개를 들었다.

"죽었어?"

"예, 보스."

"어디를 맞았는데?"

"머리를……."

그때 마르코의 눈빛이 다시 흐려졌다.

"블라드가?"

눈을 치켜뜬 과타르치가 앞에 앉은 세실리아를 보았다.

"누가 죽인 거야?"

"모릅니다."

세실리아가 어깨를 늘어뜨렸다.

"그놈이 놀던 클럽에서 당했으니까요. 제 집에서 총에 맞은 겁니다."

"하지만 그놈들이 우리를 의심할 것 아닌가?"

"예, 그래서 조심하고 있어요."

그제야 숨을 고른 과타르치가 세실리아를 보았다.

"용병들 배치는 다 끝났어?"

"예, 아버지."

"너, 마르코의 딸 사만타의 애인이 죽은 것 들었지?"

"들었어요."

"그 애인을 블라드가 해결사를 시켜서 죽였다는데, 그 소문도 들었어?"

"아뇨."

정색한 세실리아가 과타르치를 보았다.

"못 들었는데요."

"블라드가 제 경호원을 시켰다는 거다."

"왜요?"

"그건 내가 모르지만 사연이 있겠지."

"권력 싸움인가요?"

"글쎄."

머리를 기울인 과타르치가 말을 이었다.

"블라드 그놈이 그런 일을 저지를 놈이 아냐. 마르코가 시켰을 거다."

"마르코가……."

"글쎄, 블라드 그놈이 제멋대로 그럴 만한 배짱이 없는 놈이라니까."

"왜 그랬을까요?"

"그건 네가 알아봐라."

"예, 아버지."

"그리고."

눈썹을 모은 과타르치가 세실리아를 보았다.

"너하고 호세는 업무 분담이 확실하게 되어있어. 너는 자금 담당이야. 호세는 조직과 운영이고. 그리고 총괄은 나다. 알고 있지?"

"예, 아버지."

"네 오빠하고 갈등이 일어나면 안 돼. 명심하도록."

과타르치의 표정이 엄격해졌다. 마르코 가문의 사건을 반면교사로 삼는 것이다.

사만타에게는 연거푸 장례식이 일어나는 셈이다. 어제 아구엘로의 장례식이 이뤄졌고 이틀 후는 블라드다.

저택 안. 응접실에 10여 명의 간부가 모여 있었는데 모두 침울한 분위기다.

오후 2시 반.

상석에 앉은 페르난도가 입을 열었다.

"그놈이 메스티소이고 처음 보는 놈인 것은 밝혀졌다. 외지인이야. 하지만 곧 찾을 수 있을 거다."

페르난도의 두 눈이 번들거렸다.

"외지인 총잡이를 고용했다면 과타르치나 우리한테 원한이 있는 놈들 중 하나야. 몽타주도 뿌렸으니까 정보가 모일 거다."

그때 간부 하나가 물었다.

"현상금을 올립시다. 아예 미화 1만 불로 합시다."

"그러자."

순순히 동의한 페르난도의 시선이 옆쪽 사만타에게 옮겨졌다.

"사만타, 힘들겠지만 네가 당분간 아버지 옆에 있어줘야겠다."

사만타의 시선을 받은 페르난도가 말을 이었다.

"보스 옆에 가족이 있어야 돼."

"알았어요."

사만타가 고개를 끄덕였다. 당연한 일이다.

체르넨코가 다가가자 헨리의 얼굴에 웃음이 떠올랐다. 헨리 오스만은 오늘 체르넨코를 처음 만난다.

오전 11시.

이곳은 페레이라 중심부의 '리도 클럽' 안. 과타르치 소유 클럽이다. 이른 시간이어서 클럽은 텅 비었다. 자리에서 일어선 헨리가 손을 내밀었다.

"체르넨코, 만나서 반갑습니다."

악수를 나눈 둘이 마주 보고 앉았다. 종업원도 다가오지 않기 때문에 헨리가 웃음 띤 얼굴로 체르넨코를 보았다.

헨리는 34세. 네이비실 대위 출신으로 표창과 훈장을 10여 회 이상 받은 '히어로'다. 체르넨코보다 경력이 뛰어났으면 뛰어났지 뒤지지 않는다.

"체르넨코 씨, 지금 모튼 씨하고 둘이 남았지요?"

"그렇게 되었는데."

쓴웃음을 지은 체르넨코가 말을 이었다.

"내가 회사에 면목이 없어요, 헨리 씨."

"이해합니다."

헨리가 고개를 끄덕였다.

"그게 용병의 문제지요."

"아무래도 우리는 계약기간이 끝나면 돌아가야 할 것 같습니다."

"석 달 남았지요?"

"그 정도……."

"그럼 그동안은 제 지시를 받는 것으로 하십시다."

헨리가 정색하고 체르넨코를 보았다.

"어제 보스하고 합의를 했습니다."

"과타르치 씨 말인가요?"

"그렇죠."

"직접?"

"세실리아 씨가 보스의 지시라고 하더군요. 그럼 된 거 아닙니까?"

"하긴."

"당신들 둘은 모코아의 공장과 창고 경비를 책임져 주세요."

"모코아?"

체르넨코가 눈을 가늘게 떴다.

"남쪽 골짜기 말하는 거요?"

"가문의 가장 큰 공장과 창고, 비행장이 있는 곳 아닙니까? 그곳 경비 책임자를 맡아주시죠."

"……."

"병력 350명을 지휘하는 요직이죠. 지금까지 책임자였던 발렌트는 페레이라로 소환할 예정이오."

"……."

"정리하는 대로 둘이 3일 안에 모코아로 떠나주기 바랍니다."

그러고는 헨리가 자리에서 일어서더니 손을 내밀었다. 끝났다는 표시다.

커피숍으로 들어선 올리비아가 주위를 두리번거리더니 곧 지노를 보았다. 그 순간 올리비아의 얼굴이 활짝 펴졌다. 닫혀 있던 꽃봉오리가 펴지는 것 같다.

오후 5시 반.

키토 중심부의 '멘탈 호텔' 커피숍 안이다.

다가온 올리비아의 얼굴이 금세 상기되었다. 붉은 복숭아 같은 얼굴에서 검은 눈동자가 반짝였다. 매끄러운 피부는 기름을 바른 것 같고 눈은 흑요석처럼 빛나고 있다. 앞쪽 자리에 앉은 올리비아가 지노를 보았다.

"지노, 미국에 언제 돌아가세요?"

"그게 궁금해?"

지노가 웃음 띤 얼굴로 되물었다.

"이곳에 좀 있을 거야, 올리비아."

"고마워요, 지노."

"뭐가? 내가 여기 있어서?"

"아니, 선물."

"그 인사는 여러 번 했잖아. 됐어."

"돈이 엄청 들었을 텐데."

"됐어."

"사업하세요?"

"그래."

"무슨 사업?"

"인력 관리 사업."

눈만 크게 뜬 올리비아를 향해 지노가 말을 이었다.

"필요한 인력을 적당한 기업체에 공급하는 사업이지."

"그런 회사가 있다는 말 들었어요."

다가온 종업원에게 커피를 시킨 지노가 올리비아를 보았다.

오후에 전화를 했을 때 올리비아는 깜짝 놀라면서 반겼던 것이다. 그 목소리만으로도 밝아진 얼굴이 떠오를 정도였다. 그때 지노가 자리에서 일어섰다.

"올리비아, 이 호텔에 유명한 식당이 있다고 들었어. 같이 저녁을 먹자."

"저녁 먹고 술 마셔요."

올리비아가 바로 말을 받는다.

"아무데나 가요."

맛있게 저녁을 먹고 호텔 최상층의 클럽에 갔다. 작지만 고급스러운 분위기의 클럽이다.

오후 8시 반.

어둑한 클럽의 안쪽 자리에서 지노와 올리비아가 이제는 나란히 소파에 앉아 있다. 올리비아는 지노에게 딱 붙어 앉아 있었는데 몸이 기울어진 자세다. 어깨에 머리가 기대어져 있다.

포도주를 반병쯤 마신 상태여서 술기운도 배어 있는 상태. 그때 지노가 손을 뻗어 올리비아의 허리를 가볍게 감아 안았다. 올리비아가 더 허리를 붙였고 지노가 입술을 귀에 붙였다.

"올리비아."

"네, 지노."

"넌 아름답다."

"고마워요, 지노."

"마치 천사 같다. 빛이 나는 천사."

"지노, 키스해줘요."

올리비아가 고개를 들고 턱을 내밀었다. 이쪽은 어둑했고 시선을 보내는 사람도 없다. 은근한 음악이 클럽 바닥으로 깔리고 있을 뿐 주위는 조용하다.

이제 올리비아의 눈이 반쯤 감겨 있다. 그때 지노가 고개를 숙여 올리비아의 입술에 가볍게 키스했다. 그 순간 숨을 들이켠 올리비아가 두 손으로 지노의 목을 감아 안았다.

"지노."

올리비아가 부르더니 입술이 반쯤 열렸다. 그때 다시 지노의 입술이 덮였다.

올리비아는 서툴렀지만 뜨거웠다. 그리고 적극적이다. 이윽고 지노는 올리비아와 함께 폭발했다. 가쁜 숨소리와 함께 아직도 옅은 신음이 올리비아의 입에서 이어지고 있다. 방 안에는 향내가 맡아졌다. 우유가 뿌려진 것 같은 냄새다. 이곳은 멘탈 호텔의 방 안.

오후 11시 반.

반쯤 열린 방 안으로 들어온 바람에 커튼이 흔들렸다. 그때 지노가 올리비아의 허리를 끌어당겨 안았다.

"올리비아."

올리비아의 더운 숨이 지노의 가슴을 훑고 지나갔다.

"지노, 좋았어요?"

지노의 얼굴에 웃음이 번졌다.

"그럼. 넌?"

"난 행복해요."

"난 이렇게 좋았을 때가 없었어, 처음이야."

그때 올리비아가 짧게 웃었다. 몸을 꿈틀거렸기 때문에 올리비아의 부드러운 촉감이 전신에 부딪쳤다.

"거짓말."

"정말이야."

지노가 올리비아의 이마에 입술을 붙였다가 떼었다.

"너 같은 여자는 처음이야."

"지노."

"뭐야?"

"난 20살 때 대학 친구하고 한 번 경험이 있었을 뿐이에요."

올리비아가 지노의 가슴에 볼을 붙였다.

"그러고 나서 헤어졌어요. 그것이 3년 전인데……."

"……"

"당신한테 첫 몸을 주었으면 좋았는데."

"고마워, 올리비아."

다시 허리를 당겨 안은 지노가 올리비아의 입술에 키스했다.

"올리비아, 고맙다."

다시 올리비아의 숨소리가 거칠어졌고 곧 신음으로 이어졌다.

다음 날 오전.

키토 중심부에 위치한 3층 대저택은 지노의 안가 겸 본부가 되었다. 이곳은 얼마 전까지만 해도 파사테의 거처였던 곳이다.

오전 9시 반.

지노가 저택으로 돌아온 시간이다. 지노가 2층 응접실로 들어섰을 때 마구로가 다가와 섰다.

"보스, 전화가 왔습니다."

소파에 앉은 지노에게 마구로가 말을 이었다. 목소리를 낮췄기 때문에 뒤쪽에 선 경호원도 듣지 못할 정도다.

"체르넨코입니다."

지노가 퍼뜩 시선만 들었을 때 마구로가 바짝 다가섰다.

"콜롬비아에서 전화를 한 겁니다."

"그자가 왜?"

"할 이야기가 있다는데요."

"무슨 수작이야?"

"만나주신다면 이곳으로 오겠다고 했습니다."

"……"

"지금 콜롬비아 남쪽 국경 근처에 있다는데요."

"……."

"이 저택 전화로 전화를 해왔습니다. 파사테 전화는 다 알려져 있으니까요. 보스 친구 용병이라고 해서 제가 전화를 받았더니 체르넨코였습니다."

"……."

"그래서 제가 비밀리에 과타르치 조직을 알아보았더니 미국에서 새 용병단 5명이 도착했더군요."

이제 지노가 고개를 끄덕였고 마구로의 말이 이어졌다.

"체르넨코와 모튼 두 놈은 새 용병단장 헨리의 지휘를 받게 되었답니다. 그리고."

마구로의 얼굴에 쓴웃음이 번졌다.

"체르넨코, 모튼은 남쪽의 모코아 골짜기에 위치한 마약 공장과 창고 경비 책임자로 임명되었다는 겁니다. 밀려난 것이죠."

"……."

"모코아 근처 공장이라지만 모코아에서 50킬로나 떨어진 골짜기입니다. 수용소 같은 곳이지요. 페레이라, 보고타를 오가면서 캐비아에 샴페인만 처먹던 놈들에게는 그곳이 감옥이나 같겠지요. 더구나 다른 용병단의 지휘를 받게 되는 것 아닙니까?"

이윽고 고개를 든 지노가 물었다.

"그놈 전화번호를 적어났나?"

"아, 지노."

전화 연결이 되었을 때 체르넨코가 바로 그렇게 응답했다. 마치 어제 헤어진 친구 전화를 받은 것 같다. 지노의 얼굴에 저절로 쓴웃음이 번졌다.

156

"체르넨코, 난데없이 무슨 일이야?"

"괜찮다면 내가 그쪽으로 가고 싶은데. 상의할 게 있어."

"뻔한 수작이군."

"그래, 단순하지."

"지금 어디냐?"

"들었겠지만 모코아 근처야. 거기 들렀다가 나온 길이라구."

"좋아."

전화로는 위험한 내용이 될 것이었기 때문에 지노가 결정했다.

"와라."

통화를 끝낸 지노가 옆에 서 있는 마구로에게 말했다.

"비밀로 해라. 너하고 나, 둘만 아는 일로 해."

오후 12시 반.

지노가 마구로, 호타크 그리고 호르헤와 로렌스까지 불러 점심을 먹는다. 저택 1층의 식당 안이다.

"보스, 다 정상으로 돌아가고 있지만 정치권 수습이 남았습니다."

로렌스가 조심스럽게 입을 열었다. 모두 시선을 주었고 로렌스가 말을 잇는다.

"이번에 가리발디와의 전쟁으로 수십 명이 죽는 동안 경찰 고위층은 사태를 주시하고 있었습니다. 이제 고위층이 보스한테 연락해올 것 같습니다."

지노의 얼굴에 쓴웃음이 떠올랐다.

"지금까지 그쪽과 어떻게 접촉한 거냐?"

"파사테가 경찰청장 크락스마를 직접 만났습니다."

"정치권은?"

"내무장관 유세페도 직접 만났는데 연락을 맡은 건 토린노와 아구로였습니다."

토린노는 참모였고 아구로는 동생이다. 그러나 둘 다 가리발디가 공격해오자 도망쳐 버렸다. 그때 고개를 든 지노가 로렌스에게 말했다.

"앞으로 네가 연락책을 맡아라. 넌 이제 내 대리인이야."

"예, 보스."

로렌스의 얼굴이 상기되었다. 지노의 안내역으로 배치되었던 로렌스는 이제 대리인으로 승진한 것이다. 지노가 말을 이었다.

"크락스마, 유세페하고 시간 약속을 잡도록 해."

오후 6시 반.

키토 시내의 안가 안에서 지노와 체르넨코가 마주 보고 앉아있다. 응접실에는 둘뿐이다. 체르넨코는 굳은 표정으로 들어서더니 지노와 말없이 악수만 나누고는 자리에 앉았다. 인사말도 하지 않았다.

악수는 본래 손에 '무기'가 없다는 것을 나타내는 '신호'로 시작되었다. 지노가 본능적으로 손을 내민 것도 그런 심중일 것이다. 먼저 입을 연 사람도 지노다.

"말해, 배신할 계획을."

불쑥 말을 뱉었을 때 체르넨코가 고개를 들더니 그제야 풀썩 웃었다.

"내가 과타르치의 페레이라 안가 전체 내역과 경비 상태, 화물 운송 루트와 일정, 임시 보관창고, 개인 금고 위치까지 다 알려주지."

"지저스, 하루아침에 과타르치가 거덜이 나겠군."

"먼저 개인 금고를 터는 거야. 안가에 현금을 쌓아두고 있는 건 알고 있지?"

"마르코 조직도 마찬가지야."

"현금을 은행에 맡기면 추적당하니까 안가 3채에 달러를 쌓아두고 있어. 내

158

추측이지만 5억 불쯤 돼.”

“트럭이 몇 대 필요하겠군.”

“다 갖고 갈 수는 없겠지.”

“당연하지.”

이제는 체르넨코의 표정도 원상으로 돌아왔다. 체르넨코가 한숨을 쉬었다.

“이 생활도 끝낼 때가 된 것 같다, 지노.”

“용병의 법칙을 위반하는 건가?”

쓴웃음을 지은 지노가 체르넨코를 보았다.

체르넨코는 ‘용병의 법칙’을 위반하려는 것이다. 용병의 법칙은 딱 하나밖에 없다. 그것은 ‘주인을 배신하지 않는 것’이다. 주인은 곧 고용인을 말한다. 용병 계약을 하고 나면 고용인은 곧 주인이다. 주인을 위해 죽어야 한다. 그때 체르넨코가 고개를 끄덕였다.

“지노, 넌 위반하는 것이 아니잖아?”

“그건 맞다.”

“나하고 모튼은 위반하고 그만둔다.”

“회사로 돌아가지 않겠다는 말이군.”

“당연히.”

“회사에서도 널 찾을 텐데.”

체르넨코가 소속된 남아공의 유제비노 용병단은 규모가 크다. 회사의 명예를 걸고 배신자를 찾아 응징함으로써 고용인들의 신뢰를 회복하려고 들 것이다. 그때 체르넨코가 지노를 보았다.

“지노, 난 대가가 필요 없어.”

“무슨 말이야?”

“내가 원하는 게 없단 말이야. 모튼도 마찬가지다.”

"아니, 그러면……."

"내가 고용주를 배신한 셈은 되지만 더러운 짓은 안 한다는 뜻이지."

"배신은 배신이지."

그때 체르넨코가 주머니에서 접힌 종이를 꺼내 내밀었다.

"여기 다 적어놓았어."

"지저스."

종이를 받은 지노가 펴보았다. 3장이다.

과연 체르넨코가 말한 안가의 위치, 경비 상태, 화물 운송루트, 창고, 금고 역할의 안가 위치와 경비 상태까지 자세히 적혀 있다. 서류를 한 장씩 훑어보고 난 지노가 아연한 얼굴로 체르넨코를 보았다.

"이봐, 체르넨코."

"정신이 나간 얼굴이군."

지노의 표정을 본 체르넨코가 쓴웃음을 지었다.

"지노, 넌 이해 못 하나?"

"놀랐다."

"넌 내 동료들을 죽인 놈이야. 피커슨, 바운트, 고든, 코네킨, 자르센……."

체르넨코가 번들거리는 눈으로 지노를 보았다.

"하지만 네놈보다 과타르치 가문이 나한테 더 상처를 주었다. 지금까지 희생한 내 동료들까지 쓰레기로 취급하는 행태를 용납할 수 없어."

지노가 숨을 들이켰다. 체르넨코의 눈에 물기가 가득 고여 있었기 때문이다. 마침내 지노가 외면했을 때 체르넨코가 말을 이었다.

"난 계약기간이 석 달 남았어. 그 기간 동안 우리를 습격해. 그러고 나서 나를 죽여도 돼."

자리에서 일어선 체르넨코가 이번에는 먼저 손을 내밀었다.

블라드의 장례식이 열린 메데인 대성당으로 과타르치가 참석했다. 과타르치는 호세, 세실리아와 간부급 20여 명까지 데려왔다. 마르코는 사만타와 나란히 서서 과타르치를 맞았다.

"마르코, 심려가 크겠어. 진심으로 애도를 보내네."

마르코의 손을 쥔 과타르치가 정색하고 말했다.

"고맙네, 과타르치."

"망자가 천국에 가기를 비네."

과타르치가 마르코의 손을 힘주어 쥐었다.

"우리도 함께 그 범인을 찾겠네."

"그러지."

손을 뗀 과타르치가 한 발짝 발을 떼어 사만타 앞에 섰다.

"사만타, 아름다워졌구나."

사만타가 과타르치의 시선을 똑바로 받았다.

"고맙습니다, 과타르치 씨."

"넌 연거푸 슬픈 일을 겪는구나."

고개를 끄덕여 보인 과타르치가 발을 떼었다.

과타르치의 다음 순서로 호세가 다가와 사만타 앞에 섰다. 호세도 안면이 있다.

"사만타, 안됐어."

호세가 건조한 목소리로 말했는데 눈이 흐려져 있다. 딴생각을 하는 것 같다.

"고마워, 호세."

호세가 두말 않고 지나간 후에 이제는 세실리아가 다가와 섰다. 시선이 마주쳤고 세실리아의 얼굴에 희미하게 웃음이 떠올랐다가 지워졌다.

"사만타, 아구엘로 장례식에 가지 못해서 미안해."

"괜찮아, 세실리아."

"아구엘로는 진짜 안타까워."

"고마워."

"언제 우리 한번 만나자."

"그래."

고개를 끄덕여 보인 세실리아가 발을 떼었을 때 사만타가 숨을 들이켰다. 세실리아는 블라드의 장례식에 와서 아구엘로한테만 애도를 했다.

페르난도가 사만타와 마주 앉았을 때는 오후 5시 반.

장례식을 마치고 저택으로 돌아왔을 때다. 이곳은 2층 응접실 안. 마르코는 3층에서 쉬는 중이다. 그때 페르난도가 입을 열었다.

"사만타, 소문 들었지?"

"무슨 소문인데요?"

"우리 내부에서 들리는 소문 말이야."

"말해보세요."

"블라드의 경호원 로토스가 트럭으로 아구엘로 차를 받았다는 소문 말이다."

"못 들었어요."

사만타가 흐린 눈으로 페르난도를 보았다.

"로토스가 그랬을 리가 있어요?"

"글쎄 말이다."

"그럴 이유도 없잖아요?"

"그렇지."

시선을 비낀 페르난도가 말을 이었다.

"그래서 몇 놈이 다른 소문을 내는 모양인데 내가 경고했다. 그런 말을 하는

162

놈들은 총살시키겠다고."

"무슨 소문인데요?"

"네가 해결사를 블라드에게 보냈다는 소문 말이다."

"그래요?"

사만타의 얼굴에 쓴웃음이 번졌다.

"과타르치가 우리 가문을 망하게 하려는 것 같네요."

페르난도가 키토에 온 것은 블라드의 장례식을 마친 사흘 후다. 대저택에 들어선 페르난도가 주위를 둘러보며 싱글벙글 웃었다.

"지노, 네가 이곳 주인이 되다니. 내가 감개무량하다."

"7개월 후면 떠날 거요, 페르난도."

정색한 지노가 말을 받는다. 1년 계약을 했기 때문이다. 5개월이 지났다.

"말도 안 돼."

소파에 앉은 페르난도가 천장의 샹들리에를 보고도 감탄했다.

"이건 메데인 것보다 낫군."

"옛날 스페인 총독 관저였답니다, 이곳이."

"세상에, 저 촛대 좀 봐. 금이냐?"

"그런 모양이오. 돌아갈 때 갖고 가시죠."

"메데인 저택에 두라고?"

"아니, 당신한테 주는 거요."

"종이로 포장해. 다른 놈들이 모르게."

"그러지요."

"신문지로 해."

주의를 준 페르난도가 지노를 보았다.

"콜롬비아는 감시가 심해서 제약이 많아. 그래서 네가 에콰도르를 장악했으니까 이곳을 통해 상품 운반을 할 작정이야."

"그러지요. 중개 수수료만 낸다면."

"뭐라고 했어?"

"지난번 파사테한테는 10퍼센트를 줬죠? 그러다가 마지막에 통째로 떼어 먹혔지만 말요."

"네가 수수료를 받는다구?"

"20퍼센트."

"지저스."

소파에 등을 붙인 페르난도가 다시 응접실을 둘러보았다. 으리으리한 응접실이다. 마르코의 메데인 대저택 못지않다. 2층 응접실은 1백 평도 넘었는데 스페인 풍의 온갖 장식물로 덮여 있다.

고개를 든 페르난도가 지노를 보았다.

"그래야지."

페르난도가 고개를 끄덕였다.

"보스도 받아들이실 거다. 그렇게 하지."

"정말이오?"

"정말이야."

대답한 페르난도가 말을 이었다.

"이곳의 창고 관리, 운반 책임자로 관리 전문가를 파견할 거야."

"그렇게 해야죠."

"그럼 합의한 것으로 하고 며칠 안으로 이곳에 도착하도록 하지."

"알겠습니다."

"그런데, 들었나?"

"뭘 말입니까?"

"블라드가 암살당한 소문 말이야."

"무슨 소문인데요?"

"사만타의 애인이 트럭 사고로 죽은 이야기는 알지?"

"그건 들었습니다."

"그 트럭을 운전했던 놈이 블라드의 경호원 로토스란 놈이라는 거야."

"정말입니까?"

"내가 잡아다가 물어보았더니 본인은 절대 그런 일이 없다면서 증인을 네 명이나 부르더구만."

"……."

"술 먹고 제 입으로 말했다는데 그런 일도 없다면서 말야."

"……."

"본래 그놈은 입이 가벼운 놈이었어."

"입이 가벼운 놈이 문제를 일으킵니다."

"그래서 내가 죽여서 강에 버렸어. 지금쯤 피라냐가 다 뜯어먹었겠지."

"잘 하셨습니다."

"그런데 그 소문을 들은 사만타가 해결사를 불러 블라드를 암살했다는 소문이 또 돌고 있어."

"그런 소문을 낸 놈들도 피라냐한테 던져야 합니다."

"내가 사만타를 불러 물어 보았더니 눈을 딱 치켜뜨고 과타르치 가문 이야기를 하더구만."

"……."

"그런데 사만타 남친을 살해한 것은 블라드야. 보스가 블라드한테 지시했어, 나도 있는 자리에서."

"……."

"블라드가 그 떠벌이 로토스한테 시킨 거지. 성공은 했지만 잘못 골랐어."

"……."

"블라드를 살해한 것은 사만타야."

고개를 든 지노를 향해 페르난도가 쓴웃음을 지어보였다.

"떠돌이 메스티소를 시킨 것 같은데, 철저한 성격이라 아마 그 떠돌이를 죽여 입을 막았을 수도 있지."

"……."

"그런데 지노, 그 발단은 자네 때문이네."

페르난도가 지그시 지노를 보았다.

"무슨 말입니까?"

"자네를 묶어두기 위해서 사만타의 애인을 제거한 거야."

그때 지노가 고개를 저었다.

"페르난도, 나는 마르코 가문에 매이기 싫습니다."

정색한 지노가 말을 이었다.

"난 7개월 후에는 떠날 몸이오."

다음 날 오후 6시.

지노가 키토의 중심부에 위치한 콜롬버스 호텔 라운지 밀실에서 사내 하나 와 마주 앉아 있다.

50대쯤의 사내는 키토 경찰청장 크락스마다. 크락스마는 에콰도르 경찰청장 겸 수도인 키토의 경찰청장을 겸하고 있는 실력자다. 20년째 집권하고 있는 대통령 프란체스코의 심복으로 10년째 경찰청장이다. 크락스마는 대머리에 비대한 체격으로 얼굴은 붉다. 스페인계 백인 혈통.

인사를 마치고 주문한 음식이 나왔을 때까지 세상 이야기를 하던 지노가 크락스마를 보았다.

"지금까지 매월 20만 불씩 드렸지요?"

순간 물 잔을 들었던 크락스마가 도로 내려놓았다.

"그렇지. 파사테가 직접 전해주었소."

지노의 시선을 받은 크락스마가 정색했다.

"주인이 바뀌었다고 깎을 수는 없지."

"그렇습니까?"

"파사테한테서 4년째 받고 있는 거요. 나도 그만큼 도와주었고."

"그렇군요."

"20만 불로 쓸 곳이 많아. 부하들 관리도 해야 하고. 모두 당신들을 위한 일이지."

"고생이 많군."

고개를 끄덕인 지노가 크락스마를 보았다.

"앞으로 할 일도 더 많아질 테니 내가 매월 50만 불씩 드리지."

순간 크락스마가 숨을 들이켜더니 막 들었던 포크를 내려놓았다.

크락스마의 한 달 월급은 미화로 1천 불이 조금 더 된다. 그러나 크락스마는 두 아들을 미국에 유학을 보내 한 달에 3만 불 가까운 경비를 댄다. LA에는 120만 불짜리 저택에 승용차 2대를 굴리고 있는 것이다.

이윽고 크락스마가 고개를 끄덕였다. 눈빛이 강해졌고 얼굴에 웃음기가 떠올라 있다.

"지노, 당신은 통이 크군."

"난 믿어주는 사람은 배신하지 않아, 총장 각하."

"배신하지 않을 거야."

크락스마가 정색하고 말을 받는다.

"그럴 이유가 없지 않아?"

4장 밤의 여왕

마르코는 오늘도 술에 취해 행패를 부렸다.

메데인의 대저택 안. 대저택은 워낙 큰 데다 유흥시설까지 갖춰져서 시내에 나가 클럽에 갈 필요도 없다. 부속채의 바에 가면 마르코 전속의 여종업원들이 온갖 시중을 다 드는 것이다. 블라드가 죽은 후로 마르코는 거의 매일 밤 술독에 빠져 지낸 것이다.

"너, 이리 안 와?"

소리친 마르코가 앞에 놓인 술병을 집어 도망치는 여종업원을 향해 던졌다. 술병이 여종업원의 등에 맞고 떨어졌다.

"이년이!"

마르코가 주머니에서 은으로 장식한 리볼버를 꺼내 종업원을 쏘았다.

"탕! 탕!"

바 안에 총성이 울렸고 등에 총탄을 맞은 여종업원이 거꾸러졌다.

오후 10시 10분.

여종업원들이 비명을 지르면서 사방으로 흩어졌고 남자 종업원, 경호원들까지 몸을 피했다.

"이년!"

마르코가 고래고래 소리쳤다. 옆에 앉아있던 종업원에게 옷을 벗고 춤을 추라고 했다가 말을 잘 듣지 않는다면서 두들겨 패기 시작했던 것이다.

"탕! 탕!"

이미 쓰러진 여종업원을 향해 다시 두 발을 발사했던 마르코가 발을 헛디디고 바닥에 넘어졌다. 그때를 기다린 경호원들이 달려들어 마르코의 손에서 권총을 빼앗았다. 그러고는 양쪽에서 부축하고는 본관으로 데려간다.

본관 2층 응접실에서 사만타가 총성의 사연을 들은 것은 10분쯤 후다. 저택에 상주하고 있던 페르난도는 키토에 가서 돌아오지 않았다.

사만타 앞에 앉은 사내는 이번에 저택 경비대장이 된 캄바스다.

캄바스는 사만타의 오빠다. 물론 어머니가 다른 오빠 31세. 마르코의 아들 중 가장 연장자지만 흑인 어머니 태생의 서자다. 백인 어머니를 가진 블라드에게 밀려 농장 경비대장으로 묻혀 지냈다. 캄바스가 메데인으로 상경한 것도 사만타가 추천했기 때문이다.

캄바스의 말을 들은 사만타가 입을 열었다.

"그놈은 잘 처리했지?"

"론 강에 버렸어. 거긴 피라냐가 우글거려서 금방 뼈도 안 남아."

사만타의 얼굴에 쓴웃음이 번졌다.

"페르난도가 눈치를 챈 것 같아."

"하지만 증거가 없으니 어쩔 수 없지."

캄바스가 고개를 저었다.

"나하고 그놈 둘밖에 모르는 일이야. 걱정 마, 사만타."

"책임은 내가 져. 넌 아무도 몰라."

사만타가 배다른 오빠인 캄바스를 '너'라고 부른다. 사만타가 지시하는 위치인 것이다. 블라드는 사만타의 지시를 받은 캄바스가 해결사를 고용해서 살해한 것이다.

그때 고개를 든 사만타가 위층을 보았다. 조금 전에 3층으로 올라간 마르코를 보는 것이다.

"가증스러워, 저 인간."

"사만타, 어떻게 할 거냐?"

"저 인간 저런 식으로 살면 오래 못 가."

사만타의 두 눈이 번들거렸다.

"가만히 둬도 끝나."

"그럼 어떻게 되는 거야?"

"넌 경비대 병력을 장악하고 있으면 돼."

"450명은 나한테 심복하고 있어. 걱정 마."

"페르난도도 대세를 따를 거야."

"블라드를 따르는 놈들이 있잖아."

"아모스, 자라테, 앙헬인데, 그놈들은 내 적수가 못 돼. 내가 알아서 처리할 거야."

"알았어, 사만타."

캄바스가 고개를 끄덕였다.

"난 네 지시만 따를 거다, 사만타."

그때 사만타가 어깨를 부풀렸다가 내렸다. 두 눈이 흐려져 있다.

"그래. 소원대로 내가 지노를 잡지."

혼잣소리로 말한 사만타가 얼굴을 일그러뜨리며 웃었다.

"지노를 잡고 나서 마르코 가문을 접수하는 거야."

"그때는 사만타 가문이 되는 거지."

캄바스가 맞장구를 쳤다.

서자로 변방만 돌면서 온갖 괄시를 받고 살던 캄바스다. 사만타 추천으로 메데인 본가 근처로 상경했다가 지노를 도와 인정을 받았고 마침내 본가 경비대장이 된 것이다. 한(恨)을 풀 기회다.

또 왔다. 이번에는 운동장에 트럭 6대가 들어왔기 때문에 수업 중이던 학생과 선생들이 다 나왔다. 모두 2백 명 가깝게 된다.

트럭에는 새 책상과 의자가 200개, 칠판 10개, 선생님용 책상 10개, 분필, 복사기 2대, 교무실용 TV 3대, 새 전화기 3대 등이 가득 실려 있었기 때문이다.

트럭을 끌고 온 책임자는 키토 시내의 교재용품 회사 사장이다. 직원들과 함께 온 사장이 올리비아에게 말했다.

"새 책상, 칠판을 모두 배치하고 헌 책상은 모두 싣고 가겠습니다."

수취인이 올리비아였기 때문에 사장이 서류를 내밀었다.

"여기에 사인을 해주시지요."

이번에도 지노가 보낸 선물이다. 학교가 아예 '개조' 수준이 된 것이다. 올리비아 옆으로 다가온 교장 선생이 상기된 얼굴로 말했다.

"올리비아 선생, 고마워서 어떻게 하나? 학교가 완전히 개조되었어."

"이거 교육감님한테 연락해야 되지 않겠습니까?"

교감이 나섰을 때 사장이 서둘렀다.

"먼저 책상부터 내려놓지요."

학생들과 교사들이 벌떼처럼 트럭에 달려들어 책상, 의자를 옮기기 시작했다.

올리비아가 구석에 서서 바뀌는 교실을 보고 있다.

지난번 지노를 만났을 때 책상과 의자가 낡아서 거의 폐품 수준이라고 지나가는 말로 한 적이 있다. 그것을 기억한 지노가 이렇게 보낸 것이다. 책상을 나르면서 아이들이 탄성을 계속해서 뱉는다.

학급 4개, 학생 수 200명 정도의 조그만 학교다. 이제 이 학교는 전국 최고 시설을 갖춘 명문이 되었다. 운동장에는 이미 새 배구 네트가 쳐졌고, 새 배구공, 축구공이 튀고 있는 데다 학생들은 모두 새 셔츠, 새 신발로 갈아입고 신고 있다.

올리비아는 오늘 저녁에 지노한테 전화를 해야겠다고 마음먹었다. 이쪽에서 전화하는 건 처음이다.

사만타의 전화가 왔을 때는 오후 5시가 되어갈 무렵이다. 지노는 저택에서 전화를 받았다.

"사만타, 전화 반갑다."

먼저 지노가 인사를 했다.

"오랜만이에요, 지노."

사만타가 부드러운 목소리로 응답했다.

"요즘 바빠서 인사도 못 했어요."

"요즘 여러 가지로 심란했겠어. 기운을 내, 사만타."

"고마워요, 지노."

"내가 도와줄 일 있으면 말해, 사만타."

"내가 일 문제로 만나고 싶어요, 지노."

"그래. 페르난도 씨한테서도 이야기 들었어. 언제든지."

페르난도는 오전에 콜롬비아로 돌아간 것이다. 며칠 안으로 관리 전문가가 올 예정이다. 그때 사만타가 말했다.

"내일 밤에 만나요, 지노."

키토의 잉카 임페리얼 호텔 라운지 안.

오후 10시.

창가의 자리에 두 남녀가 마주 앉아 있다. 어둑한 실내 분위기. 홀이 넓었지만 손님은 대여섯 명뿐이다. 종업원도 보이지 않는다. 이윽고 고개를 든 사만타가 지노를 보았다. 눈이 반짝이고 있다.

"아버지는 하루 종일 취해 있어요."

지노는 시선만 주었고 사만타가 말을 이었다.

"블라드가 죽은 것에 충격을 받은 것 같아요."

"……."

"온갖 호사를 다 누렸고 돈을 흙더미처럼 쌓아 놓았으니까 사는 것에 더 이상 재미가 없겠죠."

"……."

"인생의 쾌락은 다 누렸으니까요."

"……."

"그러다가 갑자기 제 분신 같은 아들이 죽으니까 회의가 일어난 것 같아요."

사만타가 물 잔을 들더니 희미하게 웃었다. 사만타는 점퍼에 바지 차림이다. 머리는 뒤로 묶었고 화장을 안 한 맨얼굴이었지만 윤기가 난다. 지노의 시선을 받은 사만타가 말을 이었다.

"페르난도한테서 들으셨겠죠?"

"뭘?"

"내 애인을 죽인 것이 블라드의 경호원 로토스라고."

지노는 시선만 주었고 사만타가 말을 이었다.

"그놈이 제 입으로 떠들고 다니다가 요즘 보이지 않아요. 페르난도가 죽였겠죠."

"……."

"블라드한테 아구엘로를 죽이라고 시킨 건 아버지예요."

"……."

"그리고 아버지는 그 대가를 받은 거죠."

사만타가 이번에는 이를 드러내고 웃었다.

"블라드가 죽고 나서 상심하는 아버지를 볼 때마다 쾌감이 느껴져요."

"……."

"내가 블라드를 죽였다는 걸 아버지도 알고 있을지도 몰라요."

"……."

"하지만 날 죽이자니 겁이 났겠죠. 내 주위의 경호원들, 그리고 경호대장이 바로 캄바스니까요."

"사만타, 이제 그만."

마침내 지노가 말하자 사만타의 얼굴에서 웃음기가 지워졌다.

"페르난도도 네가 블라드를 제거했다는 걸 짐작하고 있어."

"페르난도는 내가 가문을 접수해도 따라줄 겁니다."

마침내 사만타가 정색하고 지노를 보았다.

"지노, 이 사건의 발단은 당신 때문이죠."

"그런가?"

지노가 쓴웃음을 지었다.

"너는 남의 탓을 하는 나쁜 버릇이 있군."

"당신한테 나를 붙여주려는 마르코의 욕심이 이 상황을 만들었죠."

지노는 지그시 시선만 주었고 사만타가 말을 이었다.

"당신이 나한테 관심을 보여줬다면 아구엘로도 죽지 않았어요, 당신의 무관심에 대한 반작용으로 내가 아구엘로한테 집중했으니까."

"무슨 말인지 어렵다."

"내가 아구엘로를 그만큼 사랑했던 사이가 아니라구요."

사만타의 목소리가 떨렸다.

"지노, 이제는 날 도와줘요."

"내 고용인은 마르코야."

"마르코가 죽으면 가문은 내가 계승하게 돼요."

"내가 죽게 내버려두지 않아."

지노가 똑바로 사만타를 보았다.

"쓸데없는 수작 안 하는 게 좋아, 사만타."

"지노."

"마르코한테서 정식으로 후계자 지명을 받아, 사만타."

지노가 말을 이었다.

"난 고용 계약 기간이 끝나면 이곳을 떠날 거다. 재계약은 안 해."

"……."

"그래, 내가 떠났을 때 네가 무슨 짓을 하든 상관없겠지."

"……."

"7개월쯤 남았나?"

"지노, 왜 이래요?"

사만타가 불쑥 물었기 때문에 지노가 의자에 등을 붙였다.

"네 비틀린 성격이 싫어, 사만타."

다시 사만타가 입을 다물었고 지노가 말을 이었다.

"남 탓하는 네 비겁한 태도도 역겹고, 넌 가문의 지배자가 될 인품이 아냐."

"……."

"마르코, 블라드가 네 애인을 살해한 것하고 네가 배다른 오빠, 그리고 아버지를 살해하는 것과는 다르다, 사만타."

"……."

"난 너에 대해서 지금까지 좋은 감정을 갖고 있었는데 이젠 다 없어진 것 같다."

"이제 원수가 되었군요."

"네 태도 때문이지."

지노가 고개를 저었다.

"그런 태도로 지도자는 못 돼, 사만타."

"……."

"암살하고 음모를 꾸미며 지도자가 될 수 있는 건 아냐."

"좋아요."

사만타가 물 잔을 들더니 한 모금 삼키고는 내려놓았다. 그 순간이다.

"퍽, 퍽, 퍽, 퍽."

가까운 곳에서 둔탁한 발사음이 네 번 울렸다. 그때 지노와 사만타가 서로의 얼굴을 보았다. 둘은 발사음이 울렸는데도 서로를 응시한 채 움직이지 않는다.

3초쯤 지난 후에 그 자세에서 변화가 일어났다. 사만타의 눈동자가 흔들린 것이다. 그러더니 고개가 조금 돌려졌다. 그리고 나서 주위를 둘러보았다.

그때 라운지 안쪽에서 작은 소동이 일어났다. 사내들의 목소리가 울렸다가 곧 잠잠해졌다. 그러더니 두 사내가 다가왔다. 그중 하나가 마구로다.

"보스, 셋을 처치했습니다."

마구로가 다가서서 말을 이었다.

"나머지는 모두 잡았습니다."

지노가 고개를 끄덕였다.

"시체 치우고 데려가."

마구로의 시선이 사만타에게 옮겨졌다.

"사만타는 어떻게 할까요?"

"그냥 보낼 수는 없지."

지노의 시선이 사만타에게 옮겨졌다.

"넌 블라드를 처리하는 식으로 날 어떻게 해보려고 했지만 실패했다."

사만타의 얼굴이 일그러졌다.

"지노, 날 어떻게 하려고?"

"네가 물 잔을 내려놓는 신호까지 이미 나한테 파악될 정도야, 사만타."

쓴웃음을 지은 지노가 말을 이었다.

"최악의 경우까지 대비해놓고 날 만났지만 네가 데려온 부하 중 하나가 나한테 이미 정보를 준 거다."

"⋯⋯"

"날 제거하려는 상대를 살려둔 적이 없어, 사만타."

자리에서 일어선 지노가 마구로에게 눈짓을 했다.

지노의 이야기를 들은 페르난도는 한동안 입을 열지 않았다.

밤 11시 45분.

지금 지노는 키토의 저택으로 돌아와 전화를 하는 중이다. 이윽고 페르난도가 말했다.

"지금 사만타를 잡고 있다고?"

"저택으로 데려왔습니다."

"부하들은?"

"사만타의 경호대가 12명인데 셋은 라운지 안에서 죽고 나머지는 잡았습니다."

지노가 말을 이었다.

"잡은 놈들의 자백도 받았습니다. 일이 잘 안 되었을 때 물 잔을 내려놓는 것을 신호로 날 저격한다고 자백했습니다."

"다행이야."

"마르코한테 보고하실 겁니까?"

"안 하겠네."

바로 페르난도가 말했기 때문에 지노가 전화기를 고쳐 쥐었다. 얼굴에 쓴웃음이 떠올라 있다. 그때 페르난도가 말을 이었다.

"마르코는 하루 종일 취해있어. 이제는 마구 총질을 해."

"……."

"어제는 별관의 바 여종업원 하나를 쏴 죽였고 사흘 전에는 본관 식당의 요리사 보조를 쏴 죽였어. 저택이 난장판이야."

"……."

"내가 수십 번 만류했지만 조절이 안 돼. 요즘은 의사의 주사로 체력이 유지되는 상황이네."

"페르난도, 어떻게 할 겁니까?"

"사만타의 계획은 성사될 수가 없어."

페르난도가 길게 숨을 뱉었다.

"그래서 사만타는 자네한테 부탁하러 간 거야."

"……."

"사만타도 자네만 옆에 있어주면 성사되리라는 것을 알고 있지."

"사람을 잘못 골랐다고 했다니까요?"

"지노, 마르코하고 계약을 했지만 가문을 생각해주게."

"……."

"마르코가 이성을 잃은 상태라 그 대리인인 내가 부탁하는 것이네."

"그럼 내 계약을 해지시켜 주시죠, 페르난도."

마침내 지노가 정색하고 말했다.

"용병 대금을 일한 만큼만 떼고 반환해드릴 테니까."

"지노, 사만타는 자네를 좋아하고 있네."

페르난도의 목소리가 높아졌다.

"사만타가 자네 앞에서 궤변을 늘어놓는 이유가 무엇이겠나? 무시당한 반발이 바닥에 깔려 있다는 생각이 안 드나?"

"모릅니다."

"사만타는 착한 애야. 이렇게 표독스럽게 변한 것은 위장이야."

"……."

"지노, 자네에게 달렸네."

"어떻게 하란 말입니까?"

"자네가 이 가문을 맡아주게."

숨을 들이켠 지노를 향해 페르난도가 말을 이었다.

"사만타의 남자로, 남편이 안 돼도 돼. 사만타의 정부로, 사만타는 어떤 방식으로라도 자네를 받아들일 것이니까."

"그런 여자가 날 암살하려고 라운지에 암살자들을 숨겨놓았단 말입니까?"

"충동적이긴 해."

페르난도가 다시 한숨을 쉬었다.

"절박한 심정이 되면 나라도 그랬을 테니까."

저택에 붙들려 왔지만 포로 취급은 받지 않는다.

사만타가 들어간 2층 방은 스페인 총독 부인의 침실이어서 메데인의 방보다 10배는 화려했다. 옷장에는 수백 벌의 옷이 걸려 있었는데 가격표도 떼지 않았다. 그래서 사만타는 그중 몸에 맞는 바지와 재킷으로 갈아입었다.

오후 1시 반.

2층 식당에서 점심을 마친 사만타가 응접실 소파에 앉았을 때 뒤를 따르던 경호원이 말했다. 검은 피부의 삼보계로 사만타는 본 적이 없는 인물이다.

"아가씨, 주인께서 3시까지 오신다고 했습니다."

고개를 든 사만타가 삼보를 보았다.

"넌 누구냐?"

"예, 아스탄입니다. 파사테의 경호원이었지요."

"네 주인을 죽인 사람의 경호원이 된 셈인가?"

그때 삼보의 검은 얼굴에 웃음이 떠올랐다.

"예, 아가씨."

"넌 내가 누군지 알지?"

"예, 어젯밤 아가씨가 데려온 암살자 중 하나는 제가 죽였습니다."

"더러운 삼보 놈. 또 주인을 죽이겠군."

삼보는 흑인과 인디오의 혼혈로 지금 앞에 서 있는 이놈처럼 기가 막힐 정도로 미남이 태어난다. 검은 대리석으로 빚어낸 그리스 미남 같다. 그때 삼보가 다시 입술 끝을 비틀고 웃었다.

"이번 주인께선 저희들한테 새 생명을 주셨지요. 이젠 목숨을 바칠 겁니다."

"네 전 주인한테도 그런 맹세를 했겠지."

"아가씨께서도 아시겠지만 새 주인은 다르지요."

"내가 뭘 알아?"

"이렇게 잡혀온 것을 보면 모르십니까?"

"개 같은 검둥이 놈."

"어젯밤 포로로 잡힌 아가씨 부하들이 다 불었습니다. 아가씨에 대한 충성심은 염소 똥만큼도 없더군요."

허리를 편 삼보가 이번에는 이를 드러내고 웃었다.

"아가씨, 전쟁은 욕심으로 이기는 게 아니올시다. 아가씨는 너무 욕심이 많아요."

"이 삼보 놈이."

사만타는 외면했다.

삼보는 주술사가 많다. 지금도 닭 뼈를 갖고 다니면서 앞날을 예언하는 종족인 것이다. 그러나 이 삼보의 말이 아픈 곳을 찌르기는 했다.

내가 과연 욕심이 많은가?

그 시간에 지노는 인터내셔널 호텔의 특실에서 사내 하나와 마주 보고 앉아있다. 사내는 CIA 콜롬비아 지부장 마이클 우드워드다. 마이클이 보고타에서 날아온 것이다.

"지노, 지금 사만타를 잡아두고 있는 거야?"

지노한테서 자초지종을 들은 마이클이 묻더니 혀를 찼다.

"마르코 가문이 먼저 망하겠군."

마이클이 다른 일로 왔다가 지노한테서 이야기를 들은 것이다. 정색한 마이클이 지노를 보았다.

"정말 너를 죽이려고 했어?"

"그렇다니까."

"그 여자가 미쳤군."

"페르난도는 충동적이라는데, 무시당했다는 반발심에다."

"그 여자가 마르코 가문의 보스가 된다고?"

마이클이 고개를 저었다.

"오빠에 이어서 아버지까지 죽이고 말이지, 용병도 함께?"

"내가 메데인에 정보원을 깔아두었기 망정이지, 당할 뻔했어."

"지저스. 그래서 어떻게 할 거야? 사만타를 없앨 건가?"

"그건 그렇고."

지노가 화제를 돌렸다.

"여기까지 찾아온 이유부터 듣자."

"지노, 어떻게 할 거냐?"

마이클이 되물었기 때문에 지노가 눈썹을 모았다.

"무슨 말이야?"

"순식간에 키토의 밤의 대통령이 되었지 않아? 그런데 마르코의 중개인 역할이나 할 거야?"

"난 마르코의 용병이야."

"용병 좋아하네."

비웃은 마이클이 정색했다.

"지노, 넌 이미 밤의 대통령이야. 마르코와 동격이라구. 네가 키토를 장악한 순간부터 마르코와의 용병 관계는 끊어진 거야."

"내가 그렇게 생각 안 하면 아닌 거야."

"지노, 잘 들어."

자리를 고쳐 앉은 마이클이 지노를 보았다.

"본부에서는 네가 에콰도르를 장악하기를 바라고 있어. 우리가 적극 지원해 줄 거야."

"……"

"기회를 놓치지 마, 지노. 마르코 조직이 무너진다면 네가 그것까지 접수해도 돼. 그럼 넌 남미 쪽 마약 제국의 황제가 되는 거야."

"조금 전에는 대통령이라더니 몇 분 만에 황제가 되었군."

"마르코 조직은 굴러들어온 금덩이야."

"난 그까짓 거 필요 없어."

"알아. 네가 후세인의 비자금도 쥐고 있다는 것도."

"이것들이 별걸 다 욕심내는군."

"걱정 마. CIA가 도둑놈 소굴은 아니다."

"너희들이 남미 마약 사업에서 마약 조직 등을 쳐서 수억 불씩 챙기는 걸 내가 알고 있어."

그러자 마이클이 빙그레 웃었다.

"하긴 너만큼 아는 인물이 없겠지."

"난 계약기간이 끝나면 떠날 거야."

"그 알량한 용병 계약."

마이클이 혀를 찼다.

"지노, 내 앞에서는 위선 떨지 마라. 넌 지금이라도 박차고 떠날 수 있는 인간이야. 용병 계약을 했더라도 받은 돈 내놓고 떠날 수 있는 인간이라구."

"……."

"넌 이곳에 죽으려고 온 거지. 후세인에 이어서 카밀라의 죽음이 용병으로서의 네 심장을 산산조각 냈을 테니까."

마이클의 목소리에 열기가 띠어졌다.

"넌 수백 명을 죽인 놈이라 죽음에 대한 후유증 처리 방법도 익숙해져 있어. 그 만병통치약이 시간이지."

"……."

"이제 그 시간이 가고 있어. 5개월이 지난 거야, 지노."

"……."

"이젠 당분간 이곳에서 기반을 굳혀. 사만타까지 잡아놓았으니 아예 마르코도 접수해버리라구."

"……."

"과타르치가 용병 데려온 거 알고 있지? 너 때문에 과타르치 가문이 몰락 수준까지 갔다가 요즘 다시 일어나고 있어. 사만타를 네가 잡고 있는 줄 안다면 당장에 이쪽저쪽에서 싸움을 걸어올 거다."

마이클이 번들거리는 눈으로 지노를 보았다.

"잘 들어, 지노."

"말해, CIA."

"우린 너한테 에콰도르, 콜롬비아를 맡길 거야. 여기서 밤의 대통령이 돼."

"……."

"과타르치도 네가 관리해, 우린 너만 지원할 테니까. 네가 균형을 잡고 전체를 장악하란 말야."

지노가 심호흡을 했다. 과타르치의 용병 체르넨코가 다녀갔다고 한다면 펄쩍 뛰겠지. 이윽고 지노가 입을 열었다.

"나하고만 거래한단 말이지?"

"물론이야."

마이클의 목소리가 높아졌다.

"네가 유일한 우리 회사 대리인이야."

응접실에서 TV를 보던 사만타가 인기척에 고개를 들었다. 지노가 다가오고 있다.

오후 4시 반.

지노는 3시에 온다고 하더니 한 시간 반이나 늦었다. 잠자코 다가온 지노가 앞쪽에 앉더니 지그시 시선을 주었다. 지노의 시선을 받은 사만타의 눈동자가 흔들렸다가 멈췄다. 그때 지노가 말했다.

"서둘지 마."

숨을 들이켠 사만타에게 지노가 말을 이었다.

"마르코 가문의 후계자는 너야, 사만타."

"……"

"네가 만일 마르코를 제거하면 엄청난 부작용이 일어날 거다. 게다가 넌 아버지를 죽인 패륜아가 돼."

"……"

"마르코가 지금처럼 계속해서 만행을 부린다면 얼마 견디지 못할 것 같다."

"……"

"사만타, 내가 심하게 말한 것 용서해라."

"……"

"네가 암살팀을 데리고 온다는 말을 듣고 나도 절제하지 못했다."

"……"

"용병도 인간이야."

그때 사만타가 고개를 들었다.

"경솔했어요, 지노."

사만타가 말을 이었다.

"당신 말대로 할게요."

"부하들 데리고 돌아가."

지노가 자리에서 일어서며 말했다.

"입단속 시키고."

"알겠어요."

따라 일어선 사만타가 지노를 보았다.

"지노, 고마워요."

그때 지노가 사만타에게 다가가 어깨에 두 손을 얹었다. 흠칫 놀란 사만타의 눈동자가 흔들렸고 얼굴이 굳어졌다. 지노가 어깨를 당겨 안았기 때문에 사만타의 얼굴이 가슴에 묻혔다. 지노의 손이 이제는 사만타의 허리를 당겨 안았다. 그때 사만타가 고개를 들었다. 놀란 듯 눈이 크게 떠졌고 입술은 반쯤 열려 있다. 그때 지노가 사만타의 입술에 입을 맞추고 나서 말했다.

"그렇지. 내일 아침에 내 침실에서 일어나 돌아가면 되겠다."

사만타의 얼굴이 빨개졌고 눈에 금세 물기가 고였다. 이제는 사만타의 눈에 입술을 붙였다가 뗀 지노가 말을 이었다.

"6개월 반이야, 사만타. 그동안에 널 보고타의 밤의 여왕으로 만들어주지."

넓은 응접실 안에는 둘뿐이다. 이층 계단을 올라왔던 두어 명의 부하가 둘을 보더니 질색을 하고 돌아갔기 때문이다. 이제는 사만타가 두 팔을 들어 지노의 목을 감싸 안았다.

"아구엘로는 안 만난 지 2년도 더 되었어요. 당신한테 거짓말을 한 거예요."

사만타가 말을 이었다.

"그러다 갑자기 다시 연락한 거죠."

지노가 사만타의 입에 다시 입을 맞추고 나서 말했다.

"그것만 명심해. 난 계약 기간이 끝나면 떠난다."

사만타는 더운 숨만 뱉었고 그 순간 지노의 눈앞에 카밀라에 이어서 올리비아의 얼굴이 떠올랐다. 사만타의 얼굴 위로 겹쳐 있다.

밤 11시 반.

폭풍이 휩쓸고 간 것 같다. 침대 위가 그렇다. 사만타는 시트로 몸 한쪽만 가리고는 지노에게 안겨 있었는데 아직도 숨소리가 가쁘다. 반쯤 창문을 열었기 때문에 풀 냄새가 흘러 들어왔다. 정원의 숲 향기다. 지노가 사만타의 허리를 당겨 안았다.

"내가 진즉 너를 이렇게 안았다면 그런 일이 벌어지지 않았을까?"

"아구엘로가 죽지도 않았겠죠."

사만타가 바로 대답했다.

"아버지는 내가 아구엘로 때문에 당신과 결합하지 못한 것으로 오해했고."

그래서 블라드를 시켜 살해하게 한 것이다. 지노가 사만타의 뜨거워진 몸을 다시 안았다.

"그렇다면 과연 내 잘못이군."

"하지만 아구엘로가 죽었을 때 갑자기 혼자가 되었다는 느낌이 들었죠."

사만타가 가쁜 숨을 뱉으면서 말을 이었다.

"다 증오했어요. 블라드도, 아버지도, 그리고 당신도."

그러나 사만타의 다음 말은 이어지지 못했다.

다음 날 오전.

9시가 되었을 때 지노와 함께 침실에서 나온 사만타가 1층 식당에서 간부들과 함께 식사를 했다. 그러고는 현관까지 나온 지노의 배웅을 받으면서 부하들과 함께 보고타로 떠났다.

이제 금세 사만타와 지노와의 관계는 조직의 말단 농장 잡부들에게까지 알려질 것이었다.

"사만타가 지노를 만나고 있어."

과타르치가 고개를 들고 세실리아를 보았다. 저택의 응접실 안. 오전 10시 반.

"너 알고 있어?"

"예, 아버지."

세실리아가 쓴웃음을 지었다.

"지노의 응원을 받으려는 것이겠죠."

"사만타가 블라드를 죽인 건 분명하지?"

"그런 소문이 쫙 깔렸죠."

"그것을 마르코도 들었을 텐데, 놔두고 있단 말이냐?"

"마르코가 요즘 폐인이 되었다는 소문이 있어요."

세실리아가 정색하고 과타르치를 보았다.

"그래서 이번에 지노하고 상의하려고 사만타가 키토로 간 것 같아요."

"지노가 사만타의 손을 들어줄까?"

그때 세실리아가 고개를 기울였다.

"지노는 사만타에게 종속될 인간이 아니죠. 그건 봐야겠어요."

"지노 같은 놈이 필요해."

과타르치가 정색하고 세실리아를 보았다.

"그런 놈이 호세나 네 옆에 있어야 하는데."

세실리아는 입을 다물었다. 새로 투입된 용병단은 아직 상황파악 중이다.

세실리아는 과타르치의 후계자 호세의 동생이다.

호세는 착실하게 후계자 수업을 받고 있었다. 여자는 밝혔지만 결코 아버지의 눈 밖에 나는 행동은 하지 않았다. 과타르치가 호세와 세실리아의 업무 분담을 확실하게 해놓았기 때문에 주도권 다툼도 일어나지 않았다.

호세는 후계자로서 전반적인 관리 업무를 익혀가는 중이었고 세실리아는 자금을 맡았다. 요즘 정보와 대외 관계, 용병 계약까지 맡은 것은 세실리아가 미국에서 대학까지 졸업했기 때문이다.

저택의 1층 라운지로 내려온 세실리아에게 파블로가 다가왔다. 경호대장 파블로는 존슨이 제거된 후에 세실리아에게 밀착되고 있다. 다가선 파블로가 목소리를 낮추고 말했다.

"세실리아, 헨리의 팀한테 경비대 450명을 배치시켰어."

파블로가 말을 이었다.

"그중 3백 명이 3개 지역으로 나갔고 150명이 페레이라 지역이야. 그런데 안가 경비는 용병대 관리에서 제외시켰어."

"그래야죠."

세실리아가 고개를 끄덕였다.

"안가는 파블로, 당신이 맡아야 돼요."

"보스는 경비를 강화시키라고 하셨는데 용병을 하나쯤 지휘관으로 보내는 것이 낫지 않을까?"

"안 돼요. 용병은 믿을 수 없어요."

"모코아로 밀려난 체르넨코는 사냥을 다닌다는 거야."

"그러다가 돌아가겠죠."

세실리아의 얼굴에 쓴웃음이 번졌다.

"두 명 남은 용병으로는 어쩔 수가 없으니까."

"보스가 뭐라고 안 해?"

"지노 같은 놈이 나나 호세 옆에 하나 있으면 좋겠다고 하는군요."

쓴웃음만 지은 파블로에게 세실리아가 말을 이었다.

"지노 같은 용병이 드물기는 하죠, 단숨에 키토를 정복했으니까."

마르코가 고개를 들고 사만타를 보았다.

오후 3시 반.

오늘은 마르코가 술을 많이 마시지 않았다. 대신 기력이 뚝 떨어져서 어깨가 늘어졌고 눈이 흐리다. 며칠 사이에 10년은 폭삭 늙어버린 것 같다.

저택 3층의 응접실 안.

마르코가 인터폰으로 사만타를 부른 것이다. 마르코 주변에서 총기를 치웠기 때문에 위험하지는 않지만 아직도 체중이 1백 킬로 가깝게 된다. 저 큰 손으로 목을 조르면 사만타는 금방 죽는다. 그때 마르코가 입을 열었다.

"너, 지노 만나고 왔다면서?"

키토에 다녀온 지 나흘째 되는 날인데 지금 묻는다.

"네, 아버지."

"지노가 기반을 잡았더냐?"

"네, 아버지."

사만타가 점점 더 긴장하고 있다. 그때 마르코의 얼굴에 쓴웃음이 떠올랐다.

"파사테, 그 개아들놈. 350킬로를 떼어먹더니 제 목숨하고 바꿨군."

"……"

"지노가 키토에서 매월 500킬로씩 처리하도록 해."

"네, 아버지."

"여기서 가브리엘을 보내라. 가브리엘이면 잘 처리할 거다."

"네, 아버지."

"15명만 데려가라고 해."

"알겠습니다."

"지노한테 파사테한테 주기로 했던 중개수수료를 줘야지. 경비, 보관료가 들테니까."

"페르난도하고 20퍼센트로 합의했다던데요."

"20퍼센트?"

"네. 지노가 그렇게 받아야겠다고 해서요."

"날강도 같은 놈."

마르코가 눈을 치켜떴다가 곧 웃었다.

"주도록 하지."

"네, 아버지."

"그놈이 돈 욕심은 없는 놈이야."

"그런 것 같아요."

"키토에서 자고 온 거냐?"

"네, 아버지."

"지노하고 잤어?"

"네, 아버지."

"잘했다."

마르코가 고개를 끄덕였다.

"네가 한 일 중에서 가장 잘한 거다."

"아버지."

그때 소파에 머리를 기댄 마르코가 눈을 감았다.

"술 가져오라고 해라."

사만타가 홀린 듯한 표정으로 자리에서 일어섰다.

헨리 오스만이 고개를 들고 앞쪽을 보았다. 앞쪽은 구릉이다. 밋밋한 구릉이
끝없이 펼쳐져 있다.

오후 5시 반.

서쪽 능선 위로 태양이 걸쳐져서 황금빛으로 변했다. 그때 후스토가 말했다.

"6시 반에 농장에서 출발합니다. 트럭 1대, 경호차 4대가 따릅니다."

"6백 킬로 맞아?"

헨리가 묻자 옆에 서 있던 고타가 대답했다.

"맞습니다. 내부 정보원한테서 나온 자료입니다."

"경호대는 몇 명이야?"

"운전사 포함해서 17명입니다."

헨리가 고개를 끄덕였다. 구릉 건너편이 마르코의 제19농장이다. 19농장에서는 매월 15일에 메데인의 본가로 헤로인을 운반하는 것이다. 그때 후스토가 말했다.

"대장, 대전차포 3개면 됩니다."

"좋아."

마침내 헨리가 결정했다. 헨리가 후스토를 보았다.

"너한테 맡긴다, 후스토."

내일 오후에 앞쪽 도로로 수송대 대열이 지나가는 것이다.

"20명만 데려가지요."

신이 난 후스토가 생기 띤 눈으로 헨리를 보았다.

"좋아. 3시간 전까지는 잠복을 끝내야 돼. 수송차의 헤로인은 고스란히 빼앗고."

"알겠습니다."

후스토는 헨리의 부하로 여러 번 작전에 동참한 전문가다. 이번에 콜롬비아에 투입된 후에 첫 작전인 셈이다.

세실리아가 헨리의 보고를 받았을 때는 오후 8시 무렵이다. 저택 응접실에 앉아 있던 세실리아와 파블로에게 헨리가 내일 작전을 보고한 것이다.

"내일 칠 겁니다."

헨리가 말을 이었다.

"사전 조사도 다 했고 더 미루다간 정보가 샐 우려가 있습니다."

세실리아가 고개를 끄덕였다.

"좋아요. 보스한테 보고를 하죠."

이미 과타르치한테도 마르코 가문의 수송대 하나를 습격한다는 허락을 받은 것이다. 그때 파블로가 말했다.

"수송대에서 빼앗은 헤로인은 곧장 바란키아로 운반해야 돼, 헨리."

"알았어요, 파블로."

고개를 끄덕인 헨리가 자리에서 일어섰다. 이제 작전만 남았다.

과타르치는 호세와 함께 앉아 있었는데 세실리아가 들어서자 고개를 들었다.

오후 8시 반.

과타르치는 호세와 함께 저녁을 마치고 3층 응접실로 올라온 참이었다. 앞쪽에 앉은 세실리아가 보고를 했을 때 과타르치가 고개를 끄덕였다.

"이제 때가 된 거지. 그리고 헨리 오스만 팀의 가치를 이번에 입증시켜야 돼."

"마르코 가문의 대응에도 대비해야 될 거야, 세실리아."

호세가 말하자 과타르치도 고개를 끄덕였다.

"맞다. 그리고 세실리아."

정색한 과타르치가 세실리아를 보았다.

"용병 관리를 철저히 해야 돼. 체르넨코의 전철을 밟으면 안 된단 말이다."

"알았습니다."

세실리아가 선선히 대답했다.

"헨리가 체르넨코하고는 다릅니다. 일일이 보고를 하고 있어요."

"네 책임이야."

"알고 있습니다."

"이번 작전으로 우리 위상을 세워야 돼."

과타르치가 말을 이었다.

"지노 그놈이 에콰도르에 가서 기반을 잡는 바람에 우리 사기가 떨어졌다."

"곧 오르겠죠."

세실리아의 시선이 호세에게 옮겨졌다. 호세는 항상 과타르치와 함께 보고를 받지만 아직 세실리아에게 직접 지시를 한 적이 없다. 그때 과타르치가 말했다.

"세실리아, 넌 자금까지 맡고 있어. 네 임무가 막중하다."

"알고 있습니다."

"호세의 오른팔이 되어서 우리 가문을 일으켜야 돼."

"예, 아버지."

세실리아가 자리에서 일어섰다. 오늘은 사설이 길다.

세실리아가 아래층으로 내려갔을 때 과타르치에게 호세가 말했다.

"아버지, 세실리아가 반발할 것 같은데요."

과타르치는 시선만 주었고 호세가 말을 이었다.

"잘 아시겠지만 세실리아의 주변에 모인 간부들이 많습니다."

"그래서 시작한 거다."

과타르치가 정색했다.

"나중에 시작하면 늦어."

목소리를 낮춘 과타르치가 말을 이었다.

"잘못하다간 마르코 가문처럼 된다."

"……."

"마르코나 우리나 여자들의 기질이 드세."

"……."

"사만타가 블라드를 죽인 걸 봐라. 그것이 현실이야. 마르코는 그것을 알면서도 사만타한테 손도 못 대고 있어."

과타르치의 얼굴에 쓴웃음이 떠올랐다.

"사만타를 제거하기에는 너무 커졌어. 만일 실패하면 마르코 가문은 망하는 거지."

"……."

"우리도 그 꼴이 나기 전에 내가 먼저 손을 쓰는 거다."

"하지만 아버지, 세실리아는 제 친동생입니다. 사만타와 블라드 관계와는 다르지요."

"넌 순진해, 호세."

의자에 등을 붙인 과타르치가 말을 이었다.

"권력은 형제간은 물론 부자간에도 죽고 죽일 만큼 매력적이야."

"아버지, 저는."

"너는 너무 착해, 호세."

과타르치의 얼굴에 다시 쓴웃음이 떠올랐다.

"그래서 내가 너를 아끼는지 모르지만."

주위를 둘러본 과타르치가 목소리를 낮췄다.

"잘 들어, 호세."

"예, 아버지."

"내일 헨리의 용병이 마르코 수송단을 습격, 전쟁을 일으키면 어떻게 될 것 같나?"

"제가 아버지한테 말씀드린 것처럼 마르코 측이 보복 전쟁을 일으킬 것입니다."

"당연하지."

고개를 끄덕인 과타르치가 말을 이었다.

"아마 우리 농장 하나를 습격하든지 페레이라에 기습대를 보낼 거다."

"......"

"전쟁이 일어나겠지. 아마 양측의 피해가 상당할 거야. 우리 측 피해가 클 수도 있지."

과타르치의 눈에 생기가 띠어졌다.

"그때 어느 한쪽이 전쟁을 끝내야지. 그 방법이 뭐겠느냐?"

다시 과타르치의 목소리가 낮아졌다.

"우리는 용병을 관리했던 세실리아의 권한을 축소시키는 거다. 이 기회에 세실리아 주변을 소탕하는 것이지. 그것이 마르코 측에 휴전의 신호로 보이는 거다."

"......"

"그래서 내가 이번 헨리의 수송대 기습을 승인한 거야."

"......"

"기습이 성공하건 실패하건 이것을 계기로 세실리아를 제거하는 거야."

그러고는 과타르치가 길게 숨을 뱉었다. 호세가 참았던 숨을 소리죽여 내뿜는다.

이곳은 키토의 산 마르틴 공원 오른쪽 주택가 2층 저택 안.

응접실에 두 사내가 앉아있다. 마르코와 지노다. 마르코가 키토의 사업장을 시찰하려고 날아온 것이다. 전용기에 30여 명의 수행원을 싣고 날아왔지만 비밀 입국이다.

블라드가 죽은 후부터 술에 취해서 미친놈처럼 악행을 저지르고 있다는 소문이 났던 마르코다. 그런데 지금은 멀쩡한 얼굴로 지노를 쳐다보고 있다. 다만 손에 술잔을 쥐고 있었는데 아직 첫 잔을 마시지 않았다.

오후 9시 반.

마르코는 이곳에 도착한 지 30분밖에 되지 않았다. 응접실을 둘러본 마르코가 지노에게 물었다.

"이곳도 파사테의 별장이었나?"

"예, 보스."

지노가 말을 이었다.

"스페인 총독의 별장이었죠."

"페르난도 이야기를 들으니 네가 사는 곳도 총독의 별장이었다면서?"

"그렇습니다."

"이곳도 이렇게 화려한데, 네가 사는 곳은 더 좋겠지?"

"이보다 규모가 더 큽니다."

지노가 빙긋 웃었다.

"하지만 여기가 더 화려합니다."

"방이 몇 개냐?"

"여긴 본관 1, 2층에 방이 24개, 부속동 2채에 방이 25개, 약 2백 명을 수용할 수 있지요."

"메데인의 내 저택 못지않구나."

"이 저택을 보스한테 드리려고 이곳에 모신 겁니다."

"으음. 고맙다, 지노."

"마음에 드십니까?"

"고마워서 춤을 추고 싶을 정도야."

"가끔 이곳에 들러 쉬시지요. 키토도 보스가 장악하는 곳입니다."

"난 손님이지. 네가 이곳의 밤의 대통령이고."

"저는 6개월 반 후에는 떠납니다."

"말도 안 되는 소리 마라."

정색한 마르코가 들고만 있던 술잔을 내려놓았다.

"지노."

"예, 보스."

"사만타가 블라드를 죽였을 때 나는 충격을 받아서 다 묻어버리고 싶을 정도였다."

마르코가 흐린 눈으로 앞쪽을 보았다. 이윽고 마르코가 다시 입을 떼었다.

"지노, 네가 사만타의 옆에 있어주는 조건으로 나는 사만타를 받아들인 거야."

"……"

"마르코 가문은 너한테 달린 셈이지."

"……"

"나는 그 말을 해주려고 너한테 온 거야. 너한테 내 이름을 맡긴다고 말해주려고."

지노가 숨을 들이켰다. 가문의 이름을 맡긴다는 말이다. 그것이 후계자 블라드를 죽인 사만타를 용서하는 조건이다.

그 시간에 세실리아가 파블로와 마주 보고 앉아있다.

이곳은 페레이라의 안가 안이다. 세실리아는 점퍼에 바지 차림이었고 화장기가 없는 얼굴이다. 응접실에는 둘뿐이다. 그때 세실리아가 파블로를 보았다.

오늘 둘의 회동은 극비다. 세실리아가 파블로를 부른 것인데 이곳이 세실리아의 안가다. 이윽고 세실리아가 탁자 위에 놓인 녹음기의 버튼을 눌렀다. 그 순간 녹음기에서 과타르치의 목소리가 울렸다.

"잘 들어, 호세."

"예, 아버지."

"내일 헨리의 용병이 마르코 수송단을 습격, 전쟁을 일으키면 어떻게 될 것 같나?"

"제가 아버지한테 말씀드린 것처럼 마르코 측이 보복 전쟁을 일으킬 것입니다."

"당연하지."

과타르치와 호세와의 대화다. 이것을 녹음한 것이다.

고개를 든 파블로가 세실리아를 보았다. 그러나 곧 입을 다물고 녹음을 듣는다. 곧 둘이 이야기를 주고받다가 과타르치의 말이 이어졌다.

"우리는 용병을 관리했던 세실리아의 권한을 축소시키는 거다. 이 기회에 세실리아 주변을 소탕하는 것이지. 그것이 마르코 측에 휴전의 신호로 보이는 거다."

과타르치의 말이 이어진다.

"그래서 내가 이번 헨리의 수송대 기습을 승인한 거야."

다시 호세가 침묵했고 과타르치의 말이 다시 울렸다.

"기습이 성공하건 실패하건 이것을 계기로 세실리아를 제거하는 거야."

그때 세실리아가 녹음기의 버튼을 누르고 나서 고개를 들었다. 파블로를 응시하는 두 눈이 흐려져 있다.

"파블로."

세실리아의 목소리가 떨렸기 때문에 파블로는 숨을 들이켰다. 그러나 말을 뱉지는 못했다. 세실리아가 말을 이었다.

"내가 이렇게 당해야 될까?"

파블로는 외면했다. 얼굴이 굳어 있다.

모코아 근처의 골짜기에 박혀있는 체르넨코와 모튼은 병력 350명을 보유하고 있다. 공장과 창고 규모가 컸기 때문이다. 그러나 도시와는 멀리 떨어져 있는데다 시설이 교도소 수준이어서 체르넨코와 모튼은 오늘도 고원으로 사냥을 나갔다가 돌아왔다.

그렇게 전임 소장도 일주일에 다섯 번은 사냥을 다녔다는 것이다. 공장의 근로자는 마을 주민으로 1천여 명, 주민 수 1만 5천 명의 마을을 공장이 먹여 살리는 셈이다.

"모튼, 네 숙소에 있는 여자, 어디서 데려왔지?"

체르넨코의 숙소 안. 사냥에서 잡은 멧돼지 고기를 안주로 술을 마시면서 체르넨코가 물었다.

"젠장, 들켰군."

한 모금에 술을 삼킨 체르넨코가 쓴웃음을 지었다.

"내가 데려온 게 아냐. 몬테스가 마을에서 데려왔어."

"무슨 말이냐?"

"과부로 사는 여자야. 그래서 하룻밤 50불 주기로 하고 데려온 거야."

"그런 여자들이 많아?"

"경비대 조장 놈들도 다 그렇게 한다는군. 나도 며칠 전에야 알았어."

"그렇군."

"몬테스한테 말해서 너한테도 보내줄까? 서너 명 데려와서 고르면 돼."

몬테스는 숙소 관리 책임자로 조장 급이다. 체르넨코가 장악하는 병력도 군대식이어서 조장은 10여 명, 소대장 급인 것이다. 그때 체르넨코가 말했다.

201

"세실리아하고 호세 간 후계자 전쟁이 일어날 거야, 모튼."

모튼의 시선을 받은 체르넨코가 주위를 둘러보았다. 방 안에는 둘뿐이다.

"이곳에도 호세와 세실리아의 정보원들이 우리를 염탐하고 있어."

모튼이 목소리를 낮췄다.

"당분간 나도 너처럼 여자하고 동거나 해야겠다."

모튼도 수전산전 다 겪은 용병이다. 잠자코 고개만 끄덕였다.

"뭐라고요?"

핸드폰을 귀에 붙인 헨리가 되물었다.

"보류하라구요?"

그때 수화기에서 세실리아의 목소리가 울렸다.

"정보가 샜어요. 그러니까 당분간 보류하세요."

"알겠습니다."

정보가 샜다는 데는 어쩔 수가 없다. 핸드폰을 귀에서 뗀 헨리가 옆에 선 후스토를 보았다.

"보류다. 정보가 샜단다."

"빌어먹을."

투덜거린 후스토가 벽시계를 보았다.

오전 10시.

막 출동 준비를 하려던 참이었다.

그 시간에 지노는 보고타 외곽의 주택가에 위치한 안가에 와 있었다. 마르코가 떠나고 나서 곧 보고타로 날아온 것인데, 잠행이다.

마르코도 모르게 입국한 것이다. 응접실의 앞쪽에 앉은 사내는 마구로다. 지노와 함께 온 것이다.

"페레이라에는 12시까지 도착할 겁니다. 준비는 다 되었습니다."

마구로가 말을 이었다.

"비행기도 대기시켜 놓았습니다."

마구로가 인솔해온 대원은 모두 24명. 이번 작전은 지노가 지휘할 작정이다.

"뭐? 작전이 보류되었어?"

과타르치가 이맛살을 찌푸렸다.

"무슨 일이냐?"

"정보가 새었어요."

"저런, 그럼 안 되지."

과타르치가 혀를 찼다.

"어디서 샌 건데?"

"준비 과정에서 발각된 것 같습니다. 19농장에서 수송로를 변경시키고 함정을 파려는 움직임이 보였습니다."

"좋아. 다음 기회로 하지."

"놈들이 기세를 몰아서 보복 공격을 할지도 모르겠어요."

"대비를 해."

"경비를 강화시키겠습니다."

"내가 호세를 시켜 둘러보게 할 테니까."

"네, 아버지."

통화가 끝났을 때 과타르치가 쓴웃음을 띤 얼굴로 호세를 보았다.

"전쟁이 잠깐 보류된 것 같다."

호세가 고개를 끄덕였다. 세실리아의 지위 박탈도 당분간 보류된 것이나 같다.

파블로가 세실리아를 보았다. 이곳은 보고타의 안가 안.

오전 11시 반.

둘은 보고타로 옮겨와 있는 것이다.

"세실리아, 사만타 식으로는 안 돼."

파블로는 방금 세실리아와 과타르치와의 통화를 옆에서 들은 것이다. 세실리아가 쓴웃음을 지었다.

"그렇게는 안 해요, 파블로."

"그리고 마르코와 우리 보스는 달라, 세실리아. 알고 있지?"

"알아요, 파블로."

세실리아가 말을 이었다.

"그리고 나도 사만타가 아녜요, 파블로."

"거기에다 또 있어."

파블로가 정색했다.

"사만타는 지노라는 배경이 있어. 헨리 오스만이 지노 역할은 못 해."

응접실에 잠깐 정적이 덮였다. 그때 파블로가 다시 말을 이었다.

"난 너하고 같이 갈 거야, 세실리아. 그건 확실해. 호세는 심약해서 보스로는 맞지 않아."

"……."

"보스는 호세를 편애하고 있어. 너무 애지중지하는 바람에 온실 속의 꽃이 되었지만 말야."

파블로가 길게 숨을 뱉었다.

"과격한 방법은 안 돼, 세실리아. 자연스럽게 승계되는 방법을 생각해보자."

세실리아가 고개를 끄덕였다.

"기다릴게요."

안가는 2층 콘크리트 건물로 주택가 끝 쪽 구릉 위에 서 있다. 숲에 둘러싸여서 밖에서는 보이지 않았고 도로에서 샛길로 2백 미터쯤 올라가야 한다.

오후 10시.

샛길이 내려다보이는 숲속. 이곳에서는 안가가 보이지 않는다. 안가는 우측으로 3백 미터쯤 떨어져 있다. 마구로가 옆에 선 지노를 보았다.

"배치 끝났습니다, 보스."

"전진."

지노가 말하자 마구로가 무전기를 입에 붙였다.

"전진."

숲속에서 바스락거리는 소리가 울렸다. 숲을 헤치고 나가는 것이다.

안가는 본채와 좌우로 벌려 세워진 부속채 2채로 구성되었다. 본채는 150평 규모로 식당과 응접실, 방이 6개였고 부속채는 각각 방이 7개다. 상주 인원은 38명. 모두 경비 병력이다.

안가는 겉으로 '요양시설'로 위장되었지만 안가 본채의 지하실이 과타르치 조직의 '금고'다. 지휘부에서는 '제3금고'로 부르는 곳이다.

오후 10시 반.

응접실에 앉아있던 산토스가 주방 쪽에 대고 소리쳤다.

"아키토! 술 가져와라!"

산토스는 술고래다. 그러나 술 먹고 실수한 적도 없고 충성심이 강해서 과타르치의 신임을 받는다. 아키토가 위스키 병을 들고 와 앞쪽 탁자에 놓았다.

"대장, 내일 자금 출고시킬 건데 준비를 해야 될 것 아뇨?"

"야, 밤 10시야. 아직 시간 많아."

술병을 든 산토스가 소리쳤다. 산토스는 42세. 20살 때부터 과타르치 행동대가 되었다가 측근 경호원으로 10년을 보냈다.

내일 밤, 과타르치의 명령으로 지하실에 쌓아놓은 달러 3천만 불을 인출해 가는 것이다.

"밖에 경비는 4명입니다."

마구로가 지노에게 보고했다.

"좌우에 두 명씩."

지노는 우측의 경비병 둘을 보았다. 담장에서 50미터쯤 떨어진 숲에 참호처럼 만든 초소에서 담배를 피우고 있다. 지노와의 거리는 110미터 정도. 그때 지노가 쥐고 있던 드라구노프를 들었다.

"내가 바깥 경비를 처치하지."

숲속에 둘러선 부하들이 긴장했다.

지금 지노는 20명을 이끌고 안가 좌우에서 접근하는 중이다. 이미 샛길 좌우로 벌려 서서 숲 안으로 1백 미터쯤 전진해 들어온 상태. 체르넨코로부터 안가의 위치는 물론 지형, 초소 위치, 병력, 건물 구조와 경계 상태까지 전해 받은 지노다.

지노가 나뭇가지 사이에 드라구노프를 걸치고는 앞쪽을 겨눴다. 나무에 가려 있어서 나뭇잎 사이로 담배를 피우는 사내의 얼굴이 드러났다가 지워졌다. 편하게 기대앉은 둘은 웃음 띤 얼굴로 이야기 중이다.

모두 숨을 죽였을 때다.

"퍽, 퍽."

1초 간격으로 두 발의 둔탁한 발사음이 울렸다. 그 순간 얼굴이 부서진 둘이 시야에서 사라졌다.

산토스가 술을 다섯 잔쯤 마셨을 때다.

"타타타타탕."

갑자기 마당에서 총성이 울렸기 때문에 산토스는 벌떡 일어섰다.

"뭐야?"

그때 앞에 앉아있던 아키토가 몸을 돌려 현관으로 달려 나갔다.

"타타타타타탕."

이번에는 밖에서 여러 정의 총성이 울렸기 때문에 산토스는 벽에 기대어 놓은 AK-47을 집어 들었다. 습격이다.

"타타탕."

그때 유리창이 깨지면서 집 안으로 파편이 튀었다. 산토스는 저도 모르게 응접실에 엎드렸다. 그때다.

"꽈꽝!"

응접실에서 대폭발이 일어났다. 수류탄이 터진 것이다. 수류탄 폭풍에 휘말린 산토스의 몸이 벽에 부딪쳤다.

"꽈꽝!"

다시 또 한 발의 수류탄이 터지면서 벽이 무너졌다.

10분 후.

기습을 받은 안가의 병력은 전멸했다. 부상자가 10여 명이 발생했지만 총성이 뚝 그쳤고 본채의 화재도 진압되었다. 무너진 본채 안으로 들어선 지노가 벽에 붙어 쓰러진 안가 경비대장 산토스의 시체를 확인했다.

"자, 서둘러라!"

지노가 소리쳤다. 이제 지하실에 쌓아놓은 비자금 운반이 남아있다.

20분 후 숲속의 안가에서 7대의 차량이 달려 나와 도로로 들어섰다.

깊은 밤.

도로에 차량 통행이 드물었기 때문에 차량들은 속력을 내었다.

과타르치가 보고를 받았을 때는 오전 12시 15분.

보고자는 세실리아다. 비자금 안가 관리는 세실리아인 것이다. 저택 침실에서 전화를 받은 과타르치는 자다가 깼다.

"안가가 습격을 받았어요."

세실리아가 그렇게 보고했을 때 과타르치는 잘못 알아들었다. '습격을 했다'는 것으로 들었다. 오후에 19농장의 수송대를 기습하려고 했기 때문인 것 같다.

"뭐라고? 언제 습격했는데?"

그래서 그렇게 물었을 때 세실리아가 말을 이었다.

"제3안가가 기습을 받았습니다."

"뭐? 3안가?"

정신이 번쩍 든 과타르치가 버럭 소리쳤다. 제3안가에는 비자금 5억 5천만 불이 현찰로 쌓여 있다. 그때 세실리아가 대답했다.

"네. 경비대가 당했습니다. 그리고……."

과타르치가 어금니를 물었을 때 세실리아가 말을 이었다.

"비자금 대부분을 강탈당했어요. 남아있는 건 5천만 불 정도입니다."

"누구 소행이야?"

페르난도가 묻자 사만타는 고개를 들었다. 눈이 흐려져 있다.

"우리는 움직이지 않았어요."

"그럼 누구란 말인가? 아키토스 조직?"

아키토스는 신흥 조직으로 농장 3개를 운영하지만 조직원이 난폭하고 흉악하다. 잔인한 테러로 두각을 나타내고 있기 때문에 경찰이 소탕 중이다.

"아직 모르겠어요. 그러니까 알아보세요."

사만타가 말을 이었다.

"과타르치가 우리 소행으로 오해할 수도 있으니까 미리 연락해두는 것이 낫겠죠."

"알았어. 바로 연락하지."

페르난도가 쓴웃음을 지었다.

오전 1시 반.

지금 페르난도는 메데인의 저택에서 전화를 받는 것이다. 마르코는 술에 취해서 자고 있었기 때문에 사만타는 페르난도와 상의하는 중이다.

"내가 파블로한테 연락할 테니까 사만타, 너는 세실리아한테 말해주는 것이 어때?"

"그래야겠네요."

사만타의 눈에 초점이 잡혀졌다.

"비자금을 몽땅 털렸다는데 아마 난리가 났을 것 같네요."

"이것으로 나한테 책임을 물을 것 같은데, 파블로."

세실리아가 파블로를 보았다.

"헨리의 습격을 기회로 삼아서 내 힘을 빼려고 했던 아버지가 바로 기회를 잡은 셈이 될 테니까요."

"세실리아."

파블로가 세실리아의 시선을 맞받았다.

"우선 이 사건부터 해결하자."

"아니. 아버지는 날이 밝으면 내 직책부터 박탈할 것 같아요, 파블로."

"설마 그러려고? 누가 했는지도 아직 분명히 밝혀지지 않았는데."

"파블로, 내가 지금 페레이라로 갈 테니까 당신은 수습하는 걸 맡아줘요."

"세실리아, 어떻게 할 거냐?"

"아버지와 호세를 연금시켜 놓겠어요."

"연금?"

"가둬놓겠다는 말이죠."

"그게 가능할 것 같아?"

"경호실장 아우렐로는 이미 내 수족이나 같아요. 알죠?"

파블로는 숨을 들이켰다가 소리죽여 뱉었다.

그렇다. 아우렐로는 과타르치의 서자로 호세보다도 연상이다. 그러나 서자라는 이유로 소외되었다가 세실리아의 추천으로 경호실장이 된 것이다. 과타르치의 측근 경호는 아우렐로가 맡고 있다.

"세실리아, 피를 흘리면 안 된다."

파블로가 당부했다.

"피를 흘리면 역효과가 난다."

그때 전화벨이 울렸기 때문에 파블로가 전화기를 들었다.

"아, 페르난도."

응답한 파블로가 힐끗 세실리아를 보더니 말을 이었다.

"갑자기 웬일이야?"

오전 1시가 되어가고 있다.

사만타의 전화가 왔을 때는 그로부터 10분쯤 후다. 방금 파블로와 페르난도와의 통화 내역을 전해들은 세실리아는 사만타의 전화를 받는 순간 내용을 예상하고 있었다.

"세실리아, 이건 우리 소행이 아냐."

사만타가 바로 말했을 때 세실리아의 눈빛이 강해졌다.

"방금 파블로한테서도 이야기 들었어. 페르난도가 연락했더군."

세실리아가 말을 이었다.

"사만타, 네가 날 도와줘야겠어."

"무슨 일인데?"

"이번 안가 기습 사건은 곧 누구 소행인지 드러나겠지만 네가 마르코 가문의 대표로 날 만나야겠어."

"그러지."

"빠른 시일 안에 보자."

"좋아, 세실리아."

사만타가 선선히 대답했다.

"시간, 장소만 정해."

지노가 키토로 돌아왔을 때는 오전 9시 반경이다.

차에 싣고 온 현금 자루는 3백 자루가 넘었기 때문에 마구로는 부에나벤투라 항으로 싣고 간 후에 배로 운반해 오는 중이다. 지노는 비행기로 돌아온 것이다.

"오후 2시에 에스메랄다스 항에 도착할 예정입니다."

응접실에 앉아있는 지노에게 호타크가 보고했다.

"배는 지금 에콰도르 영해로 들어와 있습니다, 보스."

지노가 고개만 끄덕였고 호타크가 말을 이었다.

"경찰총장이 경찰 순시선을 보내 호위해 오고 있습니다."

화물선에는 현금 5억 불이 실려 있는 것이다.

응접실로 들어선 세실리아가 소파에 앉아있는 과타르치와 호세를 번갈아 보았다. 둘은 시선만 주었을 뿐 입을 열지는 않는다.

오전 9시 반.

응접실 분위기는 무겁다. 어젯밤의 안가 기습 사건은 과타르치 조직에게 치명적이다. 조직이 술렁거리고 있는 것이다. 그래서 과타르치는 11시에 저택에서 간부회의를 소집한 상태다. 세실리아가 앞쪽에 앉았을 때 호세가 물었다.

"파블로는?"

"11시에 도착한다고 했습니다."

세실리아가 둘을 번갈아 보았다.

"지금 현장에서 수습하고 있습니다."

안가의 사상자를 경찰 관계자와 함께 수습하고 있는 것이다. 세실리아가 말을 이었다.

"지하실의 금고에 보관되었던 현금 중에서 5억 불이 강탈당했습니다. 창고에 약 5천만 불이 남아 있습니다."

"……"

"경찰 관계자한테는 현금 강탈 내용을 말하지 않았습니다. 경찰도 언급하지 않기로 했구요."

그때 과타르치가 고개를 들었다.

"그런데, 세실리아."

"예, 아버지."

"내가 파블로한테는 따로 이야기하겠는데."

과타르치가 지그시 세실리아를 보았다.

"세실리아, 네가 지금부터 용병 관리, 경비대 관련 업무에서 손을 떼어야 겠다."

"……"

"지금 업무만 맡도록 해라."

"……"

"앞으로 호세가 직접 관리하게 될 거다. 알았느냐?"

"네, 아버지."

고개를 끄덕인 세실리아가 자리에서 일어서더니 뒤쪽에 서 있는 경호원에게 말했다.

"아우렐로를 불러."

그때 경비원이 서둘러 계단을 내려가더니 10초도 안 되어서 계단 위로 사내들의 머리가 쑥쑥 올라왔다. 그 앞쪽에 아우렐로가 다가오고 있다.

다가온 아우렐로는 과타르치와 호세에게 시선도 주지 않았다. 아우렐로가 세실리아에게 물었다.

"세실리아 님, 불렀습니까?"

"응, 체포해."

세실리아가 말했을 때다. 아우렐로가 성큼 호세 쪽으로 다가가면서 뒤에서 부하들에게 소리쳤다.

"잡아!"

그때다. 10여 명의 부하들이 일제히 과타르치와 호세를 향해 달려들었다.

"아앗!"

놀란 호세가 비명을 질렀다. 사내들은 나일론 끈까지 준비해 왔기 때문에 묶기 시작한 것이다. 그러나 과타르치는 눈을 치켜뜬 채 입을 열지는 않았다.

"이 자식들아! 놔!"

다시 호세가 고함을 쳤다.

"반란이다! 이놈들을 죽여라!"

몸부림을 치면서 호세가 고래고래 소리쳤다. 그러나 과타르치는 세실리아를 노려보기만 한다.

"가리발디! 후앙! 마리온!……."

호세가 외치다가 곧 테이프가 입에 붙여지는 바람에 뚝 그쳤다. 그때 과타르치가 신음처럼 말했다.

"세실리아, 이년."

"아버지, 어쩔 수가 없었어요."

세실리아가 과타르치 뒤에 선 사내들에게 눈짓을 했다. 막 과타르치의 입에 테이프를 붙이려던 부하들이 주춤했고 세실리아가 말을 이었다.

"호세한테 가문을 맡기는 건 아버지의 판단력이 흐려졌다는 증거예요."

"이 패륜아 같은 년. 아버지와 오빠를 죽이고 가문을 차지하다니."

"죽이지는 않을 테니까 걱정 마세요, 아버지."

세실리아의 눈짓을 받은 부하들이 과타르치의 입에 테이프를 붙였다. 그때 세실리아가 아우렐로에게 말했다.

"둘은 지하 술 창고에 감금시키고 경비를 철저히 해."

"알았어요, 세실리아."

오빠지만 아우렐로가 고분고분 대답했다.

10시.

간부회의에 참석하려고 페레이라의 저택으로 달려오던 간부들은 세실리아와 파블로의 연락을 받고 돌아갔다. 그러나 헨리 오스만이 지휘하는 용병들은 모였다. 용병대만 제외시킨 것이다. 세실리아가 저택 2층의 회의실에 모인 용병대를 둘러보며 말했다.

"앞으로 용병대의 최고 지휘자는 나요. 그것을 명심하도록."

모두의 시선을 받은 세실리아가 말을 이었다.

"내가 가문의 최고 지휘관이란 말입니다."

"알겠습니다."

헨리가 바로 대답했다.

"용병대는 세실리아 씨에게 충성을 다하겠습니다."

"앞으로 나하고 파블로가 과타르치 가문을 이끌어 갈 겁니다."

세실리아가 용병대 앞에서 처음으로 가문의 변혁을 드러내었다. 이제는 용병대 모두 사태의 윤곽을 짐작하고 표정이 굳어졌다. 그때 먼저 헨리가 고개를 끄덕이며 말했다.

"알겠습니다, 세실리아 보스."

"뭐? 간부회의가 취소되었어?"

체르넨코가 경비대장에게 물었다.

"예, 가다가 연락을 받고 돌아온 겁니다."

공장 경비대장이 시큰둥한 표정으로 대답했다.

오전 10시 반.

공장의 총지배인실 안. 어젯밤의 안가 피습 사건으로 비상이 걸린 가문 분위기는 뒤숭숭하다. 이곳 벽지의 공장도 마찬가지다. 수십 명이 죽고 수억 불이 털렸다는 소문이 이미 전 조직원에게 퍼진 상황이다.

그래서 긴급하게 간부회의가 소집되었는데 이게 무슨 일인가? 간부회의가 취소되고 모두 각 근무지로 복귀하라니.

체르넨코와 모튼은 '간부급'에 속하지만 이번 모임에 호출되지 않았다. 헨리 오스만 용병대가 오면서 소외된 신세인 것이다. 그래서 경비대장만 불려갔고 체르넨코는 공장을 지키고 있던 중이었다. 그때 경비대장이 말했다.

"소문이 났습니다, 체르넨코 씨."

"뭔데?"

"세실리아가 가문을 접수했다는 겁니다."

체르넨코와 모튼은 시선만 주었고 경비대장이 말을 이었다.

"저택에 도착한 간부들이 소문을 낸 겁니다. 저택에서 보스와 호세를 보지 못했다는군요."

"세실리아가 아버지하고 오빠를 죽였단 말인가?"

"배다른 오빠 아우렐로가 저택 경비대장으로 세실리아의 심복입니다."

"그래서 루타스, 자네는 어때?"

체르넨코가 정색하고 경비대장을 보았다.

"세실리아가 권력을 쥐었다면 심복할 건가?"

"할 수 없죠. 세실리아가 남았다면 세실리아 세상이 되는 겁니다, 여긴 과타르치 가문이니까요."

"그렇군."

"파블로가, 또는 다른 이름이 과타르치 가문을 지배할 수는 없지요."

체르넨코가 고개를 끄덕였다.

경비대장 루타스가 방을 나갔을 때 체르넨코가 모튼을 보았다.

"안가의 금고가 털린 것이 부녀간 권력 투쟁으로 발전된 것인가?"

"그런 것 같은데."

216

모튼이 쓴웃음을 지었다.

"지노가 무난하게 금고 한 개를 털었구만."

체르넨코가 지노에게 자료를 건네준 것을 모튼도 알고 있는 것이다. 그때 체르넨코가 말을 이었다.

"이젠 누가 권력을 잡아도 우리하고는 상관이 없어. 우리는 이미 떠난 몸이야."

"지저스."

지노의 말을 들은 마이클 우드워드가 탄성을 뱉었다. 이곳은 키토의 에메랄드 호텔 라운지 안. 지노와 마이클이 마주 보고 앉아있다. 방금 지노는 과타르치의 안가 금고를 강탈해 온 작전을 말해준 것이다.

오후 2시 반.

마이클은 지노의 연락을 받고 비행기를 전세 내어 날아왔다. 마이클이 말을 이었다.

"지금 페레이라에서 난리가 났어. 그걸 네가 저지르다니."

"내가 직접 간 거야."

"마이 갓. 거긴 현금이 쌓여있을 텐데 트럭으로 실어 날랐겠군."

"차 7대에 실었어."

"미치게 만드는군. 모두 얼마야?"

"5억 불쯤 될 거야."

"지저스. 지금 어디 있는데?"

"이곳."

"키토?"

"다 싣고 왔어."

"구경 좀 할 수 없나?"

"내가 그것 때문에 널 보자고 한 건데."

"나눠주려고?"

"너한테의 수수료는 내가 개인적으로 떼어주기로 하지."

"수수료라니? 무슨 일인데?"

"이 돈을 반출해야겠는데 네 도움이 필요해."

"그렇군."

마이클이 고개를 끄덕였다.

"그 돈을 콜롬비아나 에콰도르의 창고에 쌓아두면 가치가 없어지지, 이곳에서만 겨우 사용할 수밖에 없으니까."

"CIA에서 처리해줘."

"수수료를 좀 떼어야 할 거야, CIA 자금으로 입금시킬 테니까."

정색한 마이클이 말을 이었다.

"우리가 거부할 이유가 없지, 지노."

"그럼, 됐다."

"도대체 과타르치의 금고로 사용되는 안가 위치는 어떻게 알게 된 거야?"

"정보원이 있어."

"그나저나 여기 오면서 들었는데……."

눈썹을 모은 마이클이 말을 이었다.

"페레이라의 저택에서 쿠데타가 일어난 것 같아, 지노."

"쿠데타라니?"

"오늘 오전 11시에 간부회의가 소집되었다가 갑자기 취소되었어."

"……."

"안가가 강탈당하고 30명 가까운 경비병이 살상당한 대사건이 일어나 전체

218

간부회의가 소집됐다가 취소되었단 말야."

"......."

"저택에 과타르치와 호세는 보이지 않고 세실리아가 혼자서 간부들을 돌려보냈다는 거야."

"......."

"과타르치 경호대장은 아우렐로라는 배다른 오빠 놈인데 세실리아의 심복이라는군."

그때 지노가 고개를 들었다.

"마이클, 먼저 이 돈 처리부터 해."

돌아오는 차 안이다. 핸드폰이 울렸기 때문에 지노가 들고 보았다. 페르난도다. 지노가 핸드폰을 귀에 붙였다.

"아, 페르난도."

"지노, 별일 없지?"

"아, 그럼. 그런데 웬일이오?"

"여긴 난리가 났어. 페레이라에 있는 과타르치의 안가가 습격을 받았어. 30명 가깝게 죽었어."

"여기서도 뉴스가 나왔어, 페르난도. 매시간 보도되고 있어요."

"우리 소행이 아니라고 나도 직접 파블로한테 전화를 했고 사만타도 세실리아한테 연락했어."

"그럼 누구 소행이오?"

"그걸 내가 아나?"

페르난도가 혀 차는 소리를 냈다.

"아키토스 패거리의 짓인지도 모르지."

"조무래기들이라던데 그런 큰 짓을 벌일 수 있을까?"

"그럴 수도 있지."

"보스가 여기 다녀간 이야기 들으려고 전화한 것 아닌가요?"

"맞아, 지노."

"당신은 나이가 들어서 가끔 이야기 주제를 잊어버리는 모양이군."

"보스하고 무슨 이야기 했나?"

"사만타가 블라드를 제거한 것에 충격을 많이 받았다고 하시더군."

페르난도는 입을 다물었고 지노가 말을 이었다.

"내가 사만타 옆에 있어주는 조건으로 사만타를 받아들인다고 했어요."

"그럴 줄 알았어."

페르난도가 가라앉은 목소리로 말했다.

"너한테 확인하고 싶었던 거야, 지노."

5장 밤의 대통령

오후 7시 반.

지노는 올리비아와 저녁을 먹고 있다.

이곳은 엘 에히도 공원 근처의 양식당 '산디아고'다. 공원이 보이는 창가의 자리에 앉아 송아지와 거위, 매운 소스를 친 인디오식 양고기를 맛보고 있다. 모두 올리비아가 좋아하는 요리로만 시킨 것이다. 거기에다 포도주까지 곁들여서 성찬이다.

올리비아는 얌전빼지 않고 잘 먹는다. 오늘 음식 값이 제 월급의 2배라고 하면서도 이제는 주눅 들지도 않는다. 그것을 보면 지노도 뿌듯해지는 것이다. 그때 양고기를 삼킨 올리비아가 포크를 든 채 지노를 보았다. 얼굴이 조금 상기되었고 눈빛이 맑고 강하다.

"지노, 내 남동생이 여행사에 다닌다고 했죠?"

"그래, 들었어."

올리비아는 동생이 다섯이다. 그중 바로 밑 동생이 22살, 작년에 전문대학을 졸업하고 여행사에 취직했다고 들었다. 올리비아가 말을 이었다.

"남동생이 운전면허증이 있어서 여행사 승합차를 운전하게 되었어요. 물론 운전사가 셋이라 교대로 운전을 하지만."

"잘되었구나."

"운전을 하면 수당이 나오니까 월급이 더 많아지는 거죠."

올리비아가 지노의 잔에 포도주를 따라주었다.

"그런데 헤수스가 제 여자 친구하고 결혼을 한대요."

"벌써?"

"스물둘에 결혼하는 건 보통이에요."

"그런가?"

"우리 엄마도 날 스물셋에 낳았어요."

지노가 송아지 스테이크를 썰다가 올리비아를 보았다. 올리비아가 웃고 있다. 얼굴이 환하다.

"올리비아, 열심히 사는 걸 보니까 기쁘다."

포도주 잔을 든 지노가 말을 이었다.

"너도, 네 가족도 모두 열심히 사는구나."

올리비아가 불빛을 받아 반짝이는 눈으로 지노를 보았다. 순간 지노의 가슴이 먹먹해졌다. 다시 카밀라의 얼굴이 겹쳐졌기 때문이다. 가슴이 무너지는 느낌이 들면서 온몸의 기력이 빠져나갔다. 카밀라가 그리웠기 때문이 아니다.

어느덧 지노의 눈이 흐려졌다. 카밀라를 잊고 있었던 것이다. 반년이 안 되었는데도 잊고 있다니. 미안한 감정이 북받쳐 왔기 때문이다.

"지노, 왜요?"

지노를 본 올리비아가 눈을 둥그렇게 떴다.

"아니, 술이 좀 약한 것 같아서."

말머리를 돌린 지노가 손을 들어 종업원을 불렀다. 종업원이 서둘러 다가왔을 때 지노가 위스키를 시켰다. 식당 안에는 손님이 4 테이블뿐이다. 그중 한 테이블에 앉은 네 사내가 지노의 경호원이다. 그것을 올리비아는 모른다.

"지노, 술 마셔도 괜찮아요?"

올리비아가 정색하고 지노를 보았다.

"응, 괜찮아. 오늘은 마시고 싶다."

"그럼 술 취하기 전에 이것."

올리비아가 가방에서 작은 상자를 꺼내더니 지노에게 내밀었다.

"뭐야?"

상자를 받은 지노가 묻자 올리비아가 수줍게 웃었다.

"열어봐요, 지노."

지노가 종이상자를 열고 나서 숨을 들이켰다. 반지가 들어있다. 금반지다. 가는 반지였지만 불빛에 반짝이고 있다. 반지를 꺼낸 지노가 손가락에 끼웠다. 반지는 세 번째 손가락에 딱 맞았다.

"딱 맞는군. 고맙다, 올리비아."

"정말요?"

올리비아가 활짝 웃었다.

"좋아요? 지노?"

"그래, 좋구나. 마음에 들어."

지노가 웃음 띤 얼굴로 올리비아를 보았다.

"비쌀 텐데. 너 무리한 것 아냐?"

"당신이 나한테 해준 것의 1천분의 아니, 1만분의 1도 못 돼요, 지노."

"아니, 그래도. 내 반지 사려고 네 월급 다 쓴 거 아냐?"

올리비아의 월급은 150불 정도다. 이 반지는 두 달분 월급 값어치는 된다. 올리비아의 얼굴이 빨개졌다.

"지노, 내 마음을 담은 선물이에요."

"고맙다. 받을게."

지노가 손을 펴서 손가락에 끼워진 반지를 보았다. 어느새 종업원이 위스키 병을 놓고 갔지만 술을 따르는 것도 잊었다.

그렇다. 카밀라 후세인. 너를 잊으려고 할수록 더 나타나는 구나, 카밀라.

술병을 쥐면서 지노가 올리비아를 응시했다. 카밀라, 네가 올리비아의 얼굴로 나타났느냐?

사만타와 세실리아의 회동.

장소는 메데인의 크리스탈 호텔 라운지. 10층 라운지의 밀실에서 둘이 마주 보고 앉아있다.

오후 4시 반.

세실리아가 메데인으로 온 것이다. 간단히 인사를 나눈 둘의 얼굴은 약간의 웃음기를 띠고 있다. 라운지 창밖으로 메데인 시가지가 보인다. 그때 세실리아가 입을 열었다.

"사만타, 나도 페레이라에서 쿠데타를 일으켰어."

사만타는 시선만 주었고 세실리아가 말을 이었다.

"아버지하고 호세를 연금시켰어. 저택에 감금시킨 거야."

"그런데 여기까지 달려온 거야?"

눈을 가늘게 뜬 사만타가 물었다.

"그래도 괜찮아?"

"내가 병력도 장악하고 있어."

"파블로는?"

"물론이지. 날 밀어주기로 했어."

"대단하네."

"내가 너를 모델로 삼은 거지."

"내 핑계를 대네."

사만타가 코웃음을 쳤다.

"난 목숨을 걸었어."

"나도 마찬가지야."

정색한 세실리아가 말을 이었다.

"조직이 이런 식으로 운영되면 안 돼, 사만타. 그래서 널 만나자고 한 거야."

"말해."

"당분간 평화협정을 맺자구. 당분간 각자의 기반을 굳히자는 말이야."

"……."

"이번에 페레이라의 안가가 습격을 받아서 금고를 약탈당했어."

"그건 우리 소행이 아냐."

"일단 그것도 접어두겠어."

세실리아가 번들거리는 눈으로 사만타를 보았다.

"어때? 네가 인정해주면 서로의 입지를 굳힐 시간을 벌 수가 있어."

"그래."

마침내 사만타가 고개를 끄덕였다.

"너하고 공개 석상에서 회동을 하지."

"그러자구."

세실리아의 얼굴에 웃음이 떠올랐다.

"준비를 하자."

"입금시켰어."

마이클 우드워드가 지노에게 쪽지를 내밀면서 말했다.

"10퍼센트를 제외한 4억 4천만 불을 5개 은행에 입금시킨 자료야. 확인해봐."

쪽지를 받은 지노가 고개를 끄덕였다. 지노한테서 현금을 받은 마이클이 은행에 입금시킨 것이다. CIA의 라인을 이용해서 거침없이 진행시켰다.

오후 6시 반.

이곳은 키토의 바비스 호텔 라운지 안. 텅 빈 라운지에는 둘뿐이다. 바비스 호텔은 파사테의 소유였다가 지노가 접수한 사업장이다. 그때 지노가 마이클을 보았다.

"마이클, 주차장에 트럭을 갖다놓았어."

지노가 마이클에게 자동차 키를 건네주었다.

"트럭에 1천만 불이 실려 있어."

"고맙다, 지노."

"흰색 탑차야. 번호가 B475다."

"내가 남미에 와서 처음으로 보람을 느끼는 날이군."

"다음에 또 부탁할 일이 있어."

"굿."

마이클이 지노에게 상반신을 기울였다.

"또 칠 거야?"

지노가 과타르치의 안가를 습격한 것을 마이클은 알고 있는 것이다. 지노가 고개를 끄덕였다.

"쳐야지."

"마이 갓. 도대체 그 돈을 어떻게 다 쓰려는 거야? 나라라도 사려는 거야?"

"마약 조직한테서 불법자금을 회수하는 거야."

"글쎄, 그 거금으로 뭘 하려고?"

"중동으로 돌아가야지."

"지저스."

눈썹을 추켜세운 마이클이 얼굴을 굳혔다.

"이라크는 망했어, 지노."

226

"국민들은 남아있어."

"그리운 모양이구나."

"할 일이 남아있어."

"여긴 너한테 천국인데."

마이클이 흐린 눈으로 지노를 보았다.

"사만타의 보호자로 밤의 대통령으로 살 수가 있을 텐데."

"돼지처럼 사는 거지."

자리에서 일어선 지노가 마이클을 보았다.

"하지만 내 용병 계약 기간 동안은 이곳에 있을 거다, 마이클."

6개월 남았다.

세실리아와 사만타의 '평화 협상'이 열린 곳은 보고타의 산타페 호텔 라운지다.

마르코와 과타르치 가문의 간부 50여 명이 참석한 회의장은 마치 남미 '정상 회담'을 방불케 했다. 모두 정장 차림인 데다 양측 경호원이 3백여 명이나 되었기 때문이다.

각각 마르코와 과타르치를 대신해서 가문의 간부들을 이끌고 온 사만타와 세실리아다. 참석한 간부들은 양쪽 가문의 보스가 누구인지를 확인한 셈이었다. 세실리아와 사만타는 그것을 노린 것이다.

협상한 내용은 간단하다. 양측은 당분간 서로의 '영역을 존중'하고 '충돌을 방지'하기로 한 것이다. 문서로 작성하지는 않고 회담장에서 구두로 표현했다.

회담장에서 마주 보고 앉은 세실리아가 사만타에게 말했다.

"이번 우리 안가가 기습을 당한 것은 아직 범인이 밝혀지지 않았으니까 마르코 가문도 함께 수색해주기 바랍니다."

"그러죠."

사만타가 선선히 고개를 끄덕였다.

"우리도 전력을 다해서 범인을 찾겠습니다."

양측 간부들이 모두 경청하고 있다.

'평화 협상'이 열린 것은 처음이다. 마주 보고 앉은 양측 간부들은 새 보스의 새 시대가 왔다는 것을 실감하고 있다. 세실리아와 사만타는 그것을 의식하고 있는 것이다.

그 시간에 메데인의 저택에서 마르코가 지노의 전화를 받는다. 마르코는 저택 3층에서 미인 둘을 좌우에 앉혀놓고 술을 마시는 중이다.

"엇, 지노, 웬일이냐?"

술기운이 섞인 목소리로 마르코가 물었다.

사만타는 '평화 협상'을 한다고 마르코에게 보고는 했다. 그러나 상의는 하지 않았다. '통보'하는 식이었지만 마르코는 신경 쓰지 않았다. 이미 권력에 대한 집착이 무너지고 있었기 때문이다. 그때 지노가 말했다.

"보스, 평화 협상에 가시지 않았군요."

"기집애들의 협상이야."

그러고는 마르코가 소리 내어 웃었다. 옆에 앉은 메스티소 미인의 허리를 감아 안은 마르코가 말을 이었다.

"저쪽에서 과타르치 딸이 나온다는데 내가 갈 수가 있나?"

"그렇군요."

"과타르치가 저택의 감옥에 갇혀 있다는데, 난 그보다 나은 셈이지?"

"글쎄요."

"아니, 호세가 살아있다는데, 그래서 제 애비하고 같이 있다니까 과타르치가 나은 셈인가?"

"보스, 몸은 괜찮으십니까?"

"하루에 위스키 2병은 마셔. 술이 늘었어."

"보스, 상의드릴 일이 있습니다."

그때 마르코가 술잔을 들고 한 모금에 위스키를 삼켰다.

"지노, 무슨 일이냐?"

"내가 과타르치의 안가를 기습해서 돈 자루를 빼냈습니다."

"그렇군."

마르코가 담담한 표정으로 대답했다.

"하나도 놀랍지가 않다, 지노."

"지금 '평화 협정'을 하고 있는 세실리아도 짐작하고 있을 겁니다."

"그렇겠지. 조무래기 아키토스의 짓이라고 헛소문이 퍼졌던데."

"보스, 과타르치의 안가 또 하나를 털 겁니다."

"과타르치의 금고는 3개야. 아직 두 개 남았다, 지노."

마르코의 두 눈이 번들거렸다.

"해라, 지노."

"가져온 금액의 절반은 드리지요, 보스."

"놔둬라, 지노."

"보스, 외국으로 자금을 내보낼 수 있습니다. 루트를 만들어 놓았거든요."

"재주가 좋군."

"보스도 유용하게 쓰실 수 있을 겁니다."

"그렇다면 내 자금도 그렇게 만들어 주는 게 낫겠는데."

"해보지요. 수수료가 좀 듭니다."

"알았다."

술잔을 내려놓은 마르코가 고개를 흔들었다.

"이거 술이 깨는구만."

"술 그만 드시지요, 보스."

"그래. 술 그만 마시고 아들 하나 더 만들어야겠다."

"보스, 다시 연락드리지요."

지노의 목소리가 딱딱하게 이어졌다.

"제 주인은 보스입니다."

통화가 끝났을 때 마르코가 흐려진 눈으로 옆에 앉은 메스티소 미녀를 보았다.

"과연 대통령급 용병이다."

혼잣말처럼 말했지만 미인들은 대답하지 못했다.

헨리 오스만이 페레이라의 안가에 들어섰을 때는 오후 7시 반이다.

헨리는 후스토와 함께 왔는데 직할대 30명을 대동하고 있다. 안가 경비대장 몬세라트가 헨리를 맞았다. 몬세라트는 38세. 과타르치의 처남이다. 메스티소 부인 마리아의 오빠인 것이다. 응접실의 소파에 앉은 헨리가 몬세라트에게 말했다.

"놈들이 한 번으로 끝낼 것 같지가 않아. 이곳 경비도 강화시켜야 돼."

몬세라트가 고개만 끄덕였다.

이곳은 '제2금고'로 불리는 안가다. 2층 저택의 지하실에는 과타르치가 그동안 헤로인을 팔아 모은 달러가 7억 8천만 불이나 쌓여있는 것이다. 그때 헨리가 물었다.

"경비원이 몇 명이야?"

"저까지 포함해서 32명입니다, 헨리 씨."

"앞으로 이곳의 지휘는 후스토가 맡을 거야. 몬세라트 당신은 부지휘관으로 보좌하도록."

"알겠습니다."

"후스토가 데려온 30명하고 60명이면 방어와 공격을 병용할 수 있을 거야."

헨리가 말을 이었다.

"함정을 파놓고 기다리는 거야."

몬세라트가 고개를 끄덕였다. 용병은 전문가다. 전투뿐만 아니라 전술, 전략까지 내놓는 것이 용병인 것이다.

저택을 둘러보고 온 헨리가 지하실 입구에 서서 몬세라트와 후스토를 보았다. 지하실로는 시멘트 계단을 내려가야 하고 3인치 철문이 닫혀 있다. 철문의 열쇠는 몬세라트가 갖고 있는 것이다.

"안가 내막을 알고 있는 건 용병대와 간부들뿐이겠군."

"그렇습니다. 지금 아래쪽에 내려간 체르넨코 씨가 안가 경비도 총괄했지요."

몬세라트가 말을 이었다.

"이중으로 철문을 만든 것, 대문에서 현관까지 장애물을 설치한 것도 체르넨코 씨가 만든 장치입니다."

"……."

"담장 위에 초소를 만든 것도 체르넨코 씨죠."

그때 고개를 든 헨리가 둘을 번갈아 보았다. 눈이 흐려져 있는 것이 생각에 잠긴 것 같다.

마구로는 이제 지노의 심복이 되어있다. 마음으로부터 따르고 있는 것이다.

오후 2시 반.

마구로가 응접실로 들어서자 지노가 물었다.

"네 가족은 데려왔어?"

"예, 보스."

다가선 마구로의 얼굴에 웃음이 떠올랐다.

"감사합니다, 보스."

메데인에 있던 마구로의 가족을 키토로 옮긴 것이다. 지노의 지시로 간부급 부하 중에서 원한다면 키토로 이주시키도록 했다. 호타크는 며칠 전에 가족 10여 명을 데려왔다. 지노가 고개를 끄덕였다.

"여기서 기반을 굳혀야 할 테니까."

"새 가문을 세워야 하니까요."

고개를 든 마구로가 지노를 보았다.

"보스의 가문 말입니다."

"……."

"에콰도르는 우리가 평정했습니다, 보스."

마구로가 자신 있게 말했지만 다 평정한 것은 아니다. 키토와 몇 개 항구를 제외한 지역은 수십 개의 군소 조직이 아직도 장악하고 있는 것이다. 그때 지노가 말했다.

"오후에 호타크와 로렌스, 가브리엘을 불러."

마구로까지 넷이 고위 간부다.

오전 11시에 페르난도가 찾아왔다. 전용기를 타고 날아온 것이다.

마르코 가문이 사만타 체제가 되면서 페르난도의 역할이 더 커졌다. 상왕(上王)으로 남아있는 마르코나 현왕(現王)인 사만타나 모두 페르난도에게 의지하고 있기 때문이다. 응접실에 앉은 페르난도가 지노를 보았다.

"지노, 소문이 났어."

방 안에 둘뿐이었지만 페르난도가 목소리를 낮췄다.

"과타르치의 안가를 기습한 것이 자네라는 소문이야."

"……."

"과타르치 측도 알고 있을 거네."

"……."

"세실리아가 사만타하고 평화협상을 했지만 그냥 넘어가지는 않을 거야."

그때 지노가 고개를 들었다.

"페르난도, 내가 보스한테 말했어."

"응? 언제?"

놀란 페르난도가 눈을 크게 떴다.

"보스도 알고 있단 말야?"

"평화협정을 하던 날, 내가 보스한테 전화로 이야기했다니까, 페르난도."

"이런 젠장. 보스는 알고 있었구만."

"계속 하라고 하던데."

"설마."

페르난도가 눈을 가늘게 뜨고 지노를 보았다.

"그랬을 리가……."

"내가 빼앗아온 돈의 절반을 드리겠다고 했더니 놔두라고 하시더군."

"보스도 돈이 넘치도록 많으니까."

"하지만 돈 욕심이 많은 사람도 있어."

페르난도가 말을 이었다.

"어쨌든 보스가 알면서도 가만있었다는 말이군."

"그런 셈이지."

"사만타한테는 말해줘야겠네."

페르난도가 굳은 얼굴로 지노를 보았다.

"이것으로 다시 전쟁이 일어날지 모르니까 대비를 시켜야지."

지노는 대답하지 않았다. 페르난도는 사만타를 연결시켜주는 유일한 간부인 것이다.

가브리엘은 마르코가 파견한 중개역이다. 중개역은 헤로인을 받아 넘기는 역할인데 가문 안에서 보스의 신임을 받는 간부가 맡는다. 그것은 수송, 판매의 책임을 지는 데다 거금을 관리하기 때문이다.

가브리엘은 44세. 메스티소로 20세 때부터 마르코의 경호원으로 일을 배운 심복이다. 우직한 성품, 장신의 거인이지만 계산이 밝고 헤로인 수송, 판매망에 대해서 훤하다. 응접실에 둘러앉았을 때 가브리엘이 먼저 말했다.

"내일 8백 킬로가 옵니다. 이번 달에는 1천 킬로 예정이었는데 1,500킬로가 되었네요. 하지만 다 소진시킬 수 있습니다."

지노의 시선을 받은 가브리엘이 말을 이었다.

"입금도 제대로 되고 있습니다. 20퍼센트를 떼고 바로 메데인으로 보내고 있습니다."

"맡기겠어."

"현재 수수료가 3천만 불 정도 되었습니다. 이 정도로 나가면 연말에는 수수료로만 1억 3천만 불 정도가 될 것 같습니다."

"가브리엘, 네 가족은 이주해왔나?"

지노가 묻자 가브리엘이 고개를 들었다. 여전히 정색한 얼굴이다.

"예, 처자식은 모두 옮겨왔는데 부모를 모셔오려고 합니다."

"그렇군."

"부모를 따라서 여동생 가족이 오려고 하는 바람에 난처합니다."

옆에 앉은 마구로, 호타크 등이 쓴웃음을 짓고 있었지만 가브리엘은 여전히 정색하고 말을 잇는다.

"매제 놈이 무능력자입니다. 여동생 덕분에 먹고 사는 놈이죠. 할 수 있는 일이라고는 애 만드는 일입니다. 자식이 여섯입니다."

"잘한 거야."

마침내 지노가 입을 열었다. 지노도 정색하고 있다.

"가족이 많은 건 좋은 일이야. 데려오도록 해."

"예, 보스."

고개를 든 지노가 넷을 둘러보았다.

"너희들은 각각 부하들을 거느린 간부야. 그래서 조직 자금을 분배해주겠다."

지노가 마구로를 보았다.

"지난번에 가져온 자금 중 얼마 남아있지?"

"예, 4천만 불이 조금 넘습니다, 보스."

마구로가 바로 대답했다. 고개를 끄덕인 지노가 말을 이었다.

"각각 1천만 불씩 분배해줄 테니까 상의해서 부하들한테도 보너스를 주고 알아서 운영하도록."

그러고는 덧붙였다.

"너희들도 보스 연습을 해야 한다. 물론 부하들에게 당하지 않도록 준비도 해야겠지."

순간 네 쌍의 시선이 흔들렸지만 먼저 정신을 차린 마구로가 대답했다.

"감사합니다, 보스."

"열심히 하겠습니다."

호타크가 이어서 말했고 로렌스는 상기된 얼굴로 말했다.

"잘 쓰겠습니다, 보스."

가브리엘은 입을 열지 않았다. 놀랐기 때문인 것 같다.

응접실을 나왔을 때 넷이 현관 앞에서 다시 모였다. 힐끗 이층을 올려다 본 마구로가 먼저 입을 열었다.

"보스가 떠날 준비를 하시는 것 같다."

"내 생각도 그런데."

호타크가 말을 받았다.

"계약기간이 6개월 남았다고 입버릇처럼 말하는 것도 그래."

"보스의 성격이야."

로렌스가 다른 의견을 내놓았다.

"꼭 떠나려고 자금 분배를 하는 게 아냐. 보스는 돈 욕심이 없어."

목소리를 낮춘 로렌스가 말을 이었다.

"CIA 측에 환전을 맡긴 자금도 국가를 위해 쓰려는 모양이야."

"응? 어느 나란데?"

호타크가 바짝 다가섰다.

"미국?"

지노의 국적이 미국이다. 로렌스가 고개를 저었다.

"그건 모르겠어."

"지저스. 망한 이라크로 돌아가려는 건 아니겠지?"

"어쨌든 계약기간이 끝나면 떠나."

로렌스는 정보 책임자다. 그때 가브리엘이 말했다.

"보스가 떠나면 우리 넷이 이곳을 감당하기 힘들어. 그리고……."

가브리엘이 번들거리는 눈으로 셋을 둘러보았다.

"그때는 사만타 님이 이곳에 와도 수습할 수가 없어. 왜냐하면……."

가브리엘이 말을 그쳤지만 모두 뒷말을 알 수 있었다.

키토는 에콰도르인 것이다. 넷이 거느리는 부하 90퍼센트 이상이 에콰도르 출신이다. 사만타의 약발이 먹히지 않는 것이다. 파사테의 전(全) 조직을 흡수해버린 것은 오직 지노의 영향력 때문이었다. 그때 마구로가 말했다.

"6개월 남았어. 그것이 짧게 보이지만 긴 시간도 돼. 보스가 생각을 바꿀지도 몰라."

오후 6시 반.

키토 저택의 현관에 서 있던 지노 앞으로 승용차가 멈춰 섰다. 어둠이 덮이고 있어서 현관의 등이 켜져 있다. 그때 뒷좌석에서 작업복 차림의 사내가 내렸다. 장신의 백인이다. 지노를 본 사내가 얼굴을 펴고 웃었다.

"지노."

"로간."

지노가 두 팔을 벌려 사내의 어깨를 안았다.

로간이다. 용병 로간이 키토로 날아왔다.

응접실에 들어선 둘이 마주 보고 앉았다. 로간의 얼굴은 상기되었다. 지노와는 반년 만에 만나는 셈이다. 로간이 주위를 둘러보면서 웃었다.

"지노, 여기서 왕이 되었구나."

"이제 여기서 다시 원점으로 돌아갈 거다."

정색한 지노가 말을 이었다.

"반년 남았어."

"계약을 연장하지 그래?"

"미친놈. 난 이미 여기 보스야. 여기서 언제까지 보스로 머물 수 있어."

"젠장. 그럼 주저앉아, 지노."

"로간."

정색한 지노가 로간을 보았다.

"당분간 네가 여기 있어야겠다."

"난 대장의 용병이 되려고 온 것이니까 대장 지시를 받아야겠지. 그런데 연봉은?"

"6개월간 5백만 불."

"반년 고용이군. 오케이."

"오늘 지급하지."

"좋아. 내 업무는?"

"내 대리역. 병력 관리와 지휘."

"이라크에서보다는 낫겠지."

"신경을 더 써야 돼."

정색한 지노가 말을 이었다.

"강도질도 좀 해야 할 것이고."

"강도짓?"

로간이 물었지만 지노는 대답하지 않았다.

사전 포석이다. 6개월 후를 대비해서 조직을 강화시키고 준비하려는 것이다.

지노는 그날 밤, 로간을 간부들에게 소개했다. 로간의 직책은 보스 보좌역이다.

"내 전우다."

지노가 로간을 그렇게 소개했다.

"나보다 뛰어난 용병이야."

오랜만에 지노가 들뜬 표정으로 말을 잇는다.

"에콰도르의 조직을 굳히려고 모신 분이야."

그것이 간부들에게 감명을 준 것 같다. 조직이 강화되어야 기반이 굳어질 테니까.

다음 날 오전.

콜롬비아 남부 모코아시 외곽의 카페 안. 허름한 카페 안에는 손님이 셋뿐이었는데 문 밖에서 얼쩡대던 사내들이 되돌아갔다. 카페 문이 닫혔고 '휴업' 간판이 걸려있기 때문이다. 찾아온 손님들이 투덜거리는 소리가 들린다.

지노가 앞에 앉은 체르넨코와 모튼을 번갈아 보았다.

"계약기간이 두 달 남았지?"

"두 달하고 8일."

체르넨코가 대답했다.

"계약기간 끝난 후에 우리는 회사로 복귀하지 않을 거야."

"잘렸나?"

"이번 계약기간 동안에 근무평가 성적이 나빠서 다른 곳으로 계약될 가능성이 적어진 것도 이유가 되겠지."

"그럼 내가 고용하면 되겠군."

지노가 말하자 둘이 동시에 긴장했다.

"안 돼, 지노."

먼저 체르넨코가 고개를 저었다. 얼굴에 쓴웃음이 번져 있다.

"그렇게 되면 네가 저지른 일들이 내 정보를 받기 때문이라는 것이 드러나."

"비밀 고용이야."

지노가 주머니에서 쪽지를 꺼내 체르넨코에게 내밀었다.

"이것처럼 말야."

체르넨코가 쪽지를 펴보더니 숨을 들이켰다. 1,500만 불이 입금된 은행 내역이다. 한동안 쪽지를 보던 체르넨코가 고개를 끄덕였다.

"이렇게 안 해도 되는데, 지노."

"두 번째 강도짓이 끝난 후에도 다시 인사를 하지."

"어디를 털 건데?"

"제2금고."

"거긴 몬세라트라는 놈이 맡고 있는데 이번에 헨리 오스만의 팀원 후스토가 합세했어. 경비원이 60명이 넘는 데다 함정까지 파 놓았어."

체르넨코가 정색하고 말을 잇는다.

"차라리 대저택의 제1금고를 터는 것이 더 낫겠다, 지노."

"그럴까?"

"자살행위야."

이번에는 모튼이 거들었다.

"금고에서 한 달에 한 번 자금을 인출할 때 허점이 많아. 그때 터는 게 수월해."

"그런가?"

그것은 체르넨코의 자료에 나와 있지 않았기 때문에 지노의 얼굴에 쓴웃음이 떠올랐다.

"모튼이 더 섬세하군, 체르넨코."

"좋아, 지노."

따라 웃은 체르넨코가 고개를 끄덕였다.

"네가 예상 못 한 보너스를 가져왔으니 나도 대가를 주지."

지노가 사만타의 연락을 받았을 때는 오후 6시가 되어갈 무렵이다. 지노가 저택에서 전화를 받는다.

240

"지노, 내일 오후에 갈게요."

사만타가 바로 말했기 때문에 지노가 물었다.

"무슨 일 있어?"

"특별한 일은 없어요. 당신 본 지가 좀 된 것 같아서."

"그런가?"

"그래서 예약을 하는 거죠."

"예약이라니?"

"당신 애인과 약속이 겹치면 안 되니까요."

순간 숨을 들이켠 지노가 어금니를 물었다. 사만타의 목소리에는 웃음기까지 배어 나왔지만 올리비아는 아니다. 그러나 곧 지노가 마음을 굳혔다.

"그러지. 겹치면 안 되지."

깊은 밤이다.

키토 중심부의 엘마노 미겔 광장 위쪽의 주택가. 그중에서 높은 담장에 둘러싸인 붉은색 지붕의 2층 저택은 주민들에게 '장군의 집'으로 불린다.

오래된 저택이다. 그래서 소문도 오래전부터 났다. 50년 전쯤 육군대장 마르셀의 저택이었기 때문이다. 그 후로 주인이 여러 번 바뀌었지만 여전히 '장군의 집'이다. 그리고 지금은 지노의 안가로 사용되고 있다.

그 '장군의 집' 정문으로 검정색 벤츠가 들어섰을 때는 오후 10시 반이다.

2층 저택은 불이 환하게 밝혀져 있었는데 현관 앞에서 벤츠가 멈췄을 때 기다리고 서 있던 사내들이 영접했다. 벤츠에서 내린 사내 둘은 가브리엘과 안토니오다.

가브리엘은 마약 중개업으로 마르코 가문에서 지노에게 파견된 간부다. 그리고 안토니오는 사만타가 보낸 수송 책임자다. 안토니오는 오후에 마약 1,500킬로를 수송해 온 것이다.

저택 안으로 들어선 둘은 2층 응접실로 들어와 소파에 앉았다. 가브리엘과 안토니오는 메데인에서부터 함께 일한 사이다. 가브리엘이 안토니오에게 물었다.

"어때? 여기서 살 만하지?"

"글쎄, 난 아직 실감이 안 나."

입을 쩍 벌린 안토니오가 주위를 둘러보는 시늉을 했다.

"네가 여기서 살다니. 갑자기 왕이 된 것 같구먼그래."

"보스는 스페인 총독 관저에서 살아. 거기가 진짜 왕궁 수준이지."

"그런데 네 가족은 어디에 있어?"

"안쪽 본관. 여긴 별관이다."

"이런 젠장."

안토니오가 한숨을 쉬었다. 그때 하인이 마실 것을 들고 다가왔다. 만족한 표정의 안토니오가 물 잔을 들면서 감탄했다.

"이곳은 딴 세상이구나."

그때 아래층에서 외침이 울렸기 때문에 둘은 고개를 들었다.

1층 로비는 넓다. 1백 평도 넘는다. 로비에는 안토니오와 가브리엘의 부하 10여 명이 모여 있었는데 갑자기 안으로 들어선 사내들에게 놀라 미처 손을 쓰지 못했다.

"두루루루루루룩, 두루룩."

소음기를 낀 기관총의 발사음이 울렸다.

"탕탕탕."

총성이 뒤늦게 울렸지만 로비는 순식간에 제압되었다.

"이층으로!"

지휘자는 게리슨. 헨리가 인솔해 온 용병 팀원 중 하나다.

"타타타타타타."

이제는 거침없는 기관총 발사음이 울렸다. 습격자들이 이층 계단으로 뛰어오르고 있다.

"이런."

그때까지 가브리엘과 안토니오는 이층에서 우왕좌왕하다가 나중에 부하들이 건네준 권총을 손에 쥐었을 뿐이다. 이층에서는 도망칠 곳이 계단뿐이었기 때문이다. 그때 계단 위로 사내들의 모습이 드러났다.

"타탕, 타타탕!"

이층에서 대기하고 있던 부하들이 일제히 사격을 했다. 그 순간 사내들의 모습이 계단에서 사라졌다. 총에 맞은 것이다.

다음 순간이다. 기둥 뒤에 몸을 숨기고 있던 가브리엘은 앞쪽에 떨어지는 돌멩이를 보았다. 2개가 떨어졌다. 그런데 돌멩이가 아니다. 수류탄이다. 가브리엘은 숨을 들이켰다.

"꽈꽝! 꽈꽝!"

엄청난 폭음과 함께 기둥이 옆으로 무너졌다.

"타타타타타타타."

총성이 이어졌지만 기둥에 깔린 가브리엘은 보지 못했다. 안토니오는 어디로 숨었는지 아까부터 보이지 않는다.

이층으로 뛰어오른 게리슨이 손에 쥔 우지를 휘둘러 난사했다.

"타타타타타타."

안쪽을 향해 우지를 발사한 게리슨이 소리쳤다. 천지가 총성으로 뒤덮여 있다.

"다 죽여라!"

이층에 남아있던 경호원들도 이제 제압되었다. 게리슨의 시선이 기둥에 깔린 가브리엘에게 옮겨졌다.

"타타탕."

가브리엘의 등에 대고 세 발을 발사한 게리슨이 다시 소리쳤다.

"안쪽을 뒤져!"

이제는 수색이다. 계단으로 부하들이 더 올라왔다. 이층 한쪽에서 불길이 치솟았지만 총성은 그쳐 있다. 게리슨이 이끌고 온 병력은 35명. 사방에서 담을 넘어 들어온 병력은 이제 가브리엘의 안가를 점령했다.

오후 11시 10분.

지노가 '장군의 집'에서 살아남은 부하로부터 직접 보고를 받는다. 저택 안. 지노 앞에는 로간이 앉아있다. 부하가 소리쳐 말했다.

"가브리엘, 안토니오가 당했습니다! 저택 안에 있던 경비원 대부분이 당했습니다! 그리고……."

숨을 고른 부하가 말을 이었다.

"지하 창고에 있던 금고가 털렸고 헤로인은 모두 하수구로 쏟았습니다."

"……."

"기습을 당했습니다!"

그때 지노가 고개를 돌려 로간을 보았다. 두 눈이 흐려져 있다.

"누구야?"

로간이 묻자 지노의 눈에 초점이 잡혔다.

"콜롬비아에서 내려온 것 같다."

그러고는 지노가 자리에서 일어섰다.

244

저택의 화재는 곧 진압되었다. 그러나 마당에는 시체가 놓여졌고 부상자들은 아직도 병원으로 실려 가는 중이다.

오전 12시 20분.

시체를 둘러보고 있던 지노 옆으로 경찰청장 크락스마가 다가왔다.

"지노, 콜롬비아에서 온 건가?"

크락스마가 묻자 지노는 고개를 끄덕였다.

"그런 것 같아."

"과타르치가 보낸 건가?"

지노가 고개만 끄덕였을 때 크락스마가 다시 물었다.

"지노, 내가 도와줄 일이 있나?"

"아냐. 필요하면 내가 이야기할게."

"언제든지 말해, 지노."

위로하듯 말한 크락스마가 몸을 돌렸다. 그때 로간이 다가왔다. 어둠 속에서 눈이 번들거리고 있다.

"24명이 사살당했어, 지노."

"……."

"부상자는 8명뿐이야."

지노는 고개만 끄덕였다. 그리고 지하실 금고에 있던 헤로인 판매대금 약 5천만 불을 강탈당했다. 거기에다 헤로인은 하수구에 버린 것이다. 어둠 속에서 다가온 마구로가 말했다.

"보스, 차 10여 대가 북쪽으로 가는 것을 보았다고 합니다."

사만타의 전화가 왔다. 이쪽에서 사만타에게 상황 보고를 했기 때문이다. 저택으로 돌아온 지노가 전화를 받는다.

245

"지노, 과타르치 소행이죠?"

사만타가 대뜸 물었기 때문에 지노의 얼굴이 일그러졌다.

"그놈들 외에는 없어, 사만타."

"평화협정을 맺은 지 얼마 되지도 않았는데."

"사만타, 넌 모르고 있어."

"뭔데요?"

"여긴 에콰도르야. 평화협정을 맺은 콜롬비아가 아냐."

"그런가?"

"에콰도르는 평화협정 지역이 아니지."

"지노."

사만타의 목소리가 낮아졌다.

"내가 오늘 갈게요."

"아니, 내가 갈게."

지노가 말을 이었다.

"기다려, 사만타."

오전 8시 반.

키토의 앰버서더 호텔 라운지의 밀실 안. 창가의 테이블에 두 사내가 마주 보고 앉아있다. 지노와 CIA 보고타 지부장 마이클 우드워드다. 마이클이 지노를 보았다.

"지노, 과타르치의 용병이 내려온 거야. 놈들은 이미 국경을 넘어갔어."

"지난번 금고를 털어간 보복을 한 셈인가?"

"세실리아의 지시를 받았겠지."

"24명이 죽었어."

"지난번 페레이라의 금고를 칠 때도 거의 비슷한 숫자가 죽었지?"

"닥쳐, 마이클. 난 간부 둘을 잃었어."

"이번에 '장군의 집'에서 얼마를 털렸지?"

"5,500만 불. 그리고 헤로인 2천 킬로에 물을 붓고 하수구로 쏟아버렸어."

"개자식들."

고개를 든 마이클이 지노를 보았다.

"어떻게 할 거야?"

"내가 오늘 사만타를 만나러 갈 거야."

지노가 말을 이었다.

"사만타는 전쟁을 바라지 않는 것 같은데."

"그렇겠지."

"세실리아는 내가 가면 긴장하겠지."

"세실리아는 지금도 과타르치와 호세를 감금시키고 있어. 감금 장소를 페레이라 외곽의 안가로 옮겼는데 감옥 수준이야."

마이클의 얼굴에 웃음이 떠올랐다.

"그러다가 잊을 만할 때 없애겠지."

"그게 너희들 입장에서는 바람직한 상황인가?"

"불안해."

금세 정색한 마이클이 지노를 보았다.

"세실리아는 파블로의 지원을 받고 있지만 독단적이야. 휘하에 친위대 1백여 명을 거느리고 배다른 메스티소 오빠 아우렐로를 경호대장으로 포진했어."

"……"

"그동안 호세에 호의적이었던 간부 10여 명을 횡령 등의 죄목으로 처형, 추방시켰어. 그래서 별명이 '마녀'야."

"……."

"마르코의 인정을 받는 사만타하고는 대조적이지. 사만타가 블라드를 제거했지만 착실하게 기반을 굳혀가고 있어."

"그래서 이번에 세실리아가 기반을 굳히려고 키토로 용병이 이끄는 부대를 보낸 건가?"

"제 위신을 세우려는 목적도 있겠지."

정색한 마이클이 말을 이었다.

"세실리아가 절박한 거야. 파블로는 페르난도하고는 달라서 적극적으로 도와주지 않아."

"……."

"그렇다고 세실리아가 없어지면 과타르치는 산산조각이 나. 이렇게 되면 난장판이 되는 거지. 그럼 내가 곤란해져."

"지저스."

코웃음을 친 지노가 마이클을 노려보았다.

"이제야 너희들 CIA의 계산이 끝난 모양이군. 자, 결론이 뭐냐?"

"네가 보스가 되는 거야."

"또 보스 타령이군. 닥쳐, 마이클."

"넌 이미 기반을 굳혔어, 지노."

"6개월 후면 떠난다, 나는."

"넌 이제 용병이 아냐, 지노."

마이클이 번들거리는 눈으로 지노를 보았다.

"지노, 이번에 사만타를 만나서 무슨 이야기를 할 거냐?"

"너한테 이야기할 건 없어."

"내 충고 하나만 들어. 내가 이 말을 하려고 만나자고 한 것이니까."

마이클이 말을 이었다.

"네가 양쪽 가문을 장악하면 돼, 지노. 그리고 그 본부를 키토에 두는 거야."

지노가 숨을 들이켰다가 길게 뱉었다. 그러나 입을 열지는 않았다.

지노의 말을 들은 로간이 커다랗게 고개를 끄덕였다.

"과연, CIA는 길게 보는구나."

"닥쳐, 로간. 내가 네 평을 들으려고 이야기해준 거 아니다."

"양쪽 가문을 장악하려면 과타르치까지 대장이 먹어야 된다는 거 아니야?"

"……."

"세실리아를 말이지?"

"……."

"그런데 세실리아는 남자가 없지?"

"……."

"미인이야? 봤어?"

저택의 응접실 안이다. 벽시계가 오전 11시 반을 가리키고 있다. 그때 로간이 말을 이었다.

"이번 '장군의 집' 습격에 대한 대가를 줘야 돼, 지노. 가만두면 이제 대장이 조직을 통솔하기 어렵게 돼. 가서 세실리아를 쳐."

"……."

"CIA가 바라는 것도 그것일지 몰라. 대장이 과타르치를 먹는 것. 세실리아가 인심을 잃은 사이에 먹어버려, 지노."

고개를 든 지노가 로간을 보았다. 로간의 말을 들으면 시원하긴 했다. 이라크에서는 이런 작전이 통했다. 여기서는 너무 생각만 많아진 것 같다.

응접실에서 나온 지노가 계단을 내려가면서 뒤를 따르는 마구로에게 말했다.

"마구로, 네가 이곳을 지켜라."

"예, 보스."

마구로가 핏발 선 눈으로 지노를 보았다.

"걱정하지 마십시오."

계단을 내려간 지노가 1층 응접실로 들어선 순간이다.

"퍼석!"

옆쪽 유리창이 부서지는 소리가 나면서 뒤를 바짝 따르던 마구로가 몸을 비틀면서 쓰러졌다. 지노가 몸을 굴렸고 나란히 걷던 로간도 함께 쓰러졌다.

"저격이다!"

로간이 악을 쓰듯이 소리쳤다. 몸을 굴린 지노가 기둥 뒤에서 멈추더니 뒤쪽 마구로를 보았다.

"마구로!"

"예, 보스."

마구로가 손으로 어깨를 감싸 쥔 채, 얼굴을 일그러뜨리며 웃었다.

"어깨를 맞았습니다."

"잡아라!"

몸을 일으킨 지노가 부서진 유리창을 손으로 가리켰다.

"저쪽이다!"

오후 1시 반이다.

지노는 지금 콜롬비아로 떠나려는 참이었다. 부하들이 다투어서 밖으로 뛰어나갔다. 어깨를 움켜쥔 마구로가 일어서더니 잇새로 말했다.

"보스, 그놈들이 남아있는 것 같습니다."

"좋아."

지노가 쓴웃음을 지었다.

"마침 잘되었다."

"성당 종탑에서 쏘았습니다."

호타크가 보고했다. 성당 위치는 저택에서 450미터. 종탑에서 저택을 저격한 것이다. 로간이 지노를 보았다.

"그놈이 아직 키토를 벗어나지 못했어. 전 병력을 풀어서 수색해야 돼."

"경찰까지 동원해야겠습니다."

호타크가 거들었다. 고개를 끄덕인 지노가 둘을 번갈아 보았다.

"좋아. 내가 경찰청장한테 이야기하지."

자리에서 일어선 지노의 얼굴에 쓴웃음이 떠올랐다.

"난 그대로 콜롬비아에 간다."

"좋아."

금방 지노의 심중을 읽은 로간이 고개를 끄덕였다.

"나한테 맡겨, 지노. 여긴 걱정 말고."

게리슨이 종탑에서 도망쳐 나왔을 때는 12시 5분 전이다. 저격을 하고 나서 바로 현장에서 탈출한 것이다.

"못 맞혔어. 그놈 운이 좋은 거야."

게리슨이 잇새로 말했다. 거리를 달리는 차 안이다. 차 안에는 넷이 타고 있었는데 '저격조'다. 게리슨이 둘을 데리고 종탑까지 올라가 직접 저격을 한 것이다.

게리슨이 사용했던 저격 총은 헤클러 앤 코흐 PSG-1. 특수부대용으로 드라구노프보다 비싸고 섬세한 총이다. 800미터 거리에서도 10발 7중을 했는데 오늘은 움직이는 표적이라 빗나갔다. 옆쪽으로 15센티쯤 빗나가 다른 놈을 맞했다.

"곧장 가자."

게리슨이 입맛을 다셨다. 이제 돌아가야 한다. 지노의 마약 거래처인 '장군의 집'을 털었으니 절반은 성공이다.

메데인으로 날아가는 전용기 안. 30인승 전용기에는 지노와 호타크가 이끄는 경호원 20명이 탑승하고 있다. 지노의 직할군이다. 지노가 옆자리에 앉은 호타크에게 말했다.

"그놈들이 나를 저격할 것은 예상하지 못했어. 내가 방심했다."

호타크가 어깨를 늘어뜨렸다.

"제가 방심했습니다. 종탑이 저격 위치에 있었는데도 무시했습니다."

"마구로가 중상이 아니어서 다행이야."

"그리고 친구분이 와주신 것이 다행입니다, 보스."

호타크는 로간 이야기를 하고 있다. 지노가 고개를 끄덕였다.

"그런 셈이 되었어."

"국경과 항구를 봉쇄했으니까 현금 자루를 운반할 때 적발될 가능성이 있습니다."

호타크는 습격자들이 아직 국경을 벗어나지 못했다고 믿는 것이다. 전용기는 북상해서 국경을 넘어가는 중이다.

오후 1시 반.

페레이라의 저택에서 세실리아가 전화를 받는다. 응접실 안. 전화를 해 온 상대는 게리슨. 게리슨은 산맥을 넘으면서 전화를 하는 것이다. 게리슨이 말했다. 작전 이후 첫 전화다.

"안가 기습은 성공했습니다. 금고에 있던 자금을 강탈했고 창고의 헤로인은 하수구에 버렸습니다."

세실리아는 듣기만 했고 게리슨이 말을 이었다.

"그리고 지노를 저격했지만 실패했습니다. 옆에 있던 부하를 맞혔는데 생사는 아직 알 수 없습니다."

"……."

"지금 현금 수송 관계로 대기하고 있습니다. 다시 북상해야죠."

"알았어."

세실리아가 짧게 대답했다. 지금 어디 있느냐고 묻지 않았고 게리슨도 먼저 말하지 않았다. 도청을 우려했기 때문이다. 통화가 끝났을 때 세실리아가 옆에 서 있는 아우렐로에게 말했다.

"안가 기습은 성공했지만 저격은 실패했어. 지노가 가만있지 않을 거야."

"헨리한테 말해 놓는 것이 낫지 않겠습니까?"

배다른 오빠지만 아우렐로가 조심스럽게 물었다.

아우렐로는 저택 경비대장 겸 페레이라 지역의 경비군 사령관까지 맡고 있다. 세실리아의 최측근이 된 것이다. 따라서 세실리아와 공생공사 입장이 되었다. 그때 세실리아가 고개를 끄덕였다. 지금 헨리는 남부지역 농장을 순시 중이다.

"불러서 페레이라 경비를 맡겨."

"예, 보스."

"그런데, 아울렐로."

주위를 둘러본 세실리아가 목소리를 낮췄다.

"게리슨이 키토에서 지노의 안가 금고를 털었는데 얼마를 챙겼는지 말해주지 않는데."

세실리아의 얼굴에 쓴웃음이 떠올랐다.

"물론 도청을 우려해서 말 안 했을 수도 있지만 말야."

"따라간 부하들이 다 알고 있을 테니까 숨기지는 못할 겁니다."

"그럴까? 대충 얼마인지는 말할 수 있었을 텐데 말을 안 하는군."

"제가 물어볼까요?"

"관둬, 아우렐로."

세실리아가 말을 이었다.

"어떻게 나오나 두고 보자고."

그 시간에 게리슨은 헨리 오스만에게 전화를 하고 있다. 게리슨이 세실리아하고 통화하고 나서 헨리에게 연락한 것이다. 헨리가 말했다.

"내가 투마코로 케이든을 보낼 테니까 내일 항구에서 만날 수 있을 거다."

"오케."

게리슨이 말을 이었다.

"오늘 밤에 출발할 거야."

"알았다. 조심하도록. 그리고 금액은 세실리아한테 말하지 마."

그러고는 헨리가 먼저 통화를 끝냈다.

"좋아. 오늘 밤 9시에 출발이다."

전화기를 내려놓은 게리슨이 앞에 앉은 페로스, 아부란을 보았다.

이곳은 에콰도르의 서북단 항구. 산로렌스가 내려다보이는 마을이다. 안데스 산맥을 건너 이곳까지 오는 데 8시간이나 걸린 것이다. 뒤쪽의 거대한 안데스 산맥의 정상 부근은 눈으로 덮여 있다. 그때 페로스가 근심스러운 표정으로 말했다.

"배 준비는 다 되었으니까 싣고 떠나기만 하면 되는데 감시가 심해졌습니다."

150톤급의 어선이다. 키토로 잠입하기 전에 미리 도피로와 도피 방법까지 수

배해놓았기 때문에 곧장 이곳까지 온 것이다.

게리슨은 33세. 특전대 대위 출신으로 용병 경력은 2년. 190의 키에 110킬로 몸무게의 거인이다.

이곳은 마을 끝 쪽의 민가 안. 주위 민가에 32명의 요원이 머물고 있다. 페로스가 말을 이었다.

"대장, 항구에 경찰이 증원된 것을 보면 우리를 찾는 겁니다. 아무래도 어선을 북쪽으로 옮겨야 되겠어요."

마을에서 항구까지는 2킬로 정도다. 이곳은 안데스 산맥 끝자락이어서 항구가 내려다보인다. 망원경으로 보면 제복을 입은 경찰도 구분되는 것이다.

담장으로 나온 게리슨이 망원경으로 항구를 내려다보았다. 길이가 1킬로쯤 되는 선창에 어선, 화물선이 1백여 척 정박하고 있다. 게리슨이 망원경을 눈에 붙인 채 말했다.

"북쪽이 한산하긴 해. 그런데 세관원, 경찰이 대여섯 명이나 있구나."

"더 북쪽으로 어선이 세 척 정박하고 있지 않습니까? 거긴 어촌 입구라 경찰이 없습니다."

페로스가 말을 이었다.

"어두워지면 배를 그쪽으로 옮기는 겁니다. 눈치채지 못하게 움직여야지요."

"그렇군."

"그럼 제가 내려가서 준비를 하죠."

아부란이 말했을 때 게리슨이 고개를 들었다.

"5명을 데리고 가라."

게리슨이 말을 이었다.

"선장한테 우리가 9시에 출항한다고 전해. 8시까지는 북쪽에서 기다리라고."

지노가 메데인의 대저택에 들어섰을 때는 오후 3시경이다.

저택에서는 사만타와 페르난도가 기다리고 있었는데 모두 반기는 기색이 역력했다. 이곳에서도 사만타의 배다른 물라토 오빠 캄바스가 경비대장이다. 캄바스도 온몸으로 반가운 기색을 드러내었다.

"보스는?"

2층 응접실에 들어선 지노가 자리에 앉지도 않고 묻자 사만타가 대답했다.

"요즘은 매일 사냥을 다녀. 오늘도 아침부터 사냥을 나가셨어."

"술 마시는 것보단 낫지."

페르난도가 말을 받았다. 고개를 끄덕인 지노가 자리에 앉았다. 응접실에는 셋이 둘러앉았다. 당장 마르코 가문의 최고위층 셋이 모인 것이다. 지노가 입을 열었다.

"주고받은 건데 내가 당하고 나니까 당한 사람의 심정을 알겠더구만."

정색한 지노가 둘을 번갈아 보았다.

"가브리엘, 안토니오가 당하고 마구로도 저격을 받았어. 금고가 털린 건 둘째 문제야."

"지노, 저쪽도 긴장하고 있어요."

"당연히 그렇겠지."

지노가 얼굴을 일그러뜨리며 웃었다.

"내가 여기 왔다는 것도 알 테니까 준비를 하겠지."

그때 페르난도가 말했다.

"지노, 조금 전에 세실리아한테서 연락이 왔어. 이번 키토의 사건과는 무관하다는 거야."

"당연히 그랬겠지, 나도 그랬으니까."

지노가 지그시 페르난도를 보았다.

"페르난도, 무슨 말을 하려는 거요?"

"전장(戰場)을 콜롬비아로 삼는 건 서로 곤란하다는 거야."

"내가 이 기회에 세실리아를 없애려고 하는데."

사만타가 고개를 들고 지노를 보았지만 입을 열지는 않았다. 그러나 페르난도가 눈을 크게 뜨고 묻는다.

"지노, 정말인가?"

"내 계약기간이 끝나기 전에 보스를 위해서 후환을 없애려고 그래."

"지노, 그만둬."

"난 당신 지시는 받지 않아, 페르난도."

"이건 새 보스의 지시야."

지노의 시선이 사만타에게 옮겨졌다. 사만타가 새 보스인 것이다. 지노의 시선을 받은 사만타가 입을 열었다.

"지노, 당신 말대로 주고받았으니까 이것으로 끝내죠."

"그럼, 나하고의 계약도 오늘 자로 끝내기로 하지."

지노가 똑바로 사만타를 보았다.

"계약금 잔금을 당장 반납할 테니까. 어때, 합의하겠지?"

사만타와 페르난도가 서로의 얼굴을 보았다. 둘 다 당황한 기색이 역력했다. 전혀 예상하지 못한 것 같다. 그때 페르난도가 헛기침을 했다.

"지노, 해약을 하고 어떻게 할 계획인가?"

"키토의 보스가 되겠어."

지노가 말을 이었다.

"마르코 가문 헤로인의 중개 역할은 해주지. 물론 과타르치 가문의 헤로인도 내가 맡을 예정이지만."

"……"

"내가 과타르치 가문을 접수했을 때의 경우야."

"……"

"세실리아가 겁 없이 날 건드렸어. 나하고 치고받기 게임을 하려고 들다니 어처구니가 없어."

"……"

"세실리아를 없애고 과타르치 가문을 내가 관리하겠어. 그러려고 온 거야."

그러고는 지노가 자리에서 일어섰다.

"세실리아한테 알려줄까요?"

지노가 계단을 내려갔을 때 서 있던 사만타가 페르난도에게 물었다. 둘은 소파 앞에 서 있었는데 지노를 배웅하러 내려가지도 않았다. 사만타의 시선을 받은 페르난도가 어깨를 늘어뜨렸다.

"그럴 수는 없어, 사만타."

사만타는 눈만 크게 떴고 페르난도의 말이 이어졌다.

"그렇게 되면 지노를 배신한 셈이 돼, 정보를 준 셈이니까."

"……"

"지노를 적으로 삼으면 안 돼. 그냥 놔두는 수밖에 없어."

페르난도가 상기된 얼굴로 사만타를 보았다.

"지노가 세실리아를 치면 과타르치와 호세가 풀려나올지도 몰라. 그때 그 둘은 지노의 꼭두각시가 되겠지."

사만타가 소리죽여 숨을 뱉었다.

오후 5시 반.

보고타 교외의 카페 안. 밀실로 지노가 들어서자 자리에 앉아있던 체르넨코와 모튼이 일어섰다. 지노가 잠자코 둘과 악수를 나누고는 자리에 앉았다.

"갑자기 무슨 일이야?"

체르넨코가 이맛살을 모으고 지노를 보았다. 둘은 지노의 연락을 받고 농장에서 급거 달려온 것이다. 물론 각각 핑계를 대고 잠행해 왔다. 그때 지노가 입을 열었다.

"세실리아의 스케줄을 알려줘."

"그럴 줄 알았어."

체르넨코가 쓴웃음을 지었다.

"우린 골짜기에 쑤셔 박히고 나서 세실리아하고 접촉을 못 한 지가 오래야."

"하지만 일정은 알 수 있겠지?"

"노력해보지."

"그리고 용병대 일정까지."

"이번에 당한 보복을 하려는 건가?"

"세실리아를 없앨 거다."

"지저스."

그러나 체르넨코의 얼굴에 웃음이 떠올랐다.

"그럴 정도면 보장은 되어 있겠군, 지노. 그렇지?"

"내가 과타르치를 먹을 거다."

"그렇다면 우리 입장은 어떻게 되지?"

모튼이 불쑥 물었기 때문에 지노가 이를 드러내고 웃었다.

"모튼의 반사작용이 빠르구나."

"하지만 이 자식은 오발사고를 많이 일으키지."

체르넨코가 모튼의 어깨를 손바닥으로 쳤다. 그때 지노가 말했다.

"그러면 너희들이 정식으로 내 지휘를 받는 거야. 내 용병이 되는 거다."

"계약금."

체르넨코가 정색했다.

"네 용병이 되는 건 이의 없어. 계약금을 말해."

"연봉 1천만 불."

"좋아. 계약금 절반을 계약 시에 지급하고 나머지 절반은 월별 지급해 줘, 지노."

"좋아."

고개를 끄덕인 지노가 둘을 보았다.

"1차 목표는 세실리아와 헨리 오스만의 용병대 제거다."

"후스토, 난 저택 북쪽을 맡았어."

얀센이 말하더니 술잔을 들고 포도주를 한 모금 삼켰다.

"당분간 저택 경호야."

"저택 주변으로 다 모였군."

후스토가 쓴웃음을 지었다.

오후 8시 반.

이곳은 페레이라 시내의 양식당 '오곤'의 밀실 안. '오곤'도 과타르치 가문 소유의 사업장이다. 종업원이 다가와 늦게 온 얀센의 앞에 소고기 스테이크를 놓았다.

"그런데 게리슨이 키토에서 얼마를 턴 거야?"

얀센이 묻자 후스토가 주위부터 둘러보았다. 식당 안에는 30여 명의 손님이 모여 있었는데 그중 10명 정도가 둘의 부하다. 얀센은 서부지역 농장에서 이곳으로 차출된 것이다. 후스토가 목소리를 낮추고 말했다.

"5천만 불."

"현금이겠지?"

"당연하지."

"지금 어디에 있어?"

"아직도 에콰도르야. 곧 배를 타고 넘어올 거야. 지금 케이든이 맞으러 갔어."

"좋아."

얀센이 번들거리는 눈으로 후스토를 보았다.

"지금 헨리는 어디에 있어?"

"저택에 세실리아하고 같이 있어. 버트가 옆에 있고."

"그렇군."

헨리의 용병대는 6명이다. 그중 넷이 페레이라의 저택 주위로 모였고 둘은 서쪽으로 가 있는 셈이다. 그때 씹던 것을 삼킨 얀센이 다시 물었다.

"그거, 게리슨이 탈취한 현금, 세실리아한테 다 주는 거 아니지?"

"당연하지."

후스토가 목소리를 낮췄다.

"절반은 떼어야지."

"그럼 2천5백? 그걸 6등분하는 건가?"

"이봐, 꿈꾸지 마라. 헨리하고 게리슨 몫이 커야지. 아마 둘이 1천씩 나눠 갖고 우리한테는 1백만 불쯤 돌아올 거다."

"너무 먹는데, 둘이 말야."

"넌 돈 욕심이 너무 많아, 얀센."

후스토가 이맛살을 찌푸렸다.

"그저 주는 대로 받아. 불평하지 말고. 그러다가 왕따 당할 수 있어."

얀센은 처음부터 계약금 문제로 회사와 티격태격했던 것이다.

식사를 마친 둘이 식당을 나왔을 때는 9시 반이 되어가고 있었다. 식당 앞에 선 후스토가 얀센에게 손을 흔들었다.

"그럼 나중에 보자, 얀센."

그 순간이다.

고개를 끄덕였던 얀센이 뒤로 벌떡 넘어졌다. 영문을 모른 후스토가 머리를 숙여 얀센을 보다가 번쩍 몸을 세운 순간이다. 머리가 산산조각이 난 후스토가 사지를 흔들면서 쓰러졌다.

"후스토와 얀센이 저격을 당했습니다."

헨리가 보고를 받았을 때는 10분 후다. 저택 1층 응접실이다. 달려온 부하가 숨을 고르고 나서 말을 이었다.

"멀리서 쏘았습니다."

"누가?"

그렇게 물었지만 이미 부질없는 질문이라는 것을 안 헨리의 눈이 흐려졌다. 응접실에는 저택을 맡은 용병 버트까지 와 있었다. 그때 버트가 부하에게 물었다.

"어디서 당한 거야?"

"시내 오곤 식당 앞에서 식사 마치고 나왔다가……."

"지노야."

자리에서 일어선 헨리가 일그러진 얼굴로 버트를 보았다.

"그놈이 이쪽으로 왔어."

"병신들이 느긋하게 식당에서 밥 처먹고 지랄들이군."

차 안에서 체르넨코가 모튼에게 말했다.

"저 새끼들 수준이 저 정도일 줄은 예상하지 못했다."

"엉망이야. 정보도 줄줄 새는 데다 간부들의 불만도 커지고 있어. 이대로 가만둬도 망할 것 같아."

모튼이 맞장구를 쳤을 때 앞쪽 자리에 앉은 세넨토가 말했다. 세넨토는 메스티소로 체르넨코의 심복이다.

"보스, 과타르치 님이 간부들한테 연락을 한다는 소문이 났습니다. 경비원 핸드폰을 빌려서 한다는데요."

몸을 돌린 세넨토가 말을 이었다.

"이놈 저놈한테 전화를 해서 빼내주면 농장을 넘겨주겠다느니, 금고의 돈을 주겠다느니 한답니다."

"……."

"그런데 그 말을 듣고 오히려 세실리아한테 일러바치는 놈도 있고 아예 정나미가 뚝 떨어져서 연락도 안 하는 놈도 있다는데요."

"그런데 왜 나한테는 연락을 안 하지?"

모튼이 물었기 때문에 체르넨코가 눈썹을 모았다.

"닥쳐, 이 자식아. 궁지에 몰린 사람 비웃지 마라, 나쁜 놈아."

"자업자득이라는 생각은 안 드나?"

모튼도 지지 않았다.

"세실리아를 후계자로 만들었다면 이런 일은 안 일어났지. 마마보이로 키운 아들놈을 내세웠다가 이 꼴이 난 것 아냐?"

오후 10시 반.

차는 서쪽의 항구도시 투마코로 달려가는 중이다.

페레이라에서 얀센과 후스토를 저격하고 나서 바로 출발한 것이다. 체르넨코가 몸을 돌려 뒤쪽을 보았다. 뒤를 따르는 차량의 전조등만 번쩍이고 있다. 뒤에는 차량 6대가 따르고 있을 것이다.

대열에는 체르넨코가 선발한 부하 28명이 탑승하고 있다. 공격조다. 헨리의 부하 게리슨이 키토의 전리품을 싣고 투마코에 들어오면 그것을 덮치려는 것이다.

헨리가 보낸 '인수조' 케이든의 부하한테서 들은 정보다. 그때 체르넨코가 말했다.

"우리가 투마코에서 마무리를 지어야 돼."

세실리아가 앞에 앉은 파블로에게 말했다. 페레이라의 저택 안이다.

"파블로, 지노를 과대평가할 필요가 없어요. 이 기회를 마르코 조직을 부숴버릴 기회로 잡는 겁니다."

파블로는 시선만 주었고 세실리아가 말을 이었다.

"헨리의 부하 둘이 저격을 당했지만 머릿수로 둘뿐이죠. 그까짓 놈들 때문에 사기 죽을 것 없다구요."

"오늘 밤에 투마코로 들어오나?"

파블로가 묻자 세실리아가 고개를 끄덕였다.

"돈 자루를 실은 어선이 온다는데 금액이 얼마인지 말해주지 않는군요."

"게리슨 휘하에 정보원을 심어 놓았으니까 곧 알 수 있겠지."

"용병들이 조직과 전투력을 강화시켜준 이점도 있지만 너무 의존하다보니까 머리만 커져서 우리가 휘둘리는 분위기가 되었어요."

"맞는 말이야."

파블로가 고개를 끄덕였다.

"그건 마르코 측도 마찬가지야. 어쩔 수가 없는 일이었어."

"지노 같은 용병이라면 불평할 필요가 없죠."

"넌 지노한테 당한 상황에서 칭찬을 하는군."

쓴웃음을 지은 파블로가 말을 이었다.

"그건 나도 동감이야, 세실리아."

"그놈이 지금도 우리를 겨냥하고 있겠죠?"

"키토로 돌아가지 않았을 거야, 금고까지 털린 데다 수십 명이 살해되었으니까."

"어쨌든 여기서 결정이 나는 거죠."

세실리아가 어금니를 물었다.

"잘되었어요, 파블로."

지노는 저격수 아사드를 대동하고 있다.

아사드는 본래 마구로의 부하로 군(軍)에서 저격수로 복무한 후에 예편하고 마르코 가문에 취직한 것이다. 이번에 지노를 수행하고 키토에서 상경한 아사드의 무기는 드라구노프, 오래되었지만 견고하고 싼 명품이다.

오후 10시 반.

이곳은 페레이라 외곽의 민가 안이다.

"아사드, 네가 할 일이 있다."

지노가 앞에 앉은 아사드에게 서류를 건네주었다. 아사드가 두 손으로 서류를 받는다. 사진까지 첨부된 두툼한 서류다. 아사드는 29세. 군 경력 6년. 키토에서 아사드의 능력을 확인한 지노가 이번에 데려온 것이다.

"이것이 목표물 지도와 근처의 저격 가능한 위치야."

"예, 보스, 알겠습니다."

"너한테 팀원 5명을 붙여줄 테니까 파블로를 저격해라."

지노가 말을 이었다.

"파블로는 세실리아나 용병들과 비교해서 경호대가 적고 행동반경이 넓어. 그래서 기회가 많아."

지노가 아사드가 들고 있는 자료를 눈으로 가리켰다.

"그것이 파블로의 행동반경이야. 정보원들의 연락을 받고 매복처를 정하도록."

"알겠습니다."

지노가 고개를 돌려 호타크를 보았다.

"호타크, 준비해라."

호타크가 자리에서 일어섰다.

페르난도는 그러지 말라고 했지만 사만타는 망설이다가 결국 핸드폰을 들었다.

오후 11시.

이곳은 메데인의 저택 안. 응접실에 혼자 앉은 사만타가 버튼을 누르자 발신음 세 번 만에 응답소리가 들렸다. 세실리아다.

"아, 사만타, 웬일이야?"

반가운 목소리. 사만타가 심호흡부터 했다.

"세실리아, 할 말이 있어."

"뭔데?"

"내가 직접 만나서 말해야겠지만 급해서 그래."

"말해, 사만타."

"지노가 와 있는 것 알지?"

"들었어."

"키토에서 지노가 저격까지 받았는데 그것을 네가 시킨 것으로 알고 있어."

사만타가 목소리를 낮췄다.

"널 노리고 있어, 세실리아."

"알았어, 사만타."

"조심해, 세실리아."

"고맙다, 사만타."

"그리고."

숨을 들이켠 사만타가 말을 이었다.

"지노는 이제 내 용병이 아냐. 계약이 해지되었어."

"……."

"이제 지노는 독자 세력이야, 세실리아."

"그럼 우리 공동의 적이군."

세실리아의 목소리는 가라앉았다.

"네 심사가 복잡하겠다, 사만타."

"네 용병 둘이 당했지?"

"지금부터 시작이야, 사만타."

세실리아가 말을 이었다.

"이젠 단순해졌어. 과타르치, 마르코 가문이 연합해서 용병 한 놈을 상대하는 것이지."

오전 8시 반.

페레이라 중심부의 산토리노 성당 뒤쪽 저택 안이다. 파블로가 응접실을 나가면서 마리아에게 말했다.

"저녁때 가네스를 만날 테니까 기다리라고해."

가네스는 파블로의 사위다. 딸 산타나의 남편으로 의사다. 가네스에게 병원을 세워주려는 것이다.

"7시까지는 오셔야 돼요. 같이 저녁을 먹자구요."

흡족한 표정이 된 마리아가 현관으로 따라 나오면서 말했다. 외과의사인 가네스는 종합병원 의사다. 전부터 개인병원을 차리는 것이 소원이었는데 이번에 파블로가 6층 건물을 매입한 것이다. 6층 건물은 '가네스 병원'이 될 것이다.

"요즘 바빠."

현관에서 파블로가 마리아에게 말했다.

"어쨌든 가네스는 오늘 만날 테니까 내가 좀 늦더라도 기다려."

현관을 나온 파블로에게 경호원 로타가 다가왔다.

"은행에 들르시겠습니까?"

"아니, 곧장 저택으로 가자."

은행장한테는 전화를 하면 될 것이다. 오늘 낮에 건물 매입 대금을 지불해야 되는 것이다.

파블로가 계단 아래에 주차된 검정색 벤츠로 다가갔다. 벤츠 앞뒤로 밴이 주차되어 있었는데 경호대다. 파블로가 움직일 때 경호원 12명이 이동하는 것이다.

파블로가 차 앞에 멈춰 서더니 고개를 돌려 현관을 보았다. 현관 밖으로 나온 마리아와 시선이 마주쳤다. 마리아는 52세, 파블로와 동갑이다. 파블로와 결혼한 지 28년. 24살 때 과타르치 가문의 경비병이었던 파블로와 결혼한 후에 온갖 풍상을 함께 겪고 지금에 이르렀다.

시선이 마주쳤을 때 파블로의 머릿속에 잠깐 지난날이 주마등처럼 순식간에 지나갔다. 감개가 일어났고 가슴이 미어진 파블로가 10미터쯤 앞쪽에 서 있는 마리아를 향해 고개를 끄덕여 보였다. 마리아의 얼굴에도 웃음이 떠올랐다.

그 순간이다.

"퍽석!"

모두 마른바가지가 깨지는 소리를 들었다.

옆쪽에서 차 문을 열고 서 있던 로타는 갑자기 얼굴에 더운 물체가 뿜어졌기 때문에 어리둥절했다. 그러나 다음 순간 눈을 치켜떴다가 두 손을 뻗쳐 파블로의 상반신을 움켜쥐었다. 그때는 머리통이 부서진 파블로가 옆으로 쓰러지는 참이었다.

"꺄악!"

마리아의 처절한 비명이 저택에서 울렸다. 화창한 날씨였다. 햇살이 정원의 푸른 수목 위에 하얗게 덮여 있었다.

"파블로가?"

되물은 세실리아가 들고 있던 커피 잔을 떨어뜨렸다. 커피 잔이 대리석 바닥에 떨어지면서 쇳소리를 내었다.

오전 8시 45분.

저택의 응접실. 아침 식사를 마친 세실리아가 응접실에 나왔다가 경호원의 보고를 받은 것이다. 눈의 초점을 잡은 세실리아가 손을 내밀어 경호원한테서 핸드폰을 받았다. 핸드폰을 귀에 붙인 세실리아가 물었다.

"어떻게 된 거야?"

"현관 앞에서 저격당했습니다."

경호원이 이제는 차분해진 목소리로 말을 이었다.

"담장 밖에서 쐈습니다. 현관이 보이는 저격점이 수십 군데여서……."

"……."

"그런데 거리가 모두 8백 미터 이상입니다. 그 거리에서는 도저히……."

"……."

"파블로 보스님은 막 차에 타려다가……."

"알았다."

핸드폰을 경호원에게 내던진 세실리아가 눈을 치켜떴다. 갑자기 가슴이 텅 빈 느낌이 들었기 때문에 세실리아는 심호흡을 해야만 했다. 이윽고 고개를 든 세실리아가 말했다.

"헨리를 불러."

"다 실었습니다."

페로스가 보고했을 때는 오후 7시 반이다. 만 하루 동안 대기한 후에 어선에 돈 자루를 실은 것이다.

산로렌스의 어항은 이제 어둠에 덮여 있다. 게리슨이 고개를 돌려 뒤쪽을 보았다. 안데스 산맥에서 불어오는 습기 띤 바람에 옷자락이 날렸다.

"좋아, 출발이다."

어선으로 다가가면서 게리슨이 아부란에게 말했다.

"경계병을 불러라."

뒤쪽에 숨어있는 경계병을 말하는 것이다. 이곳은 세관, 경찰 병력이 보이지 않았지만 돈 자루를 싣는 동안 게리슨은 10여 명을 뒤쪽에 배치시켰다. 아부란의 신호를 받은 경계병들이 어둠 속에서 나타났다.

왼쪽 바닷가의 어촌은 불빛이 반짝였지만 어선은 어둠에 묻혀 떠 있다. 불은 켜지 않은 채로 은은한 엔진음만 울리고 있다.

페레이라 북서쪽의 고원지대. 이곳은 숲이 우거져서 짐승이 많다.

오후 8시 반.

저녁을 마친 과타르치가 마당으로 나와 하늘을 보았다. 별이 휘황한 밤이다. 고원지대여서 별이 더 가까워진 것 같다. 페레이라에서 50킬로 정도 떨어진 고원이다.

사냥을 나온 과타르치는 외딴 민가에 머물고 있다. 이 민가는 과타르치의 사냥용 별장이다. 수행원 20여 명을 거느린 과타르치가 사흘째 사냥하는 중이다. 그때 옆으로 경호실장 바라타크가 다가왔다.

"보스, 추운데 들어가시지요."

"됐다."

과타르치가 마당에 놓인 플라스틱 의자에 앉았다. 서늘한 날씨다. 바라타크가 말을 이었다.

"저택에서 연락이 왔습니다. 내일 중으로 들어가셔야겠습니다."

"난 이곳이 편해."

"보스, 제가 곤란해집니다."

"그럼 날 묶어서 끌고 가든지."

"내일 아침 식사를 마치고 돌아가는 것으로 하겠습니다."

"바라타크, 네놈이 무사할 것 같으냐?"

"보스, 진정하십시오."

"네가 세실리아의 신임을 받을 것 같으냐? 너, 만일 내가 세실리아한테 널 죽이라고 하면 어떻게 될 것 같으냐?"

"보스, 저는 명령대로만 할 뿐입니다."

"너 같은 놈은 일회용 휴지다. 내일 돌아간다면 넌 죽는 목숨이야."

과타르치가 번들거리는 눈으로 바라타크를 보았다.

"내가 세실리아한테 널 죽이는 조건을 걸 테니까. 무슨 말인지 그쯤은 알아먹을 것이다."

그때 몸을 돌린 바라타크가 어둠 속으로 소리 없이 사라졌다.

"지노가 파블로까지 암살하다니 세실리아가 충격을 받았겠군."

페르난도가 초점이 흐려진 눈으로 사만타를 보았다. 이곳은 메데인의 저택 안. 2층 응접실에서 사만타와 페르난도가 마주 보고 앉아있다.

오후 9시.

저택 안은 조용했지만 안에는 수백 명이 득시글거리고 있다. 사만타가 불러들인 것이다. 그때 사만타가 고개를 들었다.

"세실리아가 용병대장 헨리를 저택으로 불렀더군요."

"페레이라의 저택에 3백여 명이 모여 있어. 헨리가 경비 총책임자가 되었어."

"지노가 저택을 노리고 있을까요?"

"못 갈 것 없지."

초점을 잡은 눈으로 페르난도가 사만타를 보았다.

"지노는 헨리 급이 아냐."

"우리가 용병을 잘 골랐죠?"

"그런 셈이지."

고개를 끄덕인 페르난도가 쓴웃음을 지었다.

"이제는 독립해 나갔지만 말야."

지노는 계약을 해지한 후에 반년 분 계약금을 마르코 계좌로 돌려보낸 것이다. 그때 페르난도가 사만타를 보았다.

"사만타, 신중하게 처신하도록 해."

"무슨 말이죠?"

"이번 세실리아와 지노와의 전쟁에 끼어들지 말란 이야기야."

"끼어든 것 없어요."

"세실리아는 적이야. 평화협정은 지금이라도 깨질 수가 있어."

"누가 뭐래요?"

272

"내가 분위기를 봤는데 조직에서 보스에 대한 충성심이 떨어져 있어."

"그건 당연하죠. 내가 장악한 지 얼마 되지 않았으니까요."

"아직도 마르코 보스에 대한 충성심이 남아있다는 말이야."

"나한테 대항할 만한 놈은 남아있지 않아요."

"너는 모르고 있는 모양이군."

페르난도가 지그시 사만타를 보았다.

"지노가 손짓만 해도 간부급 대부분이 넘어갈 거다."

사만타가 고개만 들었고 페르난도의 말이 이어졌다.

"겉으로는 내색하지 않았지만 너한테 반발하는 간부들이 지노의 손짓을 받고 움직일 가능성이 커."

"……."

"거기에다 보스가 지노를 인정해준다면 어떻게 될 것 같으냐?"

"……."

"보스가 블라드의 죽음을 잊고 있을 거라고 생각하는 거냐?"

"아버지는 이미 폐인이 되었어요."

사만타가 말을 이었다.

"이젠 화장실도 혼자 가지 못할 상태가 되었어요."

페르난도는 입을 다물었다. 마르코는 3층에서 다시 폭음하기 시작했고 주사를 부린 것이다. 혼자 걷기도 힘들어서 화장실에 갈 때 간병인의 부축을 받아야 한다. 그때 고개를 든 사만타가 페르난도를 보았다.

"페르난도, 어차피 당신도 나하고 같은 배를 탄 입장이에요. 이제는 우리가 공동운명체라는 것을 명심해요."

"알고 있어, 사만타."

페르난도가 고개를 끄덕였다.

"네가 내 경호원들까지 매수해서 감시하고 있다는 것도."

사만타가 시선을 들었지만 입을 열지는 않았다.

6장 운명

"저기 오는군."

케이든이 몸을 일으키면서 말했다.

오전 2시 반.

이곳은 투마코 위쪽 10킬로 지점의 작은 어항. 짙은 어둠 속에서 다가오는 어선이 보이는 것이다.

"준비해라."

케이든이 말하자 부하들이 일제히 선착장으로 다가갔다. 선착장은 낡았지만 150톤급 어선이 정박할 만한 여유는 있다.

에콰도르의 산로렌스 항을 출발한 어선이 멀리 공해로 나갔다가 콜롬비아의 투마코 항으로 입항한 것이다. 이제 어선과의 거리는 1백여 미터로 가까워졌다. 이쪽은 흐린 날씨여서 별도 떠 있지 않았다. 어선도 선체가 검었기 때문에 검은 산이 떠 있는 것 같다.

뒤쪽에 선 케이든의 옆으로 하르타가 다가왔다. 하르타는 백인과 흑인의 혼혈인 물라토다.

"대장, 차를 출발시켰습니다."

케이든이 고개를 끄덕였다. 뒤쪽에 숨겨둔 트럭을 부른 것이다. 돈 자루를 실어야 하기 때문이다.

이윽고 어선이 선창에 닿자 곧 배에서 널빤지를 내렸다. 사내들이 소리 없이 움직이기 시작한다.

"케이든."

배에서 내린 게리슨이 활짝 웃는 얼굴로 다가왔다.

지금 어선에서는 돈 자루가 트럭으로 옮겨지는 중이다. 그러나 잘 훈련된 요원들이어서 말소리도 들리지 않는다. 게리슨의 부하는 28명, 그리고 케이든이 이끌고 온 부하는 35명이다. 60명이 넘는 부대다. 돈 자루는 트럭 2대에 실리고 있다.

"수고했어, 게리슨."

케이든이 게리슨의 어깨를 감싸 안으면서 말했다. 오전 3시가 되어가고 있다.

"바라타크, 나야."

수화기에서 미셸의 목소리가 울렸다.

"웬일이냐, 미셸?"

오전 3시 10분.

바라타크는 사냥터 민가의 침실에서 전화를 받는다. 미셸은 제19농장의 지배인으로 바라타크와 동향 친구다. 그러나 멀리 떨어져 있어서 요즘은 연락도 못한 사이다. 그때 미셸이 말했다.

"바라타크, 지금 보스 모시고 있지?"

"그래. 지금도 사냥터야. 죽겠다."

"그런데 너 어떻게 할 거야?"

"어떻게 하다니?"

"보스 모시는 게 어때?"

"글쎄, 죽겠다니까?"

잠이 달아난 바라타크가 창가의 의자에 앉았다.

"그런데 이 시간에 왜 전화한 거냐?"

"너, 보스 모시고 나와."

"무슨 말야?"

"내 말 못 알아들어?"

"무슨 말이냐니까?"

"너 지금 옆에 누가 있어?"

"혼자야."

"바라타크, 잘 들어."

미셸의 목소리가 굵고 낮아졌다.

"우리, 보스를 다시 모셔야겠다."

"보스를? 어떤 보스 말이냐?"

"누군 누구야? 지금 네가 모시고 있는 보스지."

"과타르치 보스 말인가?"

"그래."

"어떻게 하려는 거야?"

"네가 보스를 모시고 나오면 돼."

"어디로?"

"내가 말해준 곳으로."

그때 바라타크가 심호흡을 했다.

"그럼, 미셸, 네가 주도한단 말이냐?"

"아니다. 감히 내가 어떻게."

"그럼, 누구야?"

"지노."

그 순간 숨을 들이켠 바라타크가 전화기를 고쳐 쥐었다. 눈의 초점이 흐려졌다가 곧 모였다. 그때 미셀의 목소리가 이어졌다.

"이미 간부급 10여 명이 모였어. 바라타크, 지노 님이 총보스가 되면 우리는 천하무적이야."

"그, 그럼 지노 님은 저쪽 마르코 가문을 그만둔 건가?"

"그만두고 독립했어. 너도 알다시피 지금은 에콰도르의 보스다."

그때 바라타크의 눈빛이 강해졌다.

3시 40분.

어항을 떠난 차량 대열이 산맥 입구로 들어섰다. 차량 8대의 대열이다. 트럭 2대를 앞뒤로 호위한 6대의 차량에는 60여 명의 부대가 탑승하고 있다.

안데스 산맥을 넘어가는 산길이다. 짙은 어둠에 덮인 산길은 오가는 차량도 없었기 때문에 차량은 거침없이 달려 올라가고 있다.

선두 지프에는 FN MAG 경기관총을 장착하고 있다. 그 뒤로 병력을 실은 트럭 2대, 현금 수송 트럭 2대, 그 뒤쪽에 병력 수송 트럭 2대와 맨 끝에 역시 MAG 경기관총을 장착한 지프 순이다.

케이든은 앞쪽 병력 수송 트럭 선두 차에, 게리슨은 현금 수송 트럭 바로 뒤쪽의 병력 수송 트럭에 탑승하고 있다.

"넘어가는 데 2시간은 걸릴 거야."

앞쪽 트럭에 탄 케이든이 무전기에 대고 말했다. 뒤쪽의 게리슨에게 말하는 것이다.

"넘어올 때 2시간 20분 걸렸거든."

"날이 밝기 전에는 칼리에 도착하겠지, 안 그래?"

게리슨이 확인하듯 물었다. 칼리에서 현금을 나눠야 한다. 트럭 1대분을 케이든이 싣고 갈라서기로 한 것이다, 이것은 용병대 몫이니까.

"6시 전에는 도착해."

케이든이 대답하고는 앞쪽 구비를 보았다. 이곳은 산굽이가 심해서 30미터쯤 앞을 달리는 무장 지프가 꺾어지는 바람에 보이지 않는다. 그 순간이다.

"꽝!"

앞쪽에서 폭음이 울렸지만 보이지 않는다. 와락 긴장한 케이든이 옆에 놓인 AK-47을 움켜쥐었을 때다.

"꽈앙!"

번쩍이는 섬광과 함께 케이든은 자신의 몸이 허공에 떠오르는 느낌을 받았다. 맞았다. 의식은 멀쩡했고 청각, 시각은 아직도 생생했다.

그래서 자신이 탄 트럭이 로켓포에 맞아 폭발했다는 것까지 알았다. 섬광과 폭음까지 보이고 들린다. 그러나 고통은 없다. 다음 순간 케이든의 의식이 끊겼다.

"뒤쪽을!"

모튼이 소리쳤을 때 부하가 멘 RPG-7V 탄두에서 HEAT탄이 발사되었다.

"푹 슝!"

후폭풍이 일어나면서 날아간 HEAT탄이 맨 뒤쪽의 무장 지프 복판에 맞았다.

"꽈광!"

지프에는 운전사와 지휘관, 뒤쪽 기관총에 두 명이 매달려 있었는데 로켓탄이 맞는 순간 지프가 1미터쯤 허공으로 솟아오르면서 폭발했다. 화염과 함께 차체와 병사들이 허공으로 솟아올랐다. 다음 순간.

"꽈광!"

앞쪽 무장 트럭이 로켓탄을 맞았다. 옆쪽의 로켓포 사수가 쏜 HEAT탄이 명중한 것이다.

"타타타타타타타."

이제 요란한 총성이 산길을 뒤덮고 있다. 산등성이의 길 위에 매복하고 있던 체르넨코, 모튼이 인솔한 기습대다.

"꽝!"

다시 뒤쪽 트럭이 폭발했을 때 게리슨은 땅바닥에 뒹굴면서 소리쳤다.

"위쪽 능선이다."

게리슨은 자신의 외침 끝이 떨리는 것까지 들었다. 절망감이 덮였기 때문이다. 지금까지 수백 번 전투를 치러본 게리슨이다. 이 상황은 이제 끝난 것이다.

적은 용의주도하게 앞쪽 선두 차부터 부쉈고 병력을 실은 트럭을 이어서 폭파시켰다. 현금수송 트럭 2대만 남겨놓은 것이다.

"타타탓, 타타탓."

이쪽에서도 응사를 했지만 불길에 싸인 트럭으로 사방이 훤한 바람에 모두 노출되었다.

"타타탓!"

위쪽을 향해 응사하던 게리슨이 다음 순간 총을 떨어뜨렸다. 머리 반쪽이 부서져 있다.

"전화 받으시죠."

바라타크가 전화를 내밀며 말했기 때문에 과타르치가 고개를 들었다.

오전 8시 반.

사냥터의 민가 안. 과타르치는 조금 전에 일어나 응접실로 나온 참이다.

"누구냐?"

"예, 지노 씨입니다."

바라타크가 핸드폰을 더 내밀었다. 응접실에는 둘뿐이다.

"지노?"

과타르치가 눈을 크게 떴다. 아직 손도 내밀지 않았다. 잘못 들은 표정이다.

"예, 지노 씨가 통화를 하고 싶다고 하십니다."

"나한테? 지노가? 그 용병이?"

"예."

"왜?"

"받아보시지요."

"네가 왜 지노 전화를 연결해?"

"저하고 이야기가 되었기 때문입니다."

"무슨 이야기?"

지금 둘은 바라타크가 핸드폰을 내민 상태에서 이야기를 주고받는다. 그때 바라타크가 말했다.

"저는 지노 씨와 합류하기로 했습니다. 그래서 통화를 연결시켜드리는 겁니다."

그때 과타르치가 천천히 손을 내밀었다. 바라타크가 통화 버튼을 누르고는 과타르치의 손에 쥐어 주었다.

"여보세요."

지노가 불렀을 때 잠깐 망설이던 저쪽의 목소리가 울렸다.

"나, 과타르치요."

과타르치다. 지노가 말을 이었다.

"지노입니다. 바라타크한테서 들으셨겠지만 어떻게 생각하시오? 내가 가문을 제자리로 돌려놓아드릴까요?"

그 순간 과타르치가 숨을 들이켰다.

"지금 무슨 말을 하는 거요?"

"말 그대로 당신을 보스로 다시 옮겨주겠다는 뜻이오."

"나를?"

"그렇소."

"어떻게?"

"세실리아한테서 다시 빼앗아야겠지."

"……"

"지금 내가 간부들을 모으고 있는데 곧 세실리아 세력을 압도할 거요. 그래서 하는 말인데."

"……"

"참, 바라타크가 말했는지 모르겠는데, 세실리아에게 충성하고 당신을 배신했던 파블로는 내가 처리했소."

"……"

"세실리아의 용병은 이제 둘 남았지. 내가 넷을 없앴거든."

그때 과타르치가 불쑥 물었다.

"조건은?"

과타르치의 목소리가 갈라져 있다.

"당신의 조건은 뭐야? 내가 마르코 가문의 지배를 받으란 말인가?"

"이것도 아직 말 안 했군."

지노의 얼굴에 웃음이 떠올랐다.

"나는 마르코 가문과 결별했어. 용병 계약을 파기하고 독립한 상황이오."

"……"

"나는 이제 키토의 보스요, 과타르치."

"그럼 우리 과타르치 가문이 당신 지배를 받는 것인가?"

"마르코 가문까지 내가 통제할 예정이오, 과타르치."

지노의 표정이 굳어졌다.

"그럼 이해가 될 거요, 과타르치."

과타르치는 입을 다물었고 지노가 말을 이었다.

"과타르치 씨, 지금 결정을 해야 될 거요, 난 당신을 위한 배려를 한 것이니까. 만일."

잠깐 말을 멈췄던 지노가 뱉듯이 이었다.

"조건을 내걸거나 시간 여유를 달라는 한가한 수작은 통하지 않을 거요."

"……"

"나한테 부탁한다고 매달려야 정상이지. 당신은 이대로 가면 며칠 후에 세실리아한테 살해돼. 저택에 남아있는 호세는 이미 폐인이 되었어. 당신도 알고 있지 않소?"

"그렇다면 내가 세실리아냐, 당신이냐를 택하라는 말이군."

"그렇지. 하지만 나를 총보스로 모신다면 과타르치 가문을 이끌어갈 기회를 주지."

"물론 내 옆에 감시역이 있겠군."

"내가 당신의 헤로인 관리를 맡게 되는 것뿐이야. 헤로인은 나만 통하면 돼, 과타르치."

"……"

"다른 건 다 지금까지 해 온 것처럼 하면 되는 거야."

그때 과타르치가 소리치듯 말했다.

"하겠어, 지노."

그러고는 말을 잇는다.

"그렇게 만들어 준다면 당신한테 충성 맹세라도 하지."

세실리아가 현금 수송차가 털린 사건을 보고받았을 때는 오전 9시 반이다. 사건 발생 5시간도 더 되었을 때다. 그것은 안데스 산맥의 험한 길에서 살아남은 부하가 셋뿐이었기 때문이다. 그것도 셋 다 골짜기로 떨어졌기 때문에 천신만고 끝에 기어 올라와 보고를 한 것이다.

그 보고도 헨리가 받고 꾸물거리다가 세실리아한테 알려주었다. 헨리는 용병단의 용병 둘을 또 잃었다. 얀센과 후스토에 이어서 게리슨과 케이든이다. 이쪽도 그들이 무시해온 체르넨코 용병단처럼 둘 남았다. 헨리의 보고를 받은 세실리아가 외면한 채 물었다.

"그, 현금 트럭도 빼앗겼다는 거요?"

"그래요, 세실리아."

헨리도 외면한 채 대답했다.

"정보가 샜습니다, 세실리아."

"이제 당신의 용병대도 둘 남았군요."

고개를 든 세실리아가 헨리를 보았다.

"남쪽에 있는 체르넨코, 모튼을 불러와야 될 것 같은데, 헨리."

"그렇다면 내가 남쪽으로 가죠."

바로 헨리가 대답했다.

"내가 그자들과 함께 일할 수 없으니까."

그때 옆으로 경호실장 아우렐로가 다가왔다. 세실리아의 배다른 오빠다.

"보스가 사라졌습니다."

불쑥 아울렐로가 말했기 때문에 세실리아는 고개를 들었다.

"보스라니?"

"과타르치 님 말입니다."

제 아버지를 보스, 또는 과타르치 님이라고 부른다. 그만큼 아버지한테서 소외되었겠지. 그래서 세실리아한테 중용되었을 것이고.

세실리아가 눈을 치켜떴다. 헨리도 긴장하고 있다. 그때 아우렐로가 대답했다.

"바라타크하고 연락이 안 됩니다."

"연락이 안 돼?"

"예, 부하들한테도 접촉해봤지만 모두 통신을 차단했습니다."

"어떻게 된 일이야?"

"다 사라졌다고 봐야 됩니다. 과타르치 님과 함께 말입니다."

"사냥터에서 말인가?"

그때 헨리가 세실리아를 보았다.

"바라타크가 과타르치 님에게 회유당한 것 아닙니까?"

세실리아는 숨만 쉬었고 헨리의 말이 이어졌다.

"이거 문제인데. 과타르치 님이 세력을 모으면 금방 내전이 일어나겠는데."

마치 남의 일처럼 말한다. 하긴 헨리는 누가 이기건 상관없는 일이긴 하다. 본래 계약한 고용인은 과타르치였고 계약금도 다 받았으니까 과타르치에게 고용된 용병인 것이다.

"응, 체르넨코, 잘했어."

보고를 받은 지노가 고개를 끄덕였다. 이곳은 보고타 서쪽 교외의 안가 안. 지노가 체르넨코 등과 둘러앉아 있다.

오후 1시 반.

체르넨코는 모튼과 함께 조금 전에 이곳에 도착했다. 그때 옆에 앉아있던 모튼이 말했다.

"돈 자루가 68개, 대충 세었는데 5,400만 불이야. 거금이지."

모튼이 번들거리는 눈으로 지노를 보았다.

"트럭 2대를 탈취해서 내가 직접 현금 트럭을 타고 왔어. 현금 트럭을 타고 가다가 폭파되어 같이 죽어도 좋겠다는 생각이 들더라니까."

모튼의 입 끝에 거품이 일어났다. 지노는 듣기만 했고 모튼이 말을 이었다.

"모두 1백 불짜리 지폐야. 자루 하나에 1백만 불 가깝게 담겨 있다니까……."

그때 지노가 손을 들었기 때문에 모튼이 입을 다물었다. 지노가 체르넨코를 보았다.

"체르넨코, 네가 그 돈을 맡아."

"내가?"

숨을 들이켠 체르넨코의 눈이 흐려졌다.

"내가 그 돈을 맡아?"

"그래. 네가 관리해."

"내가 왜?"

"내가 왜라니?"

되물은 지노가 쓴웃음을 지었다.

"앞으로 과타르치 가문을 네가 관리해야 될 테니까."

"무슨 말이야?"

이제는 모튼도 돈 생각을 떨치고 지노를 쳐다보는 중이다. 지노가 손목시계를 보았다.

"곧 과타르치가 올 거다."

"응? 누가?"

체르넨코가 되물었다.

"과타르치가?"

"그래."

지노가 설명하는 동안 둘은 숨도 죽였다. 이윽고 지노가 말을 마쳤을 때 둘은 동시에 숨을 뱉었다. 그때 지노가 말을 이었다.

"너희들 둘이 과타르치 가문의 보좌역을 맡는 거야, 이제는."

둘의 시선을 받은 지노가 정색했다.

"과타르치 가문은 우리가 접수할 거다. 그리고 너희들 둘이 그 감시 역할이야."

그때 체르넨코가 고개를 끄덕였다.

"지노, 이제 네가 콜롬비아의 절반을 접수했군."

지노는 대답하지 않았다.

안가에 과타르치가 도착했을 때는 오후 2시 반이 되었을 때다. 과타르치는 바라타크와 함께 들어섰는데 기다리고 있던 체르넨코, 모튼을 보더니 놀란 듯 주춤했다가 곧 평정을 찾았다.

"음, 자네들이 이곳에 와 있다니, 알 만하구만."

소파로 다가오면서 먼저 과타르치가 그렇게 말했다.

과타르치는 지노를 맨 처음에 보았지만 먼저 말을 걸지는 않았다. 응접실에는 제19농장 지배인 미셸과 4농장 지배인 유르탄까지 와 있다. 바라타크까지 들어왔기 때문에 7명이나 모여 있는 셈이다. 그때 미셸이 과타르치에게 말했다.

"보스, 지노 님께 인사하시죠."

그때 과타르치가 고개를 들고 지노를 보았다. 지노는 물끄러미 시선만 준다. 그 순간 응접실에 무거운 정적이 덮였다. 체르넨코와 모튼도 시선을 준 채 움직이지 않는다. 그때 지노가 먼저 손을 내밀었다.

"과타르치, 어서 오시오."

"지노, 반갑습니다."

과타르치가 지노의 손을 잡더니 쓴웃음을 지었다.

"축하합니다."

"뭘 말입니까?"

"과타르치 가문을 접수하신 것 말입니다."

"고맙습니다."

지노의 대답을 들은 체르넨코가 풀썩 웃었고 이어서 모튼과 과타르치까지 따라 웃었다. 미셸, 바라타크, 유르탄은 여전히 굳은 표정이다.

인사를 나눈 모두가 자리에 앉았을 때 지노가 먼저 입을 열었다.

"전화상으로 합의는 했지만 가장 중요한 사항이 빠졌다는 것을 알고 있지요?"

"압니다."

고개를 든 과타르치가 지노를 보았다. 과타르치는 비대한 체격에 붉은 얼굴이다. 지노를 응시하는 눈의 흰자위가 번들거리고 있다. 과타르치가 입을 열었다.

"세실리아를 죽여주시오."

"그러지요."

고개를 끄덕인 지노가 옆에 앉은 체르넨코를 눈으로 가리켰다.

"과타르치 가문을 보좌할 보좌관이오. 체르넨코가 당신 옆에서 업무를 보좌할 겁니다."

"알겠소."

과타르치가 고개를 끄덕였다.

"모든 일은 체르넨코와 상의하겠소."

"그럼 내가 가문을 장악할 때까지 체르넨코의 보호를 받으시지요."

이렇게 회의가 끝났다.

"사만타, 과타르치 가문이 심상치가 않아."

페르난도가 말했을 때 사만타가 고개를 들었다.

오후 5시 반.

이곳은 메데인의 대저택 안. 2층 응접실에서 사만타와 페르난도가 소파에 앉아있다. 사만타의 시선을 받은 페르난도가 말을 이었다.

"파블로가 죽고 용병단 6명 중 2명이 남았어. 더구나 현금을 탈취하고 오던 수송트럭까지 다시 탈취됐어."

"……."

"거기에다 사냥 나갔던 과타르치가 경호병과 함께 종적을 감췄어. 이것은 세실리아의 짧은 권력이 무너지는 소리야."

"……."

"과타르치가 다시 세력을 모아서 세실리아를 치려는 것 같다. 그럼 이번 전쟁은 세실리아가 절대 불리해."

고개를 든 페르난도가 사만타를 보았다.

"사만타, 세실리아하고 관계를 끊어."

정색한 페르난도가 말을 이었다.

"내가 이 말을 하려고 온 거야."

"우린 평화협정을 맺은 관계예요."

"그건 무시해."

페르난도의 눈빛이 강해졌다.

"세실리아는 도움이 안 될 뿐만 아니라 오히려 널 끌고 들어가는 물귀신이 될 거야."

그때 사만타가 외면한 채 입을 열지 않는다.

그러나 페르난도가 아래층으로 내려갔을 때 사만타는 바로 전화기를 들고 버튼을 눌렀다. 핸드폰을 귀에 붙였을 때 곧 신호음이 울리더니 세 번 만에 응답 소리가 울렸다.

"여보세요."

세실리아의 목소리다. 심호흡을 한 사만타가 먼저 주위부터 둘러보았다.

"세실리아, 잘 들어."

사만타가 말을 이었다.

"지금 우리들의 공동의 적은 지노야, 알고 있지?"

"알아, 사만타."

세실리아의 목소리도 가라앉아 있다.

"지노가 내 용병 넷을 죽였어."

"파블로도 살해했잖아."

"그래."

"그다음 순서는 너, 그리고 나야."

사만타가 말을 이었다.

"우리가 공동으로 지노를 제거해야 돼. 그러지 않으면 우리는 그놈의 손바닥 안에 들어가게 돼."

"……."

"그놈이 우리를 간단하게 생각하고 있어. 하긴 지금까지 그놈 의도대로 다 진행되어 왔으니까."

"어떻게 해야 하지?"

마침내 세실리아가 물었다.

"방법을 말해, 사만타."

그때 사만타가 말했다.

"내가 너한테 사람을 보낼게."

지노가 웃음 띤 얼굴로 페르난도를 보았다.

이곳은 메데인 외곽의 안가 안. 지노와 페르난도가 마주 앉아 있다. 응접실 밖은 떠들썩했는데 부하들이 몰려있기 때문이다.

오후 8시.

페르난도는 이곳에 도착한 지 5분도 안 되었다.

"페르난도, 이제 결정을 해줘야겠어."

지노가 말을 이었다.

"아마 사만타는 나하고 전쟁 준비를 하고 있을 테니까 말요."

"지노, 마르코는 어떻게 할 계획인가?"

"과타르치하고 같은 위치가 될 거요."

지노가 말을 이었다.

"내가 지금 과타르치를 보호하고 있거든. 보호자는 체르넨코와 모튼이오."

"……."

"마르코도 옆에 보좌관을 두고 관리를 받아야겠지."

정색한 지노가 페르난도를 보았다.

"마르코 옆에는 당신이 보좌역을 맡아주면 돼, 페르난도. 그래야 균형이 잡혀."

"……."

"이 상태로는 안 돼. 세실리아, 사만타, 두 가문의 딸들이 망쳐놓은 가문을 다시 정립해야 한다구."

지노가 말을 이었다.

"그리고 페르난도."

시선을 든 페르난도에게 지노가 한마디씩 분명하게 말했다.

"이것은 CIA와 합의한 상황이야, 페르난도."

순간 페르난도가 숨을 들이켰다. 얼굴까지 굳어 있다. 그때 지노의 얼굴에 쓴 웃음이 떠올랐다.

"마이클 우드워드가 나한테 부탁한 일이야, 페르난도. 내가 부탁을 하지도 않았어."

"아울렐로, 나야."

수화기에서 바라타크의 목소리가 울렸을 때 아우렐로는 숨을 죽였다.

오후 10시 반.

이곳은 페레이라의 저택 안. 경비대장 겸 세실리아의 경호실장 아우렐로는 별관의 숙소에서 전화를 받는다.

"너 지금 어디야?"

아우렐로가 겨우 그렇게 물었다. 바라타크와 아우렐로는 친한 사이다. 저택에서 함께 살면서 매일 같이 식사를 했고 24시간을 보냈다. 아우렐로는 세실리아의 경호실장이었고 바라타크는 과타르치의 감시 역할이었던 것이다. 바라타크가 가벼운 목소리로 대답했다.

"나, 보스하고 같이 있어."

"어디?"

"그건 나중에 말해줄 테니까, 그런데 아우렐로."

"뭐냐?"

"너한테 할 말이 있어."

"배신자 이야기는 들을 것 없다."

"아우렐로, 네가 아버지를 배신한 거지."

"닥쳐, 바라타크."

그러나 아우렐로는 목소리를 높이지 않았다.

"전화 끊겠다, 바라타크."

"내 말 한마디만 들어, 아우렐로."

"뭐냐?"

"너, 지금 상황을 잘 알 거다. 이제 간부급들은 다 돌아섰어."

바라타크가 말을 이었다.

"지금 과타르치 보스 옆에 체르넨코, 모튼이 보좌역으로 붙어 있어. 그리고 보스는 지노 님의 보호를 받고 있는 거다."

"……."

"내가 지금 지노 님의 지시를 받고 너한테 연락하는 거다."

"……."

"아우렐로, 네 아버지 과타르치 님한테 돌아와. 과타르치 님도 네가 돌아온 다면 잊고 받아들인다고 약속하셨다."

"……."

"물론 지노 님은 말할 것도 없고."

그때 아우렐로가 물었다.

"내가 어떻게 해야 되지?"

오전 10시 반.

보고타의 앰버서더 호텔 라운지 밀실. 지노가 들어서자 창가의 자리에 앉아 있던 마이클 우드워드가 자리에서 일어섰다. 옆자리에 앉아있던 50대쯤의 사내도 따라 일어선다.

"지노, 로이 엠버트 씨야. 우리 부국장님이시지."

"지노 씨."

사내가 웃음 띤 얼굴로 손을 내밀었다. 회색 머리칼의 백인이다. 붉은 얼굴, 뭉툭한 코, 굳게 닫힌 입술, 장신. 잿빛 눈이 깜빡이지도 않는다. 현장 요원 분위기다.

"명성을 오래전부터 들었소."

"반갑습니다."

악수를 나눈 셋이 자리에 앉았을 때 로이가 먼저 입을 열었다.

"당신이 지금 콜롬비아, 에콰도르를 정리하고 계시더군요. 바람직한 일입니다."

지노는 시선만 주었고 로이가 표정 없는 얼굴로 말을 이었다.

"지금까지 마이클이 양쪽 가문의 실무자를 접촉해서 균형을 맞춰왔지만 한계가 있었어요. 우리 눈을 피해서 막대한 양이 밀반출되었고, 오히려 우리가 이용당한 상황이었는데……."

로이가 지그시 지노를 응시했다.

"마르코 가문이 당신을 고용한 순간부터 지도가 바뀌더군요."

"내가 계획했던 일이 아닙니다."

지노가 쓴웃음을 지었다.

"잘 아시겠지만 말입니다."

"지노, 당신은 영웅이오. 이라크에 이어서 이곳에서도 명성을 떨치는군."

"운이 좋았지요."

"그 운은 자신이 만드는 법이지요. 동양 속담에 덕을 쌓아야 운이 모인다고 했어요."

"난 그런 속담 모릅니다."

쓴웃음을 지은 지노가 로이를 보았다.

"덕을 쌓은 것도 없어요, 로이 씨."

"지노 씨."

정색한 로이가 말을 이었다.

"우리가 적극 협조해드릴 겁니다. 콜롬비아, 에콰도르를 접수하도록 모든 지원을 아끼지 않을 겁니다."

"……."

"국가 간 문제가 발생할 염려가 있기 때문에 우리 요원을 배치시킬 수는 없지만 마이클이 언제든지 도와드릴 겁니다."

지노가 고개만 끄덕였을 때 로이의 눈짓을 받은 마이클이 탁자 위에 소형 녹음기를 내려놓았다. 지노의 시선을 받은 마이클이 말했다.

"지노, 이건 세실리아와 사만타의 통화 내용을 녹음한 거야. 위성으로 녹음한 것이지."

그러고는 마이클이 녹음기의 전원 버튼을 눌렀다. 그때 곧 사만타의 목소리가 울렸다.

"세실리아, 잘 들어."

가라앉은 목소리다.

"지금 우리들의 공동의 적은 지노야, 알고 있지?"

"알아, 사만타."

세실리아도 가라앉은 목소리로 대답했다.

"지노가 내 용병 넷을 죽였어."

"파블로도 살해했잖아."

"그래."

둘의 대화를 들으면서 지노가 의자에 등을 붙였다. 방 안에는 둘의 목소리만 울리고 있다. 이윽고 사만타가 말했다.

"내가 너한테 사람을 보낼게."

그때 녹음기의 전원을 끈 마이클이 지노를 보았다. 끝났다는 표정이다. 지노는 눈만 껌벅였고 다시 마이클이 입을 열었다.

"사만타가 심복 카스를 세실리아한테 보냈어. 이제 카스와 세실리아의 대화를 들어봐."

마이클이 녹음기의 버튼을 눌렀을 때 이번에는 사내의 목소리가 울렸다.

"저희 보스가 페르난도를 시켜 지노와 만나도록 하시겠다고 합니다."

사내의 말이 이어졌다.

"지노는 페르난도의 청을 거절하지 못할 것이라고 했습니다."

"무슨 청인데?"

세실리아의 목소리다.

"에콰도르로 넘기는 헤로인 물량 조절과 단가 문제지요."

"그럼 페르난도도 모르게 사만타가 작전을 만드는 건가?"

"그렇습니다. 보스는 페르난도도 믿지 않습니다."

"그렇군."

"페르난도와 지노가 만날 때 치라는 보스의 말씀입니다. 보스가 시간과 장소를 알려주겠다고 하셨습니다."

"카스, 자네가 연락을 맡나?"

"극비 작전이기 때문에 저 혼자만 알고 있습니다."

"사만타의 이복 오빠 캄바스도 모르는 일이야?"

"그렇습니다."

"그래야지."

세실리아의 목소리가 낮아졌다.

"고맙다고 전해."

그때 녹음기의 전원을 끈 마이클이 웃음 띤 얼굴로 지노를 보았다.

"두 여자 보스가 연합했어. 지노, 넌 이제 죽는 목숨이야."

오후 2시.

지노가 체르넨코와 함께 점심을 먹으면서 말했다.

"콜롬비아의 양대 가문이 모두 딸의 반란으로 뒤집어졌어."

"그래."

스테이크를 입에 넣은 체르넨코가 씹으면서 말을 받는다.

"유사한 점이 또 있어. 제각기 이복 오빠들을 끌어들여 측근으로 만든 것이지."

"그리고 지금까지 소외되었던 오빠들이라는 것도 같지."

정색한 지노가 말을 이었다.

"아우렐로와 캄바스가 2인자로 부상하고 있어."

"여자 보스들은 그걸 알고 있나?"

"그건 아직 알 수 없어."

포크를 내려놓은 지노가 체르넨코를 보았다.

"지금 두 여자는 날 죽이려는 공작을 하고 있어, 체르넨코."

눈썹을 모은 체르넨코에게 지노가 녹음기의 대화 내용을 말해주었다.

"망할 년들."

잇새로 욕설을 뱉은 체르넨코가 고개를 끄덕였다.

"우리가 역습을 해야겠군, 지노."

"지노하고 약속을 했어."

페르난도가 사만타에게 말했을 때는 오후 5시 반이다.

"내일 오후 7시에 마리노 성당 뒤쪽 안가야."

사만타가 고개를 끄덕였다.

"이번 달에 3천 킬로를 보낸다고 하세요."

"그러지."

"수수료는 20퍼센트로 하되 바로 인수해야겠어요. 지난번에 파사테하고도 그것 때문에 말썽이 났으니까."

"말해보지."

"그것 때문에 아저씨가 직접 가는 것이니까요."

"알았어."

고개를 든 페르난도가 사만타를 보았다.

"세실리아가 전쟁 준비를 하고 있는 것 알지?"

"들었어요."

"휩쓸리면 안 돼, 사만타. 지노가 과타르치까지 데리고 있는 이상 이미 판세는 기울었어."

"알고 있어요, 페르난도."

"넌 세실리아하고는 달라. 마르코 씨는 너하고 지노가 잘 되기를 바랐다구."

"……."

"우리는 가만있으면 돼."

그때 사만타가 고개를 끄덕였다.

"지노한테 잘되기를 바란다고 하세요."

보고타의 안가 안.

298

이곳은 지노가 '키토의 보스'가 된 후에 마련한 안가여서 은폐된 장소다. 응접실에 앉아있던 지노가 안으로 들어서는 호타크를 보았다.

오후 5시 반.

"보스, 세실리아가 모은 간부급이 30명쯤 됩니다. 지분을 조건으로 내걸었기 때문에 호응하는 놈들이 많습니다."

"그럴 만하지."

지노의 얼굴에 쓴웃음이 번졌다.

"지금쯤 페르난도와의 회견장 주위에 덫을 설치하고 있을 거다."

"그러겠지요."

호타크가 말을 이었다.

"이제는 양쪽 가문을 다 정리해야 될 것 같습니다."

지노는 대답하지 않았다. 호타크는 마구로와 함께 지노의 측근이 되어있다. 페르난도와의 회담은 내일 오후다.

오후 7시 반.

저택 식당에서 식사를 마친 세실리아가 응접실로 나왔을 때다. 세실리아의 그림자처럼 뒤에 붙어 있던 카로스가 물었다.

"보스, 아우렐로가 보고드릴 일이 있다고 합니다."

세실리아가 고개를 끄덕였다.

"오라고 해."

아우렐로는 이복 오빠로 경비대장이지만 허락을 받아야 세실리아를 만날 수 있는 것이다.

잠시 후에 계단을 올라온 아우렐로가 세실리아의 앞쪽에 앉았다. 아우렐로의 시선이 세실리아 뒤쪽에 선 카로스를 스치고 지나갔다. 그것을 본 세실리아가 아우렐로에게 물었다.

"왜? 둘이 이야기할 것이 있어?"

"아닙니다, 보스."

아우렐로가 어깨를 추켜올렸다가 내렸다.

"같이 있어도 됩니다."

고개를 든 아우렐로가 세실리아를 보았다.

"세실리아."

갑자기 아우렐로가 이름을 불렀기 때문에 세실리아는 긴장했다.

"무슨 일이야? 아우렐로."

"세실리아, 나를 믿어줘서 고마워."

세실리아는 숨을 멈췄고 아우렐로가 번들거리는 눈을 크게 떴다.

"그런데, 세실리아, 난 아무래도 안 되겠다."

"아우렐로, 무슨 말이야?"

"난 경비대장 그만두고 떠날 거야."

"아우렐로."

"나한테 너를 배신하라는 연락이 와. 견디기가 힘들어, 세실리아."

"누구야? 연락해 온 놈이."

"많아, 세실리아."

그때 세실리아의 눈빛이 강해졌다.

"그래서 겁이 나는 거야?"

"세실리아."

이제는 아우렐로가 똑바로 세실리아를 보았다.

"난 네가 날 믿어준 신의를 배신하지 않으려고 이런 말을 하는 거야."

"비겁한 놈."

"세실리아."

아우렐로가 길게 숨을 뱉었다.

"넌 내 진심을 모르는구나, 세실리아."

"닥쳐! 비겁자!"

벌떡 일어난 세실리아가 뒤에 선 카로스를 보았다.

"창고에 가둬!"

"예?"

"창고에 구금시키란 말야!"

세실리아가 버럭 소리쳤다.

"도망치지 못하게 해! 연락도 못 하게 하고!"

그때 다급해진 카로스가 허리춤에서 권총을 꺼내 아우렐로에게 겨눴다.

"아우렐로, 손들어."

"이런."

자리에서 일어난 아우렐로가 얼굴을 일그러뜨리며 웃었다.

"세실리아, 난 너한테 있는 그대로 말해준 것인데……"

"내가 이대로 널 보낼 수 있을 것 같으냐? 이 비겁한 놈아."

세실리아의 얼굴이 붉게 상기되었다.

"넌 배신할 배짱도 없는 놈이야, 아우렐로. 그래서 나한테 말하고 도망치려는 것이지."

"세상에. 그렇게 생각하다니, 세실리아."

아우렐로의 눈이 흐려졌다. 그때 카로스가 다가와 총구로 아우렐로의 배를 밀었다.

"자, 아우렐로, 가자."

그 순간이다. 아우렐로가 카로스의 팔을 잡더니 몸을 비틀면서 꺾었다.

"악!"

카로스가 신음을 뱉으면서 손에 쥔 권총을 떨어뜨렸다. 그때 아우렐로가 카로스의 몸을 어깨로 밀면서 가슴에서 권총을 꺼내 쥐었다. 눈 깜빡하는 순간이어서 세실리아는 입만 딱 벌리고 있을 뿐이다. 카로스가 밀려서 방바닥에 엎어졌을 때 아우렐로가 총구를 세실리아에게 겨눴다.

"세실리아, 네가 화근이다."

"아우렐로."

세실리아가 눈을 치켜떴지만 얼굴이 하얗게 굳어 있다.

"아우렐로, 어쩌려고 그래?"

세실리아의 목소리가 떨렸다. 그때 아우렐로가 길게 숨을 뱉었다.

"세실리아, 이건 네 업보야."

그 순간이다.

"타앙!"

총성과 함께 세실리아가 뒤로 벌떡 쓰러졌다. 가슴에 총탄을 맞은 세실리아는 쓰러진 즉시 숨이 끊어졌다.

바라타크가 세실리아의 피살 소식을 들은 것은 그로부터 30분쯤 후다. 시내의 식당에서 간부들과 함께 식사를 하다가 아우렐로의 전화를 받은 것이다. 아우렐로가 대뜸 말했다.

"바라타크, 내가 조금 전에 세실리아를 사살했다. 보스한테 전해."

바라타크가 숨을 죽였고 아우렐로의 말이 이어졌다.

"어쩔 수 없었어. 내가 현 상황을 말했더니 비겁자 취급을 하고 감금시키려고 했기 때문이야. 그래서 세실리아와 측근 카로스를 현장에서 사살했다."

"신이시어."

바라타크가 길게 숨부터 뱉었다.

"지금 저택 상황은 어때?"

"내가 장악하고 있으니까 별 문제 없어. 보스를 모시고 와."

"세실리아의 시신은?"

"아래층 방에 옮겨 놓았어."

"마침내 일이 터졌군."

"바라타크, 난 세실리아한테 이곳을 떠난다고 했다가 비겁자 취급을 당하고 체포당할 뻔한 거야. 이곳에 미련이 없다. 아버지한테 그렇게 전해."

"아우렐로, 거기 있어. 내가 갈 때까지 있으란 말야."

"알았다."

아우렐로가 떨리는 목소리로 말했다.

"내가 세실리아를 죽이다니. 하지만 어쩔 수 없었어."

"세실리아가 아우렐로에게 당했습니다."

호타크가 보고하자 지노는 시선만 들었다. 호타크가 말을 이었다.

"30분쯤 전입니다."

"그럼 내일 페르난도와의 상담은 없는 것으로 하지."

"그래야겠지요."

"세실리아가 죽어서 사만타가 실망하겠는데."

"암살 계획이 수포로 돌아갔으니까요."

호타크가 쓴웃음을 짓고 지노를 보았다.

"세실리아가 죽었으니 이제 과타르치 가문은 과타르치가 복귀하겠군요."

당연한 일이다. 지금 체르넨코와 함께 있는 과타르치는 다시 저택으로 복귀하게 될 것이다.

사만타는 저녁 식사 중에 보고를 받았다. 보고자는 이쪽도 경호실장을 맡고 있는 이복 오빠 캄바스가 보고를 한 것이다. 보고를 들은 사만타가 지그시 캄바스를 보았다.

"캄바스, 우리는 입장이 다르겠지?"

"다르지요."

준비하고 있었던 것처럼 캄바스가 바로 대답했다. 얼굴에 쓴웃음까지 떠올라 있다.

"첫째로 아우렐로하고 나는 성격 차이가 납니다. 난 그런 비겁한 놈이 아니지요. 둘째는 과타르치하고 마르코의 차이지요. 난 마르코한테서 혹독한 대접을 받았지만 아우렐로는 그렇게 당하지 않았어요."

"또 한 가지가 있지, 캄바스."

사만타가 덧붙였다.

"세실리아하고 나의 차이지. 그건 내 입으로 말할 필요도 없고."

"그렇죠, 보스."

"그나저나 지노를 없앨 기회가 사라졌어. 지노만 없애면 과타르치 가문이 어떻게 되건 우리한테는 상관이 없어."

"그렇습니다."

"어쨌든 내일 페르난도와 지노하고의 협상은 지장이 없겠지."

캄바스는 대답하지 않았고 사만타도 외면했다. 내일 협상 때 지노를 기습하려는 공작은 캄바스에게도 비밀로 했기 때문이다.

헨리 오스만은 며칠 동안 페레이라 저택 근처의 안가에 머물고 있었는데 소외된 상황이었다. 세실리아한테서 체르넨코를 다시 불러야겠다는 '모욕적인' 이야기를 들은 터라 감정이 상한 상태다.

그러나 실제로 비싼 돈을 투자한 용병 6명 중에 넷이 죽고 둘이 남은 상황이다. 용병대장으로 고용인에게 면목이 없을 만했다. 보통 병사들처럼 '값싸게' 죽으면 안 되기 때문이다.

오후 8시 반.

헨리는 세실리아의 '참사' 소식을 들었다. 1시간쯤 후에야 연락을 받은 것인데 늦은 셈이다. 저택에 있던 부하 하나가 헨리를 생각하고 알려준 것이다.

"지저스."

전화기를 내려놓은 헨리가 어깨를 늘어뜨리며 말했다.

"과타르치의 마녀가 사라졌다."

"그럼 과타르치가 돌아올 건가?"

옆에서 통화를 듣고 있던 버트가 묻자 헨리가 고개를 들었다. 눈이 흐려져 있다.

"지금 과타르치가 지노의 수중에 있어."

헨리가 말을 이었다.

"지노가 과타르치를 내세울 거야."

"그럼 끝났군."

그때 눈의 초점을 잡은 헨리가 버트를 보았다.

"그럼 우리도 다시 과타르치를 보스로 모시면 되는 거야."

"그렇게 될까?"

버트는 불안한 표정으로 눈동자가 흔들렸다. 그때 응접실로 핸드폰을 쥔 부하가 들어섰다.

"전화 왔습니다."

"누구냐?"

헨리가 묻자 부하가 핸드폰을 내밀었다.

"체르넨코 님입니다."

순간 버트와 시선을 마주친 헨리가 핸드폰을 받아 줘었다.

"여보세요."

헨리가 응답했을 때 곧 수화기에서 체르넨코의 목소리가 울렸다.

"헨리, 나 체르넨코요."

"아, 체르넨코, 갑자기 무슨 일입니까?"

"세실리아 이야기 들었지요?"

"들었습니다."

"내가 지금 과타르치 님을 모시고 저택으로 가는 중이오."

"아아."

"헨리, 당신도 이쪽으로 오는 게 나을 것 같은데. 인사도 하고 말요."

"과타르치 씨한테 말요?"

헨리가 쓴웃음을 짓고 물었다.

"내가 회복시켜 드린 것도 아닌데 멋쩍구먼그래."

"아니, 지노 님하고 과타르치 님이 같이 계시니까."

숨을 들이켠 헨리에게 체르넨코가 말을 이었다.

"지노 님께 인사를 하란 말이오, 헨리."

"지, 지노 님께."

"앞으로 과타르치 님도 지노 님이 관리하시기로 되었어요."

"……"

"나는 지노 님의 지시에 따라 과타르치 님의 보좌역이 되었습니다."

"……"

"그럼 저택에서 기다리겠소. 1시간 안에는 도착할 수 있겠지요?"

"그러지요."

엉겁결에 대답한 헨리가 헛기침을 했다.

"버트하고 같이 가겠습니다."

"그럼 우리가 지노의 지시를 받아야 한단 말인가?"

헨리의 말을 들은 버트가 흐려진 눈으로 헨리를 보았다.

"지노는 과타르치를, 과타르치는 우리를 부리는 입장이 되었단 말이지?"

"복잡하게 생각할 것 없어, 버트."

먼저 진정한 헨리가 말을 이었다.

"우리는 과타르치의 용병이야. 그렇게만 생각하면 돼. 다시 원점으로 돌아간 거야."

"하지만."

"네 분수를 알도록 해, 버트."

"분수를 알라니?"

"지노가 너하고 같은 레벨의 용병이 아니란 말야."

"무슨 말이야?"

"너, 자꾸 지노하고 비교하지, 무의식중에 말야?"

자리에서 일어선 헨리가 버트를 노려보았다.

"네 머릿속에서 싹 지워라. 그러면 마음이 편해진다, 나처럼."

"너, 어디 가려는 거야?"

"너도 옷 입어. 지노한테 인사하러 가야지, 우리가 앞으로 모셔야 할 보스 니까."

헨리가 엄격한 표정으로 말했다.

한 시간 후의 과타르치 가문의 대저택 안.

3층 응접실에 10여 명의 사내가 둘러앉아 있다. 상석에 앉은 두 사내는 과타르치와 지노다. 그 좌측에 체르넨코와 모튼, 그 우측에 헨리와 버트가 앉았고 앞쪽에는 바라타크와 미셸, 유르탄 등 간부들과 아우렐로가 앉았다. 그때 먼저 과타르치가 입을 열었다.

"다 내 잘못으로 이 지경까지 되었지만 앞으로 남은 인생은 지난 일을 회개하는 심정으로 살겠다."

모두 숙연해졌고 과타르치가 말을 이었다.

"죽은 내 딸의 장례식부터 치러야 할 것 같다."

과타르치의 시선이 아우렐로에게 옮겨졌다. 살찐 얼굴에서 두 눈이 충혈되어 있다.

"아우렐로, 내 아들아."

고개를 든 아우렐로의 두 눈이 번들거렸다.

"예, 아버님."

"너, 세실리아를 죽였다고 가책하지 말거라, 세실리아는 제 운명대로 죽은 것이니까."

과타르치의 시선이 헨리에게로 옮겨졌다.

"헨리."

"예, 보스."

"전처럼 내 부하들을 관리해주게."

"알겠습니다, 보스."

"그리고 자네는 체르넨코의 지시를 받도록 해. 체르넨코는 이제 용병이 아냐."

고개를 든 헨리에게 과타르치가 말을 이었다.

"체르넨코와 모튼은 내 보좌역으로 지노 님의 부하야. 무슨 말인지 알겠나?"

"알고 있습니다."

308

"지노 님이 곧 사만타 가문도 총괄하게 될 거네."

과타르치의 얼굴에 쓴웃음이 떠올랐다.

"세실리아가 사만타의 영향을 받은 것이지. 사만타 그년은 제 오빠까지 죽였으니 죗값을 받아야겠지."

과타르치가 입을 다물었을 때 응접실에 정적이 덮였다. 그때 고개를 든 체르넨코가 지노를 보았다.

지금까지 지노는 입을 열지 않았다. 헨리와 버트를 향해 고개만 끄덕여 보였을 뿐이다. 그때 체르넨코가 입을 열었다.

"자, 그럼, 회의 끝냅시다."

엉겁결에 일어선 헨리와 버트가 계단으로 다가갈 때다.

"헨리."

뒤에서 체르넨코가 불렀기 때문에 둘은 몸을 돌렸다. 체르넨코가 다가와 둘을 번갈아 보았다.

"보스가 술 한잔하자는데."

체르넨코가 은근한 표정으로 말했다.

"지노 보스가 말야."

저택 별관의 식당에서 지노와 체르넨코, 모튼, 그리고 헨리와 버트까지 다섯이 둘러앉았다. 살아남은 용병들이다. 원탁 위에는 술과 안주가 가득 놓여 있다. 술잔을 든 지노가 고개를 돌려 헨리를 보았다.

"헨리, 아프간에서 1년 있었다구?"

"예, 제27특전대에서 근무했습니다."

"카불에 있었군."

"잘 아시는군요."

"나도 1년 반 있었거든."

지노의 얼굴에 웃음이 떠올랐다.

"겹치지는 않았지만 여기 있는 체르넨코와 모튼도 아프간을 거쳐 갔다네."

"용병치고 아프간, 이라크를 거치지 않은 인간이 없죠."

체르넨코가 거들었다.

"아프간에서 많이 죽었죠."

모튼이 아는 체했을 때 버트가 나섰다.

"아니, 이라크에서 사고가 많았어요."

"아냐, 아프간 놈들한테 비교하면 이라크 놈들은 어린애야."

모튼이 반박하자 버트가 고개를 저었다.

"이라크 반군들을 겪어보지 못했군. 그놈들이 얼마나 교활한지 알아?"

그때 체르넨코가 쓴웃음을 지었다.

"이봐, 여기 있는 보스가 바로 반군 측 용병이었어."

체르넨코가 눈으로 지노를 가리켰다. 그 순간 모두 입을 다물었다. 지노가 반군의 실질적 지휘관이었던 후세인의 용병이었던 것이다. 그때 지노가 웃음 띤 얼굴로 말했다.

"지금까지 다른 길을 갔지만 여기서는 한 팀이 되어야 해."

모두 시선을 주었고 지노의 말이 이어졌다.

"과타르치 가문의 보좌역은 체르넨코와 모튼이 맡도록 하고."

지노의 시선이 헨리에게 옮겨졌다.

"앞으로 마르코 가문은 헨리가 맡아야겠어. 물론 체르넨코처럼 보좌역으로 말야."

아직 마르코 가문은 사만타가 도사리고 있는 것이다. 헨리가 고개를 끄덕였다.

"하지요, 보스."

"그리고 너희들의 계약자는 나야. 내가 고용주라는 것을 기억해둬."

"압니다, 보스."

헨리의 얼굴이 환해졌다.

"계약금은 체르넨코 수준으로 주시겠지요?"

그야말로 순식간이다.

세실리아가 이복 오빠 아우렐로에게 피살되고 과타르치가 복귀하는 과정이 그렇다. 만 하루도 걸리지 않았다. 과타르치가 이미 지노의 수중에 있었기 때문에 가능한 일이었다.

"사만타, 오늘 오후 회의를 연기하자는 연락이 왔어."

오후 2시 반.

페르난도가 말했을 때 사만타는 시선만 주었다. 시간별로 과타르치 가문의 동향을 보고받는 터라 이미 '함정' 작업은 무산된 상황이다. 사만타 또한 지노 제거에 혼자서 총대를 메기에는 부담이다. 페르난도가 말을 이었다.

"사만타, 과타르치 님한테 축하 전화라도 해야 되지 않을까?"

"……."

"세실리아 장례식도 치른다고 하는군. 장례식에도 참석해야겠지?"

"안 갑니다."

고개를 든 사만타가 쓴웃음을 지었다.

"세실리아도 이해하겠죠."

"그럼 할 수 없지. 내가 대신 가지."

"지노가 지금 페레이라에 있겠죠?"

"이곳 메데인에 와 있을지도 모르지."

저택 안이다. 소파에 앉은 페르난도가 먼 곳을 보는 눈으로 사만타를 보았다.

"사만타, 지노를 만나지 않겠니?"

"내가요?"

놀란 사만타가 눈을 크게 떴다.

"왜요?"

"지노를 적으로 만들면 너한테 이로울 것이 없어. 알고 있는 일 아니냐?"

"이미 돌이킬 수 없어요, 페르난도."

사만타가 똑바로 페르난도를 보았다.

"내가 세실리아하고 함정을 팠다는 것도 지노가 알고 있을 테니까요."

"알겠지."

"그리고 지노 따위는 겁나지 않아요."

"만용이군."

페르난도가 혼잣소리처럼 말했지만 사만타는 들었다. 눈을 크게 뜬 사만타가 페르난도를 보았다.

"지노가 데려간 마구로, 호타크 일당을 제외하고 조직은 흔들리지 않아요. 과타르치 가문처럼 배신자는 없습니다."

"……"

"캄바스도 확고하게 기반을 굳혔어요. 지노가 과타르치 가문처럼 우리를 공략할 수 없을 겁니다."

사만타의 두 눈이 번들거렸다.

"그리고 나는 지노를 고용한 고용주나 같아요. 마르코의 후계자니까 당연한 일이죠. 지노가 계약을 파기했지만 배신했다는 비난은 피할 수 없을 겁니다."

"……"

"지노가 내 가문은 건드릴 수 없어요."

그때 페르난도가 자리에서 일어섰다.

"알았다."

페르난도가 발을 떼면서 말했다.

"헤로인 협상은 다음에 하기로 하지, 급한 일은 아니니까."

사만타는 페르난도의 등을 주시한 채 입을 열지 않았다.

페르난도가 아래층으로 내려갔을 때 사만타가 벨을 눌러 캄바스를 불렀다.

캄바스가 앞쪽에 앉더니 눈을 가늘게 뜨고 사만타를 보았다.

"페르난도하고 무슨 일 있습니까?"

"왜?"

"아래층으로 내려온 페르난도의 안색이 좋지 않아서요."

"내가 그것 때문에 불렀어."

숨을 들이켠 사만타가 번들거리는 눈으로 캄바스를 보았다.

"아무래도 페르난도가 지노하고 내통하고 있는 것 같아."

캄바스가 시선만 주었고 사만타의 말이 이어졌다.

"자꾸 지노한테 연락을 하라는데, 마치 내가 두 손을 들고 투항하라는 것 같은 느낌이 들어."

"그럴 수는 없죠."

캄바스가 정색하고 사만타에게 말했다.

"우리는 과타르치하고 다릅니다. 마르코 님이 직무를 수행하기 불가능한 상황이 되었기 때문에 이렇게 된 것 아닙니까? 더구나 간부들 대부분도 새 체제에 승복하고 기반이 굳어지는 상황입니다. 이 상황에서 지노에게 항복하다니요?"

캄바스의 목소리가 점점 높아졌고 두 눈이 번들거렸다.

"페르난도가 다른 생각이 있다거나 지노하고 무슨 약속을 했을지도 모릅니다."

"내 생각도 그래. 페르난도가 지노하고 너무 가까워서 불안해."

"위험합니다."

목소리를 낮춘 캄바스가 주위를 둘러보았다.

"전에는 마르코 님을 믿고 전권을 행사했는데 지금은 보스의 통제를 받지 않습니까? 그래서 만나는 간부들에게 불평을 늘어놓는다고 합니다."

"……."

"페르난도가 지노하고 내통하고 있을지도 모릅니다."

"그래서 내가 페르난도 주변에 정보원들을 심어놓았어."

사만타가 말을 이었다.

"믿을 수가 없어."

"제거할까요?"

불쑥 캄바스가 묻자 사만타는 고개를 저었다.

"지금은 아냐. 기다려."

지노가 키토에 도착했을 때는 오후 8시 반이다. 공항에서 바로 '산타마리아' 호텔로 들어선 지노는 11층 라운지로 들어섰다. 엘리베이터 앞에서 기다리고 있던 지배인이 지노를 맞았다.

"기다리고 계십니다."

앞장선 지배인이 안내하면서 말을 잇는다.

"10분쯤 전에 오셨습니다."

지배인이 복도 끝 방 앞에 서더니 노크를 하고 물러섰다.

지노가 방으로 들어서자 자리에 앉아있던 올리비아가 일어섰다. 얼굴에 수줍은 미소가 떠올라 있다. 다가간 지노가 올리비아의 허리를 당겨 안았다. 올리비아가 마주 껴안았을 때 지노가 가볍게 입을 맞췄다. 올리비아의 얼굴은 금세 상기되었고 숨이 가빠졌다. 반쯤 감은 눈도 흐려졌다. 지노가 올리비아의 귀에 입술을 붙이고 말했다.

"보고 싶었어, 올리비아."

올리비아가 대답 대신 지노의 허리를 더 힘껏 감아 안았다.

깊은 밤, 지노가 가슴에 안긴 올리비아에게 물었다.

"올리비아, 네 남동생 이름이 뭐랬지?"

"헤수스."

고개를 든 올리비아가 지노를 보았다. 방의 불은 껐지만 창으로 흘러들어온 별빛이 환하다. 별빛을 받은 올리비아의 눈이 반짝였다.

"왜요?"

"내일 오후 5시쯤 산마르틴 공원 위쪽의 마리아상 앞으로 같이 나와."

"헤수스하구요?"

"그래."

"왜요?"

"내일 토요일이니까, 괜찮지?"

"시간은 되는데 헤수스가 놀랄 텐데."

"왜?"

"헤수스가 좀 부끄럼을 타요."

"내가 무섭게 생겼나?"

"그건 아니고."

올리비아가 지노의 몸에 빈틈없이 붙었다. 부드럽고 탄력 있는 피부가 몸에

315

밀착되면서 온기가 전해졌다.

"당신이 사업가라고 했더니 자꾸 무슨 사업을 하느냐고 물어서 건설업자라고 했어요. 요즘 빌딩 세우는 곳이 많잖아요."

올리비아가 말을 이었다.

"미국에서 건설 장비를 들여온다고. 잘 했지요?"

"올리비아."

지노가 올리비아의 허리를 당겨 안자 따뜻한 배가 맞붙었다. 올리비아가 지노의 가슴에 더운 숨을 뱉으며 물었다.

"왜요?"

"넌 내가 뭘 하는 사람 같나? 솔직하게 말해봐."

올리비아가 지노의 가슴에 입술을 붙인 채 잠깐 꾸물거렸다. 지금까지 올리비아한테는 미국에서 온 사업가라고만 했지 구체적인 직업은 말해주지 않은 것이다. 올리비아도 묻지 않았는데 그것이 오히려 지노를 꺼림칙하게 만들었다. 그때 올리비아가 고개를 들고 지노를 보았다.

"그때, 잘 때……."

올리비아의 눈동자가 흔들렸다.

"밤에……."

"그래서?"

지노가 올리비아의 엉덩이를 움켜쥐었다.

"말해, 올리비아."

엉덩이가 아픈지 올리비아가 몸을 꿈틀대었지만 지노에게 더 엉키는 꼴이다. 그때 올리비아가 말을 이었다.

"소파에 떨어진 당신의 재킷을 옷걸이에 걸려고 하다가……."

"그래서?"

"주머니에 든 권총을 보았어요."

올리비아의 눈동자가 흔들렸기 때문에 지노는 입을 맞췄다. 올리비아의 몸이 작아진 것처럼 느껴졌다.

"말해봐, 생각나는 대로, 나의 올리비아."

"그러자 당신을 따라다니는 사내들이 떠올랐어요. 항상 당신 주위에 사내들이 있었거든요."

"옳지."

"당신 눈치를 살피고, 항상 주위에서 맴도는 사내들……"

"그래서?"

"당신, 보스죠?"

"응? 무슨 보스?"

"저기, 대장……"

"무슨 대장?"

"그러니까……"

올리비아의 눈동자가 흔들렸기 때문에 지노가 빙그레 웃었다.

"올리비아."

"네, 지노."

"너, 알고 있겠구나."

올리비아가 지노의 가슴에 볼을 붙이더니 길게 숨을 뱉었다.

"지노, 당신이 누구라도 좋아요. 당신을 사랑해요."

"네가 본 그대로야, 올리비아. 절대로 너한테 피해를 입히지 않을 거야."

다시 올리비아를 감싸 안은 지노가 말을 이었다.

"내일 헤수스를 데리고 나와, 나의 올리비아."

다음 날 오후 5시.

산마르틴 공원 위쪽의 마리아상 앞에 서 있던 올리비아와 헤수스 남매에게 사내 하나가 다가왔다.

"올리비아 님."

올리비아에게 인사를 한 사내가 손으로 길 쪽을 가리켰다.

"저기 공터에서 기다리고 계십니다. 가시죠."

올리비아도 낯익은 지노의 경호원 산토다. 고개를 끄덕인 올리비아가 헤수스의 팔을 끌고 산토의 뒤를 따른다. 그때 산토가 고개를 돌려 올리비아를 보았다.

"길가에다 차를 세워둘 수가 없어서요."

건성으로 고개를 끄덕인 올리비아가 긴장한 헤수스의 팔을 잡았다. 헤수스는 키는 컸지만 아직 스물둘이다. 사업을 한다는 누나 올리비아의 애인을 만나게 되는 터라 잔뜩 굳어 있다. 올리비아가 알려준 남친의 이력은 '미국 사업가', 그리고 하룻밤 숙박비가 헤수스의 한 달 월급이 되는 '힐튼 호텔' 스위트룸에서 묵고 있다는 것뿐이다.

길 건너편 건물 뒤쪽의 공터로 안내된 올리비아는 차 앞에 서 있는 지노를 보았다. 지노 주위에는 7, 8명의 사내가 둘러서 있었지만 다른 사람들은 보이지 않았다.

"올리비아."

다가온 지노가 올리비아를 가볍게 안더니 입술에 키스했다. 올리비아가 자연스럽게 얼굴을 내밀고 입술을 받는다. 그리고 나서 지노의 시선이 뒤에 선 헤수스에게 옮겨졌다.

"네가 헤수스냐?"

다가선 지노가 손을 내밀었다.

"난 지노다."

"예, 반갑습니다."

헤수스가 굳은 얼굴로 손을 내밀었을 때다. 지노가 손을 끌어당겨 어깨를 안았다. 헤수스가 지노의 품에 안겨버렸다. 그것을 본 올리비아가 미소 지었다.

"헤수스."

포옹을 푼 지노가 헤수스에게 뒤쪽의 차를 가리켰다.

"네 차다."

헤수스는 눈만 크게 떴고 올리비아는 순간 숨을 들이켰다. 승합차다. 12인승 승합차. 흰색의 한국산 새 차다. 2초쯤 늦게에서야 상황을 판단한 헤수스의 얼굴이 붉어졌다. 그때 올리비아의 입에서 억눌렸던 탄성이 터졌다.

"오, 하느님."

"헤수스, 여기 열쇠다."

지노가 헤수스에게 승합차 열쇠를 내밀면서 말했다.

"받아라. 내가 널 만난 기념으로 주는 거다."

그때 올리비아가 한 걸음 다가섰다.

"너무 과분해요, 지노."

"여기 서류입니다."

부하 하나가 다가와 서류봉투를 올리비아에게 내밀었다. 엉겁결에 올리비아가 받았을 때 부하가 말했다.

"차량 등록증, 허가증, 신고서와 세금증명서입니다. 소유주는 헤수스 씨 명의로 했습니다."

그때 지노가 헤수스의 손에 열쇠를 쥐어주고는 웃었다.

"헤수스, 기름도 가득 채워 놓았으니까 누나 태우고 가라."

그러고는 고개를 돌려 올리비아를 보았다.

"올리비아, 오늘은 가족과 함께 보내. 그리고 내일 만나자."

지노가 헤수스의 어깨를 손으로 감싸 안고 말을 이었다.

"헤수스, 다음에 보자."

지노가 몸을 돌렸을 때 사내들이 모두 따랐기 때문에 올리비아는 말을 잇지 못했다.

키토에는 군소 조직들이 10여 개가 난립해 있었는데 그중 하나가 라파엘 가문의 라파엘이다.

라파엘은 36세. 23세 때부터 헤로인 도매상으로 기반을 굳힌 후에 세를 확장, 지금은 전국에 12개 지부를 보유한 세력으로 성장했다. 조직원은 700여 명. 그중 200여 명이 무장 병력으로 본부는 키토에 있다.

오후 7시 반.

산토도밍고 광장 위쪽의 저택 안. 라파엘이 응접실에 둘러앉은 간부들에게 말했다.

"지금 지노가 키토에 와 있어. 콜롬비아가 대충 정리된 모양이야."

라파엘은 메스티소로 미남이다. 검은 머리칼, 검은 눈동자, 장신의 근육질 체격, 얼굴은 조각상처럼 매끈하다. 그러나 웃음 띤 얼굴 이면에는 잔인하고 표독한 심성이 도사리고 있다.

두 달 전에는 헤로인을 중간에서 빼돌린 간부 두 명을 차에 가둔 후에 휘발유를 붓고 태워 죽였다. 여자를 밝혀서 매일 여자를 바꾸는데 화대는 준 적이 없다. 끔찍한 구두쇠여서 지하 창고에 수억 불을 쌓아놓고 있지만 주머니에는 1불도 갖고 다니지 않는다. 갖고 있으면 '쓰기' 때문이다. 라파엘이 말을 이었다.

"어젯밤 로스리오스 거리의 마틴 카페에서 쥬노가 8백 그램을 빼앗겼어. 벌써 두 번째야."

모두 침묵한 채 외면했고 라파엘이 눈을 부릅떴다.

320

"파사테는 로스리오스 거리 서쪽은 우리 구역으로 놔두었는데 그 개자식이 오고 나서 이 꼴을 당하는군."

"……."

"쥬노한테 다음에 걸리면 죽인다고 했다던데, 지노 일당이 말야."

고개를 든 라파엘이 간부들을 보았다. 목에 건 쇠사슬 같은 금목걸이가 불빛을 받고 반짝였다.

"이대로 가면 우리가 밥그릇을 빼앗기게 돼. 거지가 되어서 거리로 쫓겨나게 된단 말야."

"……."

"밖에서 굴러들어온 용병 놈한테 당하고 있을 수만은 없어."

그때 가르샤가 고개를 들었다. 가르샤는 42세. 키토 북쪽의 도매상 3곳을 운영하는 간부다.

"보스, 지노 측과 협상을 하시지요."

눈만 치켜뜬 라파엘을 향해 가르샤가 말을 이었다.

"마르셀파는 지노 측과 협상을 맺었다고 합니다."

공개되지는 않았지만 마르셀이 지노 측 대리인을 만나 판매대금의 25퍼센트를 상납하기로 합의했다는 소문이 퍼져 있다. 마르셀파는 조직원 550명의 조직으로 라파엘과 견원지간이다. 지난달만 해도 양측이 총격전을 벌여 각각 2명, 3명이 죽었다. 라파엘이 어깨를 부풀렸다가 내렸다.

"기다려라, 가르샤. 나대지 말고."

그러고는 입을 다물었기 때문에 회의가 싱겁게 끝나 버렸다.

돌아가는 차 안에서 가르샤가 동생 모카에게 말했다.

"저러다가 파사테처럼 개죽음을 당하지. 지금은 지노가 콜롬비아 두 가문을 정리하느라고 바쁘지만 정리만 끝나봐라."

가르샤가 목소리를 낮췄다.

"쥬노 따위는 문제가 아냐. 아예 라파엘을 없애버릴 거다."

"그럼 우리는 어떻게 되지?"

"어떻게 되긴 뭐가? 지노파가 되는 거지."

가르샤가 목소리를 낮췄다.

"라파엘은 단톤, 기브라스, 오레곤파하고 연합해서 지노한테 대항할 모양이야."

"젠장. 죽으려고 환장했군."

모카가 투덜거렸다.

"지노한테 보호료를 빼앗기지 않으려는 거 아냐?"

"바로 그거다. 창녀 화대를 빼앗아 먹는 라파엘의 본색이 드러나는 거지."

그때 핸들을 쥔 모카가 백미러를 보았다.

오후 8시 반.

도로는 차량으로 가득 차 있다. 차 안에는 둘뿐이었지만 모카가 목소리를 낮췄다.

"형, 레오날드가 선수를 치려는 것 같아."

"무슨 말이냐?"

"지노한테 붙은 것 같다구."

가르샤는 시선만 주었고 앞쪽을 응시한 채 말을 이었다.

"내 정보원들한테서 들었어."

"뭔데?"

"지노 측 놈들하고 자주 만나는 건 확실해."

"배신할 작정이군. 개자식."

"지노가 우리 조직을 흡수하면 레오날드한테 관리를 맡기게 될지도 몰라."

가르샤는 입을 다물었고 모카가 말을 이었다.

"상황이 급해, 형. 파사테가 죽은 것 좀 봐. 하룻밤 사이에 끝날 수가 있어."

"사업가야."

올리비아가 아버지 바라트와 어머니 카타르나를 둘러보며 말했다.

"미국 사업가라구."

응접실에는 식구들이 모두 모였는데 이제야 겨우 흥분이 가라앉고 있는 중이다.

지금 마당에는 헤수스가 몰고 온 승합차가 '떡' 주차되어 있다. 헤수스는 승합차에 부모와 가족들을 태우고 시내를 한 바퀴 돌고 온 것이다. 그리고 나서 가족이 모두 응접실로 들어왔다. 둘러앉은 가족들이 이제 지노에 대해서 물은 것이다. 그때 바라트가 말했다.

"내가 인사를 해야겠으니까, 언제 그 사람을 우리 집으로 데려올 테냐?"

"바빠요, 아버지."

올리비아가 말을 이었다.

"시간을 내보라고 하겠지만 언제 올지는 알 수 없어요."

"내가 찾아가 인사를 할까?"

"아니, 그러실 필요 없어요, 아버지."

"너, 내가 부끄러우냐?"

"아뇨."

올리비아가 고개를 저었다. 얼굴에 웃음이 떠올라 있다.

"아버지가 우체부로 일하시는 게 뭐가 부끄러워요? 난 자랑스러워요."

"그러면……"

"그 사람한테 다 말했어요. 어머니가 간호사고 할아버지, 할머니는 시장에서 장사를 하신다고."

"그랬구나."

"내 동생이 다섯이라는 것도 다."

"그것까지."

이번에는 어머니가 나섰다.

"올리비아, 그 사람 미혼인 건 맞지?"

"그래요, 엄마."

그때 헤수스가 나섰다. 헤수스는 아직 흥분이 가시지 않았다.

"아유, 그만들 해요. 지금 누나 취조하는 거야 뭐야? 시간이 지나면 알게 될 텐데."

"그러자."

바라트가 고개를 끄덕이며 웃었다.

"오늘 같은 좋은 날 우리 올리비아 기분을 상하게 하면 안 되지."

그때 카타리나가 마무리를 했다.

"아이구, 고마워서 그래, 그 사람이."

그렇다. 헤수스는 승합차 차주가 되면서 다니던 여행사에서 대번에 회사의 지분을 보유한 중견 간부가 된 것이다.

키토의 저택 안. 응접실에서 지노가 만수르에게 물었다.

"어깨는 어떠냐?"

"이제 팔은 조금씩 움직입니다."

만수르가 쓴웃음을 짓고 말했다.

"오늘도 하루 종일 팔 운동을 했습니다."

고개를 끄덕인 지노가 옆에 앉은 로간에게 말했다.

"로간, 키토의 군소 조직을 정리해야 돼. 네가 마르셀파하고 협상을 맺었지만 아직 혼란 상태다."

"알고 있어. 곧 정리할 거야."

로간이 말을 이었다.

"내가 라파엘파의 레오날드라는 간부하고 만나기로 했어. 그놈을 통해서 라파엘파를 정리할 거야."

"로간이 머리 쓰는 일을 맡았군."

지노가 웃음 띤 얼굴로 마구로에게 말했다.

"마구로, 네가 도와줘라. 정보가 새나가면 위험하다."

"알겠습니다, 보스."

마구로가 정색하고 말을 이었다.

"마약사업을 하는 놈들은 정보원을 수십 명씩 고용하고 있습니다. 소매상은 모두 정보원이고 그 친척, 거리의 아이들까지 정보원으로 이용하지요. 그러니까 항상 뒤를 조심해야 됩니다."

"그건 시가전 할 때도 마찬가지야, 마구로."

로간이 쓴웃음을 짓고 말했다.

"난 아프간에서 차도르를 쓴 여자가 뒤에서 쏜 총을 맞았어."

지노는 들은 소리였지만 내색하지 않았다. 쏜 총탄이 허리와 옆구리에 맞았는데 다행히 급소를 피해갔다. 그때 응접실로 로렌스가 들어섰기 때문에 셋의 시선이 모였다. 로렌스가 로간의 보좌역이다.

"보스, 라파엘의 간부 한 놈이 만나자는 연락을 해왔는데요."

로렌스가 로간에게 보고했다.

"이번에는 다른 놈입니다. 가르샤라는 간부입니다."

"지노는 지금 키토에 있습니다."

캄바스가 말하자 사만타는 고개만 끄덕였다.

오후 10시 반.

캄바스가 조심스러운 표정으로 사만타를 보았다.

"과타르치 가문의 용병 말입니다."

"누구 말야?"

"선튼 용병단의 용병을 말하는 겁니다."

"헨리 말인가?"

사만타도 안다. 헨리를 포함한 6명의 용병 중 둘만 남았다는 것도 안다. 넷은 지노가 처리했다. 그때 캄바스가 말을 이었다.

"소문이 쫙 퍼졌습니다."

"뭐가?"

"그, 헨리하고 버트라는 용병이 퍼뜨린 건데 그 둘이 곧 우리 마르코 가문의 보좌관이 된다는군요."

"보좌관?"

"예, 마르코 님의 보좌관 말입니다."

"……."

"지금 과타르치 님 옆에 체르넨코와 모튼이 보좌관으로 있지 않습니까? 그 놈들처럼 말입니다."

"……."

"지노가 미리 임명을 했다는군요."

"……."

"다시 마르코 님을 과타르치처럼 내세우고……."

"그만."

손을 들어 말을 막은 사만타가 쓴웃음을 지었다. 그러나 입을 열지는 않는다.

술에 취해 있었지만 마르코는 정신이 말짱했다. 눈도 초점이 잡혔고 말도 또렷했다. 고개를 든 마르코가 들어선 페르난도를 보았다.

밤 11시.

이곳은 저택의 별관 응접실 안. 마르코는 혼자서 술을 마시는 중이다.

"무슨 일이냐?"

"보스, 드릴 말씀이 있습니다."

앞쪽 자리에 앉은 페르난도가 정색했다.

"뭐냐?"

마르코의 입에서 술 냄새가 펄펄 났다.

"네가 나한테 할 말이 있어?"

"예, 보스."

"사만타가 전하라고 했어?"

"아닙니다. 사만타 모르게 온 겁니다."

"거짓말 마라, 이 여우같은 놈아."

술잔을 든 마르코가 한 모금에 삼키고는 쓴웃음을 지었다.

"이곳에 사만타의 경비병이 쫙 깔려 있는데 네가 어떻게?"

"매수했습니다."

페르난도가 말을 이었다.

"보스, 사만타를 내보내고 다시 가문을 장악하시지요."

"사만타를 내보내?"

"그렇습니다."

"어떻게?"

"지노가 작업을 할 겁니다."

그때 마르코가 들고 있던 술잔을 내려놓았다. 이제는 입이 꽉 달렸고 눈빛은 가라앉아 있다.

"사만타는 죽이지 말라고 해라."

"예, 보스."

"과타르치 가문처럼 만들면 안 된다."

"예, 보스."

"난 보스로 돌아갈 생각은 없었지만 이 상태로는 안 돼."

"제 생각도 그렇습니다."

"사만타가 가문을 망쳐먹을 거야."

"제가 잘 수습하지요."

"지노한테 꼭 그렇게 말해."

"예, 보스."

페르난도가 자리에서 일어서면서 웃었다.

"보스, 곧 돌아오지요."

별관 현관을 나온 페르난도가 걸음을 멈췄다. 어둠 속에서 사내 하나가 다가 왔다. 캄바스다.

"페르난도 님, 잠깐 저 좀 보시죠."

"무슨 일이야?"

"저하고 같이 가셔야겠습니다."

"어디로?"

"우선 가시죠."

다가선 캄바스가 페르난도의 팔을 잡았을 때다. 손을 뿌리친 페르난도가 주위를 둘러보면서 소리쳤다.

"하르타! 구반!"

"그놈들은 여기 없습니다."

다시 페르난도의 팔을 쥔 캄바스가 어둠 속에 대고 손짓을 했다. 그때 사내들이 다가와 페르난도를 둘러쌌다. 그때 페르난도가 잇새로 말했다.

"다 운명이다."

캄바스가 고개를 들었지만 영문을 몰랐기 때문에 대답하지 않았다.

그 시간의 키토.

북서쪽의 안가에서 로간과 로렌스가 사내 둘과 마주 앉아 있다. 가르샤와 모카 형제. 고개를 든 가르샤가 로간을 보았다.

"제가 협조하겠습니다. 솔직히 말하면 라파엘파에서 이탈하겠다는 말씀이죠."

"그 이유는?"

로간이 묻자 가르샤는 헛기침부터 했다.

"싹수가 보이지 않기 때문입니다, 보스."

"우리를 모시겠다는 건가?"

"예, 보스."

"우리한테 마르셀파가 합류한 거 아나?"

"압니다."

"조건은?"

"예, 보스."

"라파엘에 대해서 말해봐."

"죽이실 겁니까?"

"네 생각은 어때?"

"그런데 저한테 어떻게 해주겠습니까?"

"지금보다는 낫게 해주지."

로간의 얼굴에 웃음이 떠올랐다.

"아주 많이."

"라파엘의 친족들이 간부급으로 많이 깔려있습니다. 모든 조직들은 가족 경영이어서요."

"알아."

"라파엘과 함께 제거해야 됩니다."

"그래야겠지."

"그 리스트를 가져왔습니다."

가르샤가 주머니에서 두툼한 서류를 꺼내 내밀었다.

"라파엘과 그 친척, 심복들의 거처와 병력 수, 경비 상황까지 기록했습니다."

서류를 펴본 로간이 고개를 끄덕였다.

"좋군."

고개를 든 로간이 가르샤를 보았다.

"그럼 같이 계획을 세우기로 하지."

지노가 페르난도의 사망 소식을 들었을 때는 오전 9시경이다. 키토의 저택으로 연락해 온 것은 헨리다.

"보스, 페르난도가 살해되었습니다."

대뜸 헨리가 말했을 때 지노가 이맛살을 찌푸렸다.

"무슨 말이야?"

"조금 전에 페르난도의 경호원한테서 연락을 받았습니다."

숨을 고른 헨리가 쏟아 붓듯 말했다.

"어젯밤 저택 별관에 있는 마르코를 비밀리에 만나고 나오다가 캄바스한테 잡혔다는 것입니다."

"경호대장을 매수하고 들어갔는데 그것이 캄바스한테 발각되었다고 합니다."

"……"

"페르난도의 경호원 둘도 잡혔는데 한 명이 도망쳐 나왔다는군요."

"……"

"그런데 조금 전에 저택에서 페르난도가 심장마비로 사망했다는 발표가 나왔다는 것입니다. 아직 시체는 인수하지 못했다는데요."

"……"

"질식사시키고 심장마비로 만든 것이지요."

"사만타."

지노가 혼잣소리처럼 말했지만 헨리는 알아들었다.

"당연하지요, 보스."

"그렇다면 할 수 없지. 내가 곧 갈 테니까 기다려."

"예, 보스. 기다리겠습니다."

헨리가 기다렸다는 말투로 대답했다.

"안가를 찾았습니다."

비토리오가 보고했을 때는 오전 11시가 조금 지났을 때다. 메데인의 저택 안. 사만타가 2층 응접실에서 캄바스와 함께 비토리오의 보고를 받는다. 비토리오가 말을 이었다.

"시내에서 차로 40분 거리입니다. 고원의 언덕 위쪽에 위치한 3층 저택인데 숲에 싸여서 밖에서는 거의 보이지 않습니다."

"수고했어."

마침내 사만타가 칭찬했다.

비토리오는 사만타가 고용한 정보원이다. 경찰 출신의 수색 전문가로 마침내 지노의 안가를 찾은 것이다. 지노는 대부대를 이끌고 다니는 보스다. 본인이 싫다고 해도 호위병, 경호원들이 따르는 것이다.

일국의 대통령 수준이다. 대통령이 싫다고 해도 경호가 부득부득 붙는 것과 같다. 그래서 꼬리가 길어지고 탐색이 되는 것이다. 비토리오가 주머니에서 접힌 종이를 꺼내 탁자 위에 폈다.

"여기, 약도 그려왔습니다."

"오!"

캄바스가 약도를 사만타 앞쪽으로 돌려놓았다. 사만타가 정성스럽게 그린 저택 평면도를 보았다. 경비원 위치까지 그려놓았다.

"지노는 없는 상태지만 저택에 상주하는 경비원이 10명 정도입니다. 지노가 왔을 때는 더 늘어나겠지요."

"이제 알았으니까 됐어."

사만타가 고개를 끄덕였다.

"상금 받아 가."

비토리오가 방을 나갔을 때 사만타가 캄바스에게 말했다.

"저격병을 매복시켜."

"예, 보스."

"솜씨 좋은 놈들만 골라서."

"현상금을 걸지요. 성공하면 10만 불씩 준다고 하겠습니다."

"소문나지 않도록 하고."

"그건 염려하지 마십시오."

"페르난도 장례식에 참석할지도 몰라, 둘 사이가 좋았으니까."

캄바스의 시선을 받은 사만타가 쓴웃음을 지었다.

"조문객은 원수지간이라도 건드리지 않는 것이 규칙이지만 이번은 예외로 하지, 그러지 않으면 내가 죽을 테니까."

마르코가 페르난도의 죽음을 들었을 때는 오후 1시가 넘었을 때다. 점심을 먹고 나서 별관 경호원한테서 들은 것이다. 경호원은 '함구령'을 받지 않은 것 같다. 마르코가 페르난도는 지금 어디 있느냐고 무심결에 물었을 때 어젯밤에 '죽었다'고 말해버렸으니까.

"뭐? 왜 죽었단 말이냐?"

놀란 마르코가 소리쳐 물었더니 경호원도 놀라서 또 그대로 대답해버렸다.

"잘 모릅니다. 심장마비로 죽었다고 들었습니다."

마르코는 한동안 경호원을 바라보다가 혼잣말을 했다.

"사만타, 네년은 곧 나도 죽이겠구나."

<3권에 계속>